文史哲學集成

羅宗強著

玄學與魏晉士人心態

文史哲出版社印行

國立中央圖書館出版品預行編目資料

玄學與魏晉士人心態 / 羅宗強著. -- 初版 --
臺北市：文史哲，民 81.11
面； 公分 --（文史哲學集成；268）
ISBN 957-547-183-0（平裝）

1.哲學--中國--三國魏（220-264）2.哲學--中國--晉（265-419）3.形上學

1238 81006072

268 文史哲學集成

玄學與魏晉士人心態

著者：羅宗強
出版者：文史哲出版社
http:// www.lapen.com.tw
e-mail：lapen@ms74.hinet.net
登記證字號：行政院新聞局版臺業字五三三七號
發行人：彭正雄
發行所：文史哲出版社
印刷者：文史哲出版社
臺北市羅斯福路一段七十二巷四號
郵政劃撥帳號：一六一八〇一七五
電話886-2-23511028・傳真886-2-23965656

實價新臺幣五六〇元

民國八十一年十一月初版

ISBN 957-547-183-0

序

傅璇琮

宗強兄是我的畏友。我說這話，一是指他的學識，一是指他的人品。就學識而言，自從他於一九八〇年出版他的第一部著作《李杜論略》以來，短短十年，他在學術上的進展是如此的驚人，無論是審視近十年的中國文學思想史的研究，還是回顧這一時期古典詩歌特別是唐代詩歌的研究，他的著作的問世，總會使人感覺到是在整個研究的進程中劃出一道線，明顯地標誌出研究層次的提高。這不是指他的作品的數量，比較起來，他的專著，他的單篇論文，在我們這一代學人中，數量不能算是最多的，我是指這些論著的質量，特別是他的幾本為數不多的專著，總是為學術界提供精品，無論從立論上，研究方法上，以及整個行文的風度上，總表現出由深沉的理論素養和敏銳的思辨能力相結合而構成的一種嚴肅的學術追求。

就人品而言，最能體現他的精神風貌的，我以為是本書《後記》中最後的一句話，就是「青燈攤書，實在是一種難以言喻的快樂」。同樣的意思，也表現在他為《文史知識》一九九〇年第十期治學之道專欄所寫的《路越走越遠——研究中國古代文學思想史的體會》中的結束語：「我能說的唯一一點經驗，就是我在涉足於自己的研究領域時，雖步履艱難而始終感受到無窮樂趣，這或者就是甘於寂寞的力量之所在。」話很短，但感情很重，只有充分了解他研究生畢業以後很長一段的坎坷經歷，才會真切體味出這些話的分量。他自己說，自從上大學至今，三十五年來，能夠真正坐下來讀書作文的，只是近十年來的事。我曾聽他講述過如何在贛南山區跋涉流落的行跡，聽了使人心酸，但宗強兄講起這些來，無論感情和語調，都是平和的。他分析古代文學思想演進的軌跡，是很推崇道家思想的影響和貢獻的，但他的為人，我總感到於儒家為近，特別是對友朋，溫厚之至，而對自己，卻似乎恪守君子固窮的古訓，表現出類似於清峻的風格。

這使我想起近代大學者陳寅恪先生的一些話。陳先生一九二九年作《清華大學王觀堂先生紀念碑銘》，其中說：「士之讀書治學，蓋將以脫心志於俗諦之桎梏，真理因得以發揚。」作為一位真正的學者，陳寅恪先生一生是以此自律的。俗諦的範圍可以包括很廣，他最鄙視的是以學問為利祿的工具。他總是把學術的分量看得很重。他在抗戰時期的桂林，處於那樣一種輾轉流徙的境地，特地為語言文字學家楊樹達先生的《積微居小學金石論叢續編》作序，盛贊楊先生「持短筆，照孤燈」，甘居寂寞不廢著述的風概，並有為而發地說：「與彼假手功名，因得表見者，肥瘠榮悴，固不相同，而孰難孰易，孰得孰失，天下後世當有能辨之者。」這幾句話，表現了一種學術上的自覺，一種對從事於民族文化研究的自信。在同一時期，他在寄楊樹達先生的一首詩中，前一句說「蔽遮白日兵塵滿」，是那樣的戰火紛飛的年代，後一句說「寂寞玄文酒盞深」，自甘於寂寞，在學問的研索中求得自慰。像陳寅恪先生這樣的一種學術心態，是為「五四」以來我國不少知識分子所共有的。也正因為此，近三四十年來雖有不少人經歷種種坎坷曲折，只要他們能有機會做學問，他們總是如陶淵明所說的「量力守故轍」，為學術事業作出自己力所能及的貢獻。

前面說過，宗強兄的第一部著作是《李杜論略》，出版於一九八〇年，寫作當在此前幾年。他自己對這部書不大滿意，那是因為他是站在今天的高度。這部書出版後我曾看過，後來我與霍松林先生共同編《唐代文學研究年鑑》，還請人寫書評刊入《年鑑》。但那時我正忙於其他工作，只是粗粗泛覽，印象不深。最近因為要寫本書《玄學與魏晉士人心態》的序，重新閱讀那本《李杜論略》，感到這本書出版後所得到的反應與它所達到的成就，是太不相稱了。學術著作與文藝作品一樣，它的意義有時是不易為人所理解的。一九八〇年或稍前一、二年，我們剛剛從「文革」所掃蕩過的荒漠上起步，那時還只有少數一些學術著作出現，就像嚴冬剛過，在初春的寒風中冒霜先開的小花，寥落不受人們的注意。又因為人們厭惡前一時期假大空與偽飾的學風，乃一反其道，對實證的研究感到興趣，於是一些偏重於材料考辨的著作格外受到重視和好評。這是可以理解的。而《李杜論略》在當時的出版，現在看來，卻以其準確的理論把握和細膩的審美體認，挺立於當時的古典文學界。書中對李白、杜甫從政治思想、生活理想、文學思想、創作方法、藝術風格、藝術表現手法等幾方面作了極為細緻的比較，從而也探討了李、杜各自的創作特色。我曾查閱過在這前後的論著目錄，並根據自己的回憶，當時還很少有對李、杜作這樣深入的研究的。特別是書中提出：一種審美趣味之形成思潮，自有其深刻的社會歷史原因，一種普遍的審美趣味常常伴隨著相應的理論主張。作家和評論家們在創作上普遍追求某種傾向時，也在理論上進行著同樣的探討。因此，探討一個時期的文藝思潮，有必要從理論和創作實踐兩個方面進行考察，作出評價，特別是對當時的代表人物的研究尤其必須如此（見該書第一〇三頁）。這種從理論和創作實踐兩個方面來考察文藝思潮，也就是他在五、六年後寫成出版的《隋唐五代文學思想史》立論的基調：

「文學思想不僅僅反映在文學批評和文學理論著作裡，它還大量反映在文學創作中。作家對於文學的思考，例如，他對於文學的社會功能和它的藝術特質的認識，他的審美理想，他對文學遺產的態度和取捨，他對藝術技巧的追求，對藝術形式的探索，都可以在他的創作中反映出來。某種重要的文學思想的代表人物，有時可能並不是文學批評家或文學理論家，有時甚至很少或竟至於沒有理論上的明確表述，他的文學思想，僅僅在他的創作傾向裡反映出來。一個文學流派的文學思想，就常常反映在他們共同的創作傾向裡，而一個時代的文學思潮的發展與演變，大量的是在創作中反映出來的。因此，研究文學思想史，除了研究文學批評的發展史和文學理論的發展史之外，很重要的一個內容，便是研究文學創作中反映出來的文學思想傾向，離開了對文學創作中所反映的文學思想傾向的研究，僅只研究文學批評和文學理論的發展史，對於文學思想史來說，至少是不完全的。」

我之所以引這一大段話，一方面借以說明，《李杜論略》是人們怎樣地還在古代文學思想史批評史以及古代作家作品研究中摸索行進時，已經提出極可寶貴的一種新的思路，而可惜沒有為許多人所認識。另一方面，是想說明宗強兄是怎樣地從這一可貴的思想萌芽出發，堅韌不拔地（用他自己的話說是步履艱難地）前進，終於對古代文學思想史的研究格局有了成熟而明確的思考。

許多年來，不少學者研究我國古代文學思想和理論批評，總是把材料局限於一些文論和批評著作，把古代文學思想史與古代文論研究混同起來。這樣時間一長，就材料顯得雷同，立論不免單一，學科的發展受到影響。《隋唐五代文學思想史》對於研治中國古代文學思想史、批評史，是一個突破，它的意義不僅是擴展了文學理論批評研究的範圍，而且是為文學思想史的研究樹立一個高的標準，把文學思想史的研究真正安放在科學的基礎上。把創作中反映出來的文學思想與理論批評著作結合起來，這些年來其他學者也在作，而《隋唐五代文學思想史》則以專著的形式，系統地論述三百年來文學思想演進的軌跡，以實際的業績說明這種研究思路具有規範的性質，這就極大地促進了這門學科的發展。

但宗強兄不以此為滿足，他又以此為起點，繼續思考著如何深化研究思路，開拓研究格局。他從古代文學的實際出發，在寫作《魏晉南北朝文學思想史》的過程中，終於又得出一種新的研究設想，即作家心態變化的研究。這一次他是深入到文學思想發展原因中去尋討，認為要真正確切地闡釋文學思想發展的主要原因，必須研究士人心態的演變軌跡，而影響士人心態的原因又甚為複雜，有政局變化的原因，有社會思潮的原因，以及不同生活環境和文學修養的相互作用。作為這一思考的成果，就是現在呈現在讀者面前的這一部《玄學與魏晉士人心態》。這一思路，當同時體現在他的《魏晉南北朝文學思想史》中。我認為，這是他治學經歷的又一新的階段，也將是標誌文學思想史學科的又一新的進展。

士人心態的研究，實在是一個綜合工程，它在許多方面已突破文學的範圍，它牽涉到當時的政局、哲學、社會思潮，牽涉到士人本身的許多方面，如他們各自不同的政治和經濟地位，他們生活的環境，所受的教養，以及更為特殊的一些心理因素等等。這差不多可以成為一門獨立的學科。海外有些研究者，也有以中國古代的士為研究對象寫成專書的。但就我的見聞所及，這些書程度不等地存在著圖解式的研究框架，往往把不同時代不同身份不同教養的士人，作簡單的概括，歸納出幾個統一的概念範疇，有時又把簡單的事情複雜化了。比較起來，宗強兄的工作則「實」得多。他的目的很明確，研究士人心態，是為了更深一層地探討文學思想演變的原因，研究文學創作所包含的生活理想和藝術追求形成的社會因素與作家的心理因素，而他的立足點又在大量史料的搜輯與辨析上，對牽涉到形成士人普遍心態發展的具體事件，其前後因果和發展脈絡，作細緻的、個案式的清理與研討。可以想見，這一工作的難度是相當大的。它不但要求研究者有較高的理論素質，還要求有較強的審美感受能力，能夠從政局、社會思潮的迅變和劇變中敏銳地把握士人心態的走向起伏，並從這些心態變化所引起的藝術情趣中去細膩地辨認其審美風尚的性質與價值。同時，還要求研究者不但有宏觀把握的能力，還要有細緻地審核材料的嚴謹學風與功力。另外，不言而喻的，是要求有一種真正做學問的氣質，如陳寅恪所說的，要有一種「脫心志於俗諦之桎梏」的志尚。我覺得，宗強兄於此三者都是勝任的（他的《唐詩小史》藝術感受的新鮮與細微，簡直可以作為美學著作來讀）。我想這不是我親其所好的阿私之言，這部《玄學與魏晉士人心態》就是明證。我的本職工作是出版，年來又因種種原因，事情雜亂，幾乎達到杜甫所說「束帶發狂欲大叫，簿書何急來相仍」的程度。但接到宗強兄所寄的這部書的複印稿，一天繁忙之餘，於燈下翻開書稿，讀了幾頁，心即平靜下來，讀著讀著，感到極大的滿足，既有一種藝術享受的美感，又得到思辨清晰所引起的理性的愉悅。

譬如書中講到嵇康被殺的最根本的原因，作者不同意嵇康因與魏宗室連姻而與司馬氏集團對立的舊說，認為嵇康執著於「越名教而任自然」，「這樣執著，就使自己在整個思想感情上與世俗，特別是與當政者對立起來，就使自己在思想感情上處於社會批判者的立場上」。又說「嵇康卻是處處以己之執著高潔，顯名教之僞飾。而僞飾，正是當時名教中人之一要害。「嵇康的執著的存在，對於偽飾的名教中人實在是一種太大的刺激。他之為司馬氏所不容，乃是必然的事」。這種從當時當政者與嵇康兩種截然相反的思想感情尖銳對立來分析嵇康被殺的悲劇結局，無疑是深刻得多的。又如論西晉名士心態，將其歸納為：「貪財，用心於和善於保護自己，縱欲，求名，怡情山水和神往於男性的女性美」。「他們希望得到物欲與情欲的極大滿足，又希望得到風流瀟洒的精神享受。」這與一些治美學史者好談晉人風流，比之若神仙中人，何啻深淺之別。書中又並不將此歸結於士人本身，而追溯到因政無準的而導致士無特操。又如東晉士人，過去史書上描繪的，大多是寧靜、高雅、飄逸，一種洋溢著這樣意趣的人生境界。而書中指出：「這種追求瀟洒風流、高情遠韻、尋找一個寧靜精神天地的心態，千古以來一直被看作是一種高雅情趣，是一種無可比擬的精神的美。但是，如果考慮到其時的半壁河山，考慮到中國士人的憂國憂民的固有傳統的話，那麼這種高雅情趣所反映的精神天地，便實在是一種狹小的心地的產物，是偏安政局中的一種自慰。」從偏安的局面，遂論及士人的人生理想、生活情趣，以至他們的審美趣味，以及一代文藝思潮的形成，既合乎邏輯，又生動具體。

我認為，由這幾個極少的例子，已足可看出士人心態的研究對於文學思想史與一般的作家作品研究的意義。這是宗強兄經過幾年的思考，繼《隋唐五代文學思想史》之後對學術界所作的貢獻。我有這樣一種感覺：有像《玄學與魏晉士人心態》這樣著作的出現，有像宗強兄學識修養與人品操守那樣的學者在不斷工作，作出成績，是不是標誌著我們古典文學研究正在走向成熟呢？我謹借此表示這一虔誠的願望。

一九九〇年秋冬之際，於北京

玄學與魏晉士人心態　目次

第一章　玄學產生前夕的士人心態

如果比較一下漢、晉士人的心態，我們就會驚異地發現，他們之間的差異是何等巨大！他們的信念，他們的思維方法，他們的人生理想，他們的生活風貌和生活情趣，都有著天壤之別。從規行矩步的經生，到放誕不羈的名士，士人的心態經過了一個很長的變化過程。這個過程，在玄學產生的前夕便開始了。

這裡所說的玄學產生的前夕，是指王弼、何晏等人建立玄學的系統理論之前的一段時間，下限至正始而上限至東漢和帝後期。在這一百三十餘年的時間裡，中國士人從裡到外，都在緩慢地、不知不覺地發生著變化。首先是正統觀念的逐漸淡化，以至崩潰；與之同時進行的是學術思想上森嚴的師法家法觀念的淡化；思想逐漸地活躍起來了，從儒家一尊到各家思想並存，思想領域出現了戰國之後的又一個繁榮的局面。其次是政局的變化導致了士人與政權的關係的變化，從維護大一統政權，到與這個政權疏離，對政權持批判態度。當然，與第一二點相聯繫，跟著而來的便是士人的自我肯定，從尋求獨立人格中體認自我的價值，而不是從服從於嚴格的儒家道德準則中體認自我的價值。凝聚力消失了，自我覺醒了，思想變動不居，而心靈也動蕩不寧。這就是玄學產生前夕士人心態的基本特點。

第一節 處士橫議——士與大一統政權的疏離

士與政權的關係，常常被理解為臣與君的關係。自從孔子說：「臣事君以忠」之後，這種關係的基本模式便確定了。他是主張君君、臣臣、父父、子子的，對君上盡力服事，「事君，敬其事而後其食。」（《論語・衛靈公》）但盡力事君，又不是毫無條件的。與「臣事君以忠」同時提出來的，是「君使臣以禮」（《論語・八佾》）如果君行無道，也就無所謂忠了。「邦有道，則仕；邦無道，則可卷而懷之。」（《論語・衛靈公》）在這個基本模式裡，君權絕對這一點似未嚴格確立。到了漢武帝定儒學於一尊之後，君權便被極大地強調了。這個君臣關係的基本模式中，君權絕對這一面得到理論上的進一步闡釋。董仲舒把這個模式進一步闡述為天→君→臣→民。君是受天之命以君臨臣民的，「受命之君，天意之所予也。」（《春秋繁露・深察名號》）「唯天子受命於天，天下受命於天子。」（《春秋繁露・為人者天》）天子是法天而行道的，故有絕對之權威。「為人君者，其法取象於天也。」「是故天執其道為萬物主，君執其常為一國主。天不可以不剛，主不可以不堅。天不剛則列星亂其行，主不堅則邪臣亂其官。星亂則亡其天，臣亂則亡其君。故為天者務剛其氣，為君者務堅其政。剛堅然後陽道制命。」臣下是法地的。「地卑其位而上其氣，暴其形而著其情，受其死而獻其生，成其事而歸其功。卑其位所以事天也，上其氣所以養陽也，暴其形所以為忠也，著其情所以為信也，受其死所以藏終也，獻其生所以助明也，成其事所以助化也，歸其功所以致義也。為人臣者其法取象於地，故朝夕進退，奉職應對，所以事貴也；供設飲食，候視疢疾，所以致養也；委身致命，事無專制，所以為忠也；竭愚寫情，不飾其過，所以為信也；伏節死義，難不惜其命，所以救窮也；推進光榮，褒揚其善，所以助明也；受命宣恩，輔成君子，所以助化也；功成事就，歸德於上，所以致義也。」（《春秋繁露‧天地之行》）君既象天，臣既象地，則臣之事君，當如地之事天。皆下之事上。有功歸之於君，有過歸之於己。「是故《春秋》君不名惡，臣不名善，善皆歸於君，惡皆歸於臣。」（《春秋繁露‧陽尊陰卑》）在《春秋繁露‧玉杯》中，他以極簡潔的語言，把這種關係歸結為：「《春秋》之法，以人隨君，以君隨天。」在君臣關係中，強調了君權的絕對權威，這對於大一統政權的鞏固，是至關重要的。在定儒術於一尊之後，這種思想為士人所普遍遵奉。他們對於君，對於政權，持一種十分虔誠的態度，希望它行道，服從它，維護它，把自己的一切，看作是為它而存在的。他們為維護它，可以自己承受屈辱以至犧牲。這種思想，到西漢已經衰敗的成、哀之間，也依然沒有改變。劉向在《說苑》中論臣道，就說：「人臣之術，順從而服命，無所敢專，義不苟合，位不苟尊，必有益於國，必有補於君，故其身尊而子孫保之。」他提倡為臣「六正」。

一曰：萌芽未動，形兆未見，昭然獨見存亡之幾，得失之要，預禁乎未然之前，使主超然立乎顯榮之處，天下稱孝焉。如此者，聖臣也。二曰：虛心白意，進善通道，勉主以禮義，論主以長策，將順其美，匡救其惡，功成事立，歸善於君，不敢獨伐其勞。如此者，良臣也。三曰：卑身賤體，夙興夜寐，進賢不懈，數稱於往古之行事，以勵主意，庶幾有益，以安國家社稷宗廟。如此者，忠臣也。四曰：明察幽見成敗，早防而救之，引而復之，塞其間，絕其源，轉禍以為福，使君終以無憂。如此者，智臣也。五曰：守文奉法，任官職事，辭祿讓賜，不受贈遺，衣服端齊，飲食節儉。如此者，貞臣也，六曰：國家昏亂，所為不諛，敢犯主之嚴顏，面言主之過失，不辭其誅，身死國安，不悔所行。如此者，直臣也。（《說苑・臣術》）

與這「六正」相反的，是「六邪」。他認為賢臣應該行六正之道，而不行六邪之術，這樣才能使國家安定，而自己則生而見榮，死為人所思。

劉向所說的臣道六正，可以說是士人對待君主，對待政權的一種理想標準。六正的基本精神，便是為君，不管在何種情況下，都要做到這一點。所謂忠臣殺身以解君怨，就是這種精神的極端的體現。朱云強諫以至攀折殿檻的故事，是人所共知的。朱云其實並不是那種治績卓著的賢臣，行己亦非廉潔。他在元帝朝之所以被廢錮，就因為曾諷吏殺人，暴虐無善狀。他之所以名重一時，就是因為成帝朝敢於在成帝面前指責成帝的老師、丞相張禹為佞臣，以為張禹該殺。因此而激起成帝的惱怒，說他「廷辱師傅，罪死不赦，」令御史將他拖下，而他攀檻大呼己之動機乃為朝廷，以至折檻。他獲得名聲，就是因為他「忠」。從這一點可以看出當時的一種心理狀態：只要是忠於皇帝，忠於朝廷，其他的行跡是可以忽略的。

盡忠於皇帝，盡忠於朝廷，為此時士人之一種理想品格。昌邑王劉賀不遵法度，郎中令龔遂諫諍，以至痛哭流涕。劉賀問他為什麼哭，他回答說：「臣痛社稷危也。」劉賀在漢昭帝死後即帝位，才二十七日即因淫亂而被廢黜。龔遂得以事宣帝，為渤海太守，有治績。宣帝問他如何治渤海，他回答說：「皆聖主之德，非小臣之力也。」（《漢書・循吏傳》）他因此而受到宣帝的讚許。功歸於君而過歸於己，龔遂所表現的矢忠於社稷的心態，是非常真實的。這時的士人，在感情上與大一統政權是一體的，有一種親近感，以維護、鞏固這個政權作為自己的職責，為之獻謀，為之籌劃，為之辛勞，也為之憂慮。即使蒙受冤屈，亦矢志不移。哀帝時丞相王嘉是以治績卓著顯名的。他之所以被繫入獄而冤死獄中，是因為他的一片忠心。漢哀帝愛幸男寵董賢，王嘉上疏極諫，惹怒哀帝，而被治罪。當獄吏凌辱他的時候，他喟然嘆息，說自己罪當死，且死而無恨。之所以罪當死，就是因為自己位備宰相，而不能進賢退不肖，「賢，故丞相孔光，故大司空何武，不能進；惡，高安侯董賢父子，佞邪亂朝，而不能退。」他說自己「以是負國，死有餘責。」（《漢書・王嘉傳》）他死後六年，終於被追錄為忠臣。士人與政權的這種感情上的一體，也可以從另一側面看出來。《漢書》、《後漢書》記載有不少愛民的地方官的事跡。這些地方官的基本立腳點，便是以禮義化民。光武時的桂陽太守衛颯，整治桂陽郡，「修庠序之教，設婚姻之禮。期年間，邦俗從化。」（《後漢書・循吏傳》）九真郡太守任延，教民以耕種和嫁娶禮法：

九真俗以射獵為業，不知牛耕，民常告糴交阯，每致困乏。延乃令鑄作田器，教之墾闢。田疇歲歲開廣，百姓充給。又駱越之民無嫁娶禮法，各因淫好，無適對匹，不識父子之性、夫婦之道。延乃移書屬縣，各使男年二十至五十，女年十五至四十，皆以年齒相配。其貧無禮聘，令長吏以下各省奉祿以賑助之。同時相娶者二千餘人。（《後漢書・循吏傳》）。

和帝時的桂陽太守許荊，曾巡屬縣，見孝義之不行，而喟然長嘆，說：「吾荷國重任，而教化不行，咎在太守。」（《後漢書・循吏傳》）循吏之行教化，在心理上是受君之託，行天道以符君心。王符在《潛夫論・忠貴》中對這一點做了理論上的表述：

帝王之所尊敬，天之所甚愛者，民也。今人臣受君之重位，牧天之所甚愛，焉可以不安而利之，養而濟之哉？是以君子任職則思利民，達上則思進賢，功孰大焉。故居上而下不重也，在前而後不殆也。《書》稱：「天工人其代之」，王者法天而建官，自公卿以下，至於小司，孰非天官也？是故明主不敢以私愛，忠臣不敢以誣能。夫竊人之財，猶謂之盜，況偷天官以私己乎？

王符在理論上的這一表述，正是對循吏行為的最好解釋。上舉任延，後來拜武威太守，行前光武帝告誡他好些奉侍上級，他回答說：

臣聞忠臣不私，私臣不忠。履正奉公，臣子之節。上下雷同，非陛下之福。善事上官，臣不敢奉詔。

光武對於他的回答備加讚賞。循吏之行善政，意不在為私；附和上級，以求得上級的賞識，是為私，於已之仕途誠然有益，而循吏之著眼點，則在為國為君，「受君之重位，牧天之所甚愛，」不敢竊天官以私己。

正是在這一基本點上，循吏受到君主與下民兩個方面的認可，君主賞識而下民擁戴。他們中的一些人，有時也受到錯誤的對待，但大抵最終還是受到讚許。這一點在西漢和東漢前期尤其如此。東漢後期也有循吏，但情形似乎有些變化。循吏行善政的條件變了，天子、循吏、下民相聯結的環境正在消失。孟嘗行善政而終不見用，多少說明桓、靈之世朝政腐敗，已失去循吏的基本立腳點。他們要為君，而君並不重視。仇覽為小吏，行善政，並因之而被荐，入太學，而終於學成歸鄉里，不再入仕，也說明桓、靈之世循吏已無可為，在士人心目中已失去吸引力。這從符融對仇覽說的一段話中也可看出：

今京師英雄四集，志士交結之秋，雖務經學，守之何固？（以上各條，均見《後漢書・循吏傳》）。

西漢和東漢前期循吏的行為說明其時士人在心理上與君主、與大一統政權並沒有扞格，士人對於皇帝、對於大一統政權，在感情上是親近的。他們願意為這個政權而辛勞工作，一心一意要為這個政權的鞏固與強盛盡力。

這時的文人，在心理上也表現出對於大一統政權的親近的傾向。他們的地位，與循吏不同，並沒有直接施政的責任，大體是作為文學侍臣的身份出現的。司馬遷說：「文史星歷，近乎卜祝之間，固主上之所戲弄，倡優畜之，流俗之所輕也。」（《漢書·司馬遷傳》）正是這種情形。《漢書·嚴助傳》說：「朔、皋不根持論，上頗俳優畜之。唯助與壽王見任用，而助最先進。」其實被當作俳優畜之的並不止東方朔和枚皋，還有司馬相如、王褒等人。《漢書·王褒傳》：

上令褒與張子僑等並待詔，數從褒等放獵，所幸宮館，輒為歌頌，第其高下，以差賜帛。議者多以為淫靡不急，上曰：「『不有博奕者乎，為之猶賢乎已！』辭賦大者與古詩同義，小者辯麗可喜。譬如女工有綺縠，音樂有鄭衛，今世俗猶皆以此虞說耳目，辭賦比之，尚有仁義諷諭、鳥獸草木多聞之觀，賢於倡優博奕遠矣。」頃之，擢褒為諫大夫。

雖然地位在倡優博奕之上，其實也還是以備虞說而已。但是，即使處於這樣的地位，此時文人的基本心態，也仍然是親近朝廷，眞心實意地希望對皇帝、對朝廷有所助益。這可以舉出許多的例子。東方朔以調笑滑稽得幸，其實他是一位很有文才敢於直言諫主的人物。綜觀其一生，與其說是朝隱玩世，不如說是以一種特殊的方式，表現出對於朝廷的一片忠心。看他的《諫起上林苑疏》、諫止董偃入宣室，是何等凜然！其中充滿著匡扶武帝的深情。而在《七諫》裡，則借屈原以抒己之忠貞之志，是很動感情的：

浮雲陳而蔽晦兮，使日月乎無光，忠臣忠而欲諫兮，讒諛毀而在旁。秋草榮其將實兮，微霜下而夜降，商風肅而害生兮，百草育而不長。（《楚辭補注》）

他盡心事主，而終不見用，因此內心充滿了悲哀。漢武帝與楚懷王當然是不可同日而語的，他是雄才大略的英主。東方朔雖不見用，也不像屈原那樣被斥逐。他的悲哀，只是被俳優畜之而已。而且，他的這些因未被重用而引發的悲哀，又時時為對於形勢的清醒的認識所沖淡，得到內心的平衡。在《答客難》中，他分析自己「悉力盡忠以事聖帝，曠日持久，官不過侍郎，位不過執戟」的原因：

聖帝流德，天下震懾，諸侯賓服，連四海之外以為帶，安於覆盂，動猶運之掌，賢不肖何以異哉？遵天之道，順地之理，物無不得其所；故綏之則安，動之則苦；尊之則為將，卑之則為虜；抗之則在青雲之上，抑之則在深泉之下；用之則為虎，不用則為鼠；雖欲盡節效情，安知前後？（《漢書·東方朔傳》）

對形勢的這種分析，是非常清醒的。這時正處於武帝建立了大一統政權的偉大功業的時期，士之進退，全在於上之用與不用。在這個清醒的分析裡，透露出來其時士人忠於皇帝也依附於皇帝的心理。司馬相如之所以數以賦為諫，並且最後還遺書勸武帝封禪，用意其實和東方朔一樣。不論是東方朔、司馬相如，還是王褒、枚皋，都不存在與大一統政權扞格的問題。他們的被倡優畜之的地位，並沒有沖淡他們對於皇帝、對於大一統政權的親近感。他們和這個政權是一體的。

但是，士人對於政權的基本態度，到了東漢後期便發生了巨大的變化。這個轉變是從大一統政權的崩壞開始的。

大一統政權的崩壞，自宦官、外戚專權始。宦官的參預朝政，不始於東漢後期。漢武帝設立中書謁者令，宦官主持尚書工作，已參預了朝政。但武帝是英主，宦官雖參預朝政，只是被用來強化皇權，並未釀成禍害。外戚擅權，也不始於東漢後期。霍光威赫於昭、宣兩朝，外戚實已干預朝政。然霍光持正，於大一統政權亦未造成禍害。史臣稱其「處廢置之際，臨大節而不可奪，遂匡國家，安社稷。」（《漢書・霍光傳》）東漢後期的宦官、外戚專權，則完全是另外一種格局，形成了威逼皇權的局面。大將軍竇憲專權於和帝朝，威權之盛，幾至尚書以下屬官議欲稱萬歲的地步。①和帝死，子劉隆即位，生才百日，鄧后臨朝，與兄鄧騭掌握朝政。第二年劉隆死，劉祜即位，才十歲，是為安帝。安帝在位十九年，死後閻后臨朝，與其兄閻顯擅權，立劉懿為帝。但劉懿三月即位，十月即為宦官孫程等所殺。孫程等又立十一歲的劉保為帝，大權落到了宦官手裡。此後，外戚與宦官便交替專權，直至桓、靈之世而達於極致。以至於董卓廢帝、群雄並起，東漢以亡。

兩漢士人，是在儒家正統思想的哺育之下成長起來的，君臣之義是他們立身的基本準則。外戚與宦官，向為士人所不齒。他們竊取朝政，凌逼主上，淆亂君臣之義，常常使真心實意維護大一統政權的士人痛心疾首。後來仲長統在論述災異與外戚，宦官專權的關係的時候，說了如下的一段話：

> 而權移外戚之家，寵被近習之豎，親其黨類，用其私人，內充京師，外布列郡，顛倒賢愚，貿易選舉，疲駑守境，貪殘牧民，撓擾百姓，忿怒四夷，招致乖叛，亂離斯瘼。怨氣並作，陰陽失和，三光虧缺，怪異數至，蟲螟食稼，水旱為災，此皆戚宦之臣所致然也。反以策讓三公，至於死免，乃足為叫呼蒼天，號咷泣血者也。（《後漢書・仲長統傳》引統《昌言・

法誡篇》）。

仲長統的這一論述，很概括地說明了士人對外戚、宦官干亂朝政的基本看法。他們認為外戚、宦官干政，是國家一切禍亂的根源，是最使人痛心疾首的事。自竇憲專權以後，士人對外戚、宦官專權的憤慨便不斷表現出來。

竇憲專權，樂恢上疏：

> 臣聞百王之失，皆由權移於下。……陛下富於春秋，纂承大業，諸舅不宜干正王室，以示天下之私。《經》曰：「天地乖互，衆物夭傷，君臣失序，萬人受殃。」政失不救，其極不測。

樂恢要求抑制竇氏權柄，最基本的理由便是君臣失序必將帶來的禍害。樂恢的進諫不僅沒有被皇帝接受，而且最終被竇憲指使州郡官吏脅迫服藥自殺。（均見《後漢書・樂恢傳》）。與樂恢同時立朝的司徒袁安，每與公卿論國家大事，言及天子幼弱，外戚專權，未嘗不痛哭流涕。袁安的部屬周榮，在袁安反對竇氏時曾為安草奏，竇氏曾派人威脅他：「子為袁公心腹之謀，排奏竇氏，竇氏悍士刺客滿城中，謹備之矣。」周榮不為所動，而慷慨陳辭：

> 榮江淮孤生，蒙先帝大恩，以歷宰二城。今復得備宰士，縱為竇氏所害，誠所甘心。（《後漢書・周榮傳》）

他對妻子說：若倉卒遇害，請不要收斂他的屍體，以冀以區區腐身覺悟朝廷。在樂恢、袁安、周榮諸人身上，已經可以感受到後來黨人的那種慷慨悲壯的心緒了。

安帝時宦官擅權，楊震上疏稱：

臣聞政以得賢為本，治以去穢為務。……方今九德未事，嬖幸充庭。阿母王聖出自賤微，得遭千載。奉養聖躬，雖有推燥居濕之勤，前後賞惠，過報勞苦，而無厭之心，不知紀極，外交屬託，擾亂天下，損辱清朝，塵點日月。《書》誡牝雞牡鳴，《詩》刺哲婦喪國。……《易》曰：「無攸遂，在中饋。」言婦人不得與於政事也。宜速出阿母，令居外舍，……

王聖是安帝的乳母，恃恩驕橫，且與宦官樊豐等勾結。楊震數次上疏，都未能收效。延光三年，京師地震，楊震又上疏：

去年十二月四日，京師地動。臣聞師言：「地者陰精，當安靜承陽。」而今動搖者，陰道盛也。其日戊辰，三者皆土，位在中宮。此中臣近官盛於持權用事之象也。

楊震後來是被遣歸鄉里，在半路上飲鴆自殺了。因為他是名儒，所以他的死使「道路皆為隕涕」。震動是很大的。（引文均見《後漢書・楊震傳》）

與楊震同時，還有孔長彥、孔季彥兄弟。他們都是課徒數百人的治經的儒者。延光元年（一二二年）河西下冰雹，安帝召問季彥，季彥對曰：

此皆陰乘陽之徵也。今貴臣擅權，母后黨盛，陛下宜修聖德，慮此二者。（《後漢書・孔僖傳》）

安帝似有所悟，但季彥卻受到了外戚和宦官的憎惡。當時是宦官與外戚都掌大權的時候。宦官樊豐與王聖一門勾結，閻后與其兄大將軍閻顯用權，士人雖欲匡扶王室，而無立足之地。

這種局面到順帝時更有發展。順帝是依靠宦官孫程等人的力量登上帝位的。即位之後，給孫程等人以很大的寵遇。而梁后之兄梁冀，掌握著軍事大權，親朋滿朝，更是頤指氣使。此時士人，也仍然是從王權旁落的角度，一再抗爭。太尉王龔與侍御史張綱，都曾上疏言宦官之害。漢安元年（一四二年），順帝遣八使巡行州郡，考察官吏。八人中七人是當時的宿學名儒，只有張綱年輕位微。受命之後，他埋車輪於洛陽都亭，說：「豺狼當道，安問狐狸！」他是認為當務之急，乃在朝廷，而不在地方官吏，地方官吏的考察是可以不必去的，應先整頓朝廷為是，把矛頭直指梁冀。「遂奏大將軍梁冀無君之心十五事，皆臣子所切齒者也。」（謝承《後漢書》卷四）疏稱：

大將軍冀，河南尹不疑，蒙外戚之援，荷國厚恩，以芻蕘之資，居阿衡之任，不能敷揚五教，翼贊日月，而專為封豕長蛇，肆其貪叨，甘心好貨，縱恣無底，多樹諂諛，以害忠良。……斯皆臣子所切齒者也。（《後漢書‧張綱傳》）

他敢於上疏直指當時不可一世的梁冀，使京師為之震動。當然，他的上疏也同樣不被採納。後來八使是巡行州郡去了，凡所糾察劾奏的贓官，都是宦官及梁冀一門的親黨，雖奏劾了，也還是寢而不行。在中國的傳統裡，反對貪贓枉法如果牽連到在朝權貴，是很難反得下去的。不惟反不下去，而且敢於直言的抗爭者，往往不是當時被治罪，便是後來被借故整治。張綱便是一例。他被派到當時盜賊蜂起的廣陵郡去做太守。梁冀的本意，是「因欲以事中之」。他雖然把一個很不安定的廣陵郡治好了，但不到一年，他就累死在了廣陵，年僅四十六。

士人的一次次上疏抗爭，反對宦官與外戚，一次次失敗，而宦官外戚之害愈演愈烈。這對於士人心理來說，無疑是很大的挫傷。他們之反宦官外戚，本意是維護朝綱，是完全忠於皇權的，是一心一意要維護正在崩壞的大一統政權。但是由於這個他們忠心耿耿為之憂思勞瘁的大一統政權已經完全腐敗，他們得到的便只能是一次次失望。

給了士人心理更大震動的，是此後的幾次事件。

桓帝建和元年（一四七年），李固和杜喬因一再反對梁冀而被捕入獄，死獄中，且被暴屍於通衢，不許收葬。李固的學生郭亮、杜喬的屬吏楊匡，與南陽董班，臨屍痛哭。守吏以為腐儒而欲試法，加以斥問。於是郭亮慷慨陳辭，謂：「義之所動，豈知性命！何為以死相懼邪！」郭亮、楊匡、董班歸葬李固、杜喬之後，歸隱山林，終生不仕。此事殊可注意。李固、杜喬皆為一時名儒。《後漢書‧李固傳》注引謝承《後漢書》謂李固「負笈追師三輔，學《五經》，積十餘年，博覽古今。明於風角、星算、《河圖》、讖諱，仰察俯占，窮神知變。」《後漢書‧杜喬傳》注引司馬彪《續漢書》稱：「喬少好學，治韓《詩》、京氏《易》、歐陽《尚書》，以孝稱，雖二千石子，常步擔求師。」他們都是有志於朝政昏聵之時勵志抗節，知不可而為之的士人。李固遺瓊書，勸黃瓊出仕：

蓋君子謂伯夷隘，柳下惠不恭，故《傳》曰：「不夷不惠，可否之間。」蓋聖賢居身之所珍也。誠遂欲枕山棲谷，擬跡巢由，斯則可矣；若當輔政濟民，今其時也。自生民以來，善政少而亂俗多，必待堯舜之君，此為志士終無時矣。（《後漢書・黃瓊傳》）

他分明知道其時並非治世，乃是亂俗，在這信裡是透露得很明白的。明知處於昏亂之世，而不退避山林，立意在「輔政濟民」，仍想對大一統政權有所補救。他們的立於朝廷，基本心態正是此一點。梁冀鴆殺質帝劉纘，而議立劉志為帝，李固、杜喬堅議立清河王劉蒜為帝，當爭議不下，而滿朝文武都阿附梁冀旨意時，李固、杜喬堅守本議。因之激怒梁冀，李固終於下獄。書生意氣，雖未能成事，而此時士人對於皇帝的忠鯁之心猶在。此可注意者一。

李固入獄，門生王調貫械上書，證固之枉；湖內趙承等數十人亦詣闕為固訴枉②，李固於是得到太后赦免出獄。《後漢書・李固傳》稱：「及出獄，京師市里稱萬歲。冀聞之大驚，畏固名德終為己害，乃更據奏前事，遂誅之，時年五十四。」此事影響之大，不僅在士林，且擴及市井，士人已因反對外戚、宦官，反對昏亂之朝政而獲致社會之普遍同情，聲望亦因之而提高。此可注意者二。

李固、杜喬之被害，郭亮、董班等人敢於臨屍痛哭。《後漢書・李固傳》稱，郭、董「二人由此顯名，三公並辟。班遂隱身，莫知所歸。」敢於不顧個人安危以徇義，亦因義而顯名，顯名之後，三公並辟而終於隱居不仕。此注意者三。此一點可注意，在於從中可窺知其時士人因重義而獲致社會聲譽，慕義為其時社會之一種普遍心態。

此三點可注意之處，反映出一種現象：在士與政權的關係中，正在不知不覺地發生著變化。由於反對外戚、宦官而士多罹禍，士的聲望提高了，朝廷的聲望則因其自身之腐敗而迅速下降。

桓帝永興元年（一五三年），朱穆為冀州刺史。宦官趙忠喪父，歸葬安平，僭為璵璠。安平為冀州屬郡，朱穆下郡按驗，發墓剖棺。朱穆意在懲辦宦者之僭偽行為，維護君臣之義，而不料此一片忠心，不為桓帝所深察，反使桓帝為之震怒。朱穆因之被治罪，送往左校勞作。此事激起了數千太學生的不平。劉陶等數千太學生上書為朱穆辯冤，書云：

伏見施刑徒朱穆，處公憂國，拜州之日，志清奸惡。誠以常侍貴寵，父兄子弟布在州郡，竟為虎狼，噬食小人，故穆張理天綱，補綴漏目，羅取殘禍，以塞天意。由是內官咸共恚疾，謗讟煩興，讒隙仍作，極其刑謫，輸作左校。……當今中官近習，竊持國柄，手握王爵，口含天憲，運賞則使餓隸富於季孫，呼吸則令伊、顏化為桀、跖。而穆獨亢然不顧身害，非惡榮而好辱，惡生而好死也，徒感王綱之不攝，懼天網之久失，故竭心懷憂，為上深計。臣願黥首繫趾，代穆校作。（《後漢書．朱穆傳》）

苟不論朱穆在對待梁冀問題上的是非得失，他之反宦官而引起太學生如此之同情，適足以說明士人之一種感情趨向。數千太學生聯名上書，可以看作是士人在反對宦官上的一次不小的示威。以後太學生張鳳等三百餘人上疏為皇甫規訟冤，又是一例。自此以後，太學生逐漸形成一種輿論力量。到了桓帝延熹年間，太學諸生三萬餘人，臧否然否，「自公卿以下，莫不畏其貶議，屣履到門。」（《通鑑》漢紀四十七）士人作為一種輿論力量形成對腐敗政治的巨大壓力之後，他們之為腐敗不堪的政權所鎮壓，便勢難避免了。這便是接踵而來的兩次鎮壓黨人的事件，即歷史上有名的所謂「黨錮之禍」。關於黨人的形成，《後漢書·黨錮列傳》說：

初，桓帝為蠡吾侯，受學於甘陵周福，及即帝位，擢福為尚書。時同郡河南尹房植有名當朝。鄉人為之謠曰：「天下規矩房伯武，因師獲印周仲進。」二家賓客，互相譏揣，遂各樹朋徒，漸成尤隙，由是甘陵有南北部，黨人之議，自此始矣。

把黨人之起歸於房、周二家的各樹朋徒，是不確的。黨人的形成，其實是士人對於政權持一種共同的批評態度必然導致的結果。他們原本從矢忠於皇權開始，反對外戚和宦官專制的腐敗政治，意在維護大一統政權，而這個政權對他們的報答，卻是一次次殘酷無情的打擊。他們對於這個政權的向心力是很自然地慢慢消失了，他們的心態，從矢忠於皇權，轉向了高自標置，轉向了相互題拂。其實，在《黨錮列傳序》中，已經說明了這一點，序稱：

逮桓、靈之間，主荒政繆，國命委於閹寺，士子羞與為伍，故匹夫抗憤，處士橫議，遂乃激揚名聲，互相題拂，品核公卿，裁量執政，婞直之風，於斯行矣。

「匹夫抗憤，處士橫議」，為其時士人風貌之極生動之寫照。造成這種局面的根本原因，是「主荒政繆」，是「國命委於閹寺」。幾百年來士人心向往之，一直對它忠心耿耿的大一統政權，已經無可挽回地腐敗了，皇帝昏庸，權力落到了最腐敗的勢力手裡，一向以社會良心自命、以擔當道義為己任的士人，對於這個落入最腐朽勢力的政權，感情上產生距離，對它議論紛紛，也就是必然的了。

士人與政權的疏離，以一種批評的態度對待政權，很自然地便形成一些群體。這些群體的形成，並非由於兩個家族的爭鬥，而是整個士階層在對待政權的態度上產生根本性轉變的必然產物。

士人群體的形成，士人與朝廷腐朽勢力的矛盾當然就進一步激化了。延熹九年相繼發生的一系列事件足可說明這一點，而終於爆發了第一次黨禁。關於第一次黨禁的起因，《後漢書・黨錮列傳》說：

時河內張成善說風角，推占當赦，遂教子殺人。李膺為河南尹，督促收捕，既而逢宥獲免。膺愈懷憤疾，竟案殺之。初，成以方伎交通宦官，帝亦頗諍其占。成弟子牢修因上書誣告膺等養太學游士，交結諸郡生徒，更相驅馳，共為部黨，誹訕朝廷，疑亂風俗。於是天子震怒，班下郡國，逮捕黨人，布告天下，使同忿疾，遂收執膺等。其辭所連及陳寔之徒二百餘人，或有逃遁不獲，皆懸金購募。

從這一段關於黨禁起因的敍述中，可以了解到黨人剛正不阿、疾惡如仇的品格。此事是非本甚分明，之所以釀成黨禁，是宦官借機聳動，用以打擊士人。而所牽連，多為當時名士。是非既甚分明，道義便在黨人一邊，被牽連者多為名士，社會同情心便也更傾向於黨人。

第一次黨禁由於拷問所及，牽連宦者子弟，在處理上便有所忌諱。黨人下獄之後，二百餘人遣返鄉里，廢錮終生。宦官本意蓋在於通過此一事件打擊士人，而結果卻相反，黨人之勢力不惟未受絲毫打擊，且聲望進一步提高了。

膺免歸鄉里，居陽城山中，天下士大夫皆高尚其道，而污穢朝廷。（《後漢書・李膺傳》）

滂後事釋，南歸。始發京師，汝南、南陽士大夫迎之者數千兩。（《後漢書・范滂傳》）

士人聲望的進一步提高，又進而激揚起高自標置，相互題拂的風氣。《後漢書・黨錮列傳序》：

> 自是正直廢放，邪枉熾結，海內希風之流，遂共相標榜，指天下名士，為之稱號。上曰「三君」，次曰「八俊」，次曰「八顧」，次曰「八及」，次曰「八廚」，猶古之「八元」、「八凱」也。竇武、劉淑、陳蕃為「三君」。君者，言一世之所宗也。李膺、荀昱、杜密、王暢、劉祐、魏朗、趙典、朱寓為「八俊」。俊者，言人之英也。郭林宗、宗慈、巴肅、夏馥、范滂、尹勛、蔡衍、羊陟為「八顧」。顧者，言能以德行引人者也。張儉、岑晊、劉表、陳翔、孔昱、范康、檀敷、翟超為「八及」。及者，言其能導人追蹤者也。度尚、張邈、王考、劉儒、胡母班、秦周、蕃向、王章為「八廚」。廚者，言能以財救人者也。

這實際上是一種輿論的抗爭，被標榜的名士，多為第一次黨禁中被廢錮者。在這種情況下，名士崇拜是對腐敗朝政的公然批評，對於宦官來說，更是如坐針毯。宦官侯覽陰使張儉之鄉人朱並上書告張儉「與同鄉二十四人別相署號，共為部黨，圖危社稷，而儉為之魁。」於是下詔收捕張儉等，並連及第一次黨禁之黨人，是為第二次黨禁。第二次黨禁黨人死者百餘人，受牽連而死、徙、廢、禁者又六七百人。

兩次黨禁，無疑是士人與朝廷腐朽勢力矛盾的總爆發，同時，也是士人在心理上對於大一統政權的最後一次眷戀。他們本意在維護這個政權，而這個政權不惟不保護他們，而且以他們為仇敵，忠而見疑，這是一種怎樣的慷慨的悲哀。他們都是一些想維護大樹於將傾的、積極入世的著名士人。謝承《後漢書・陳蕃傳》：「陳蕃家貧，不好掃室。客怪之者，或曰：「可一掃乎：」蕃曰：『大丈夫當為國掃除天下，豈徒室中乎？』」李膺、范滂等人，也都是以澄清天下自許的人物，而竟遭此一悲慘之結局。他們是懷著一種怎樣的悲壯心理！袁山松《後漢書》說范滂在第一次黨禁時下獄，訊問黨人時，他年少在後，卻越位而前，慷慨陳辭：

竊聞仲尼之言，見善如不及，見惡如探湯。欲使善善齊其情，惡惡同其行，謂王政之所思，不悟反以為黨。

他被繫獄中，以同被囚禁者多有疾病，乃請代受掠考之苦。被考問時，他又慷慨陳詞：

古之循善，自求多福；今之循善，身陷大戮。身死之日，願埋滂於首陽山側，上不負皇天，下不愧夷齊。（《後漢書・黨錮列傳》）

第二次黨禁，被繫入獄，臨訣謂其子曰：

吾欲使汝為惡，則惡不可為；使汝為善，則我不為惡。（同上）

士之以剛正立世，當為善不為惡，故誡其子惡不可為；善本當有善終，而已躬身行善，忠於朝廷，終罹禍殃，故言使汝為善，汝亦將無善終。我不為惡而終於罹禍，即是證明。其悲憤心緒，使人讀之愴然。

第二次黨禁將起，鄉人勸李膺逃亡，李膺慨然對曰：

事不辭難，罪不逃刑，臣之節也。吾年已六十，死生有命，去將安之？

《後漢書・巴肅傳》說巴肅曾與竇武、陳蕃謀誅宦官，亦坐黨禁錮：

中常侍曹節後聞其謀，收之。肅自載詣縣。縣令見肅，入閤解印綬與俱去。肅曰：「為人臣者，有謀不敢隱，有罪不逃刑。既不隱其謀矣，又敢逃其刑乎？」遂被害。

何止黨人！其時整個士人階層都處在一種悲壯的氣氛中。趙翼《廿二史札記》卷五「黨禁之起」條，對此有十分生動的概括：

其時黨人之禍愈酷而名愈高，天下皆以名入黨人中為榮。范滂初出獄歸汝南，南陽士大夫迎之者車千兩。景毅遣子為李膺門徒，而祿牒不及，毅乃慨然曰：「本謂膺賢，遣子師之，豈可因漏名而幸免哉。」遂自表免歸。皇甫規不入黨籍，乃上表言，臣曾荐張奐，是阿黨也。臣昔坐罪，太學生張鳳等上書救臣，是臣為黨人所附也。臣宜坐之。張儉亡命困迫，望門投止，莫不重其名行，破家相容。此亦可見其時風氣矣。（《廿二史札記校證》）

當詔捕范滂時，汝南督郵吳導抱詔書而泣，縣令郭揖解印綬欲與俱亡；黨人行為之震動於當時者竟至此！

平心而論，兩次黨禁，對於大一統政權和對於士人來說，其實都是悲劇。大一統政權的悲劇，是它殺害了它本賴以生存的一批社會中堅，一批真誠擁護它的根本利益的優秀分子，而依靠一批社會渣滓，一批本不該飛黃騰達而卻飛黃騰達的最腐敗力量，最後終於走向了徹底崩潰，導致我國歷史上長達四百餘年的割據局面。士人的悲劇，是他們分明已知朝政腐敗到不可為的地步，而以其一片忠心，強扶持之，披瀟灑風流之舉世榮名，而未能脫盡儒生之迂腐，最後當然就非走向悲劇結局不可。名士風流交錯著淒涼血淚，令千古為之動容亦為之嘆息。

讀《古詩十九首》，我們便可以感到此時士人的一種悲涼心緒：

行行重行行，與君生別離。相去萬餘里，各在天一涯。道路阻且長，會面安可知？胡馬依北風，越鳥巢南枝。相去日已遠，衣帶日已緩，浮雲蔽白日，游子不顧反。思君令人老，歲月忽已晚。棄捐勿復道，努力加餐飯。

在香草美人的詩歌傳統裡，這詩裡所傳達的未嘗不可以理解為一種忠而見棄的深沉悲哀。這種深沉的悲哀，在前此的漢代作品裡是從未見過的。

對於士這個階層來說，這種悲哀甚至悲涼的心緒，正是他們和大一統政權在內心上疏離的最後一絲眷戀。這種悲哀心緒，和對於腐敗朝政的疾視與批評（抗爭與橫議），伴隨著他們從忠心耿耿維護大一統政權的心態中解脫出來，走向自我。這一轉變是巨大的。沒有這個轉變，就不會有後來玄學的產生。

第二節　論無定檢——士從儒家大一統思想的禁錮中解脫出來

漢初是尚黃老的，思想較為寬鬆。漢武帝時期定儒術於一尊之後，思想領域統制的色彩便濃厚起來了。而關鍵所在，是儒學成為官學，與政權緊密聯繫在一起，具有政治權力的性質。定儒學於一尊，在漢王朝的發展和在思想史上的是非得失，可研究者尚多，暫且勿論。這裡涉及的只是它對於士人思想的影響。

董仲舒當年上天人三策時，對於定儒術於一尊的目的已經說得很清楚：

春秋大一統者，天地之常經，古今之通誼也。今師異道，人異論，百家殊方，指意不同，是以上亡以持一統；法制數變，下不知所守。臣愚以為諸不在六藝之科孔子之術者，皆絕其道，勿使並進。邪辟之說滅息，然後統紀可一而法度可明，民知所從矣。（《漢書・董仲舒傳》）

罷黜百家，使思想歸於一統，以統一法度，這樣一個目的，是實行了的。儒家經典慢慢地滲透到政治權力中去，成了政治權力的一部分。它的學術色彩消退了。所謂「以《春秋》決獄，以《禹貢》治河，以三百篇當諫草。」便是人所共知的儒家經典在政治權力中的地位的很好說明。其實，儒家經典滲入政治權力的程度遠遠超過這一點。在重要的政治角逐中，經典的力量便顯示出來了。稍舉數例即可說明。

武帝晚年，有戾太子事件。這是一起原因複雜的宮廷變故。在這場複雜的宮廷變故中，父子刀兵相見，武帝的心情是複雜的。他被蒙蔽，以為太子叛亂，而怒不可遏。在釀成數萬人死亡的京城五日激戰，太子兵敗逃亡之後，任何意在為太子辯解的人，無疑都是自置死地。但是令狐茂卻慨然上書，說這場變故是江充迫逼的結果，罪不在太子。他的上書裡兩引《詩》為據，引《小雅・青蠅》以說明太子被讒人構毀；引《小雅・巷伯》以說明太子之所以殺江充，目的在除去讒邪之人，不在反對皇帝。經典在這裡就顯出它非凡的力量來了。令狐茂不僅未被責罰，而且使武帝感悟，後來太子在逃亡中被害，武帝還築起了思子宮、歸來望思之台，令天下聞者為之悲愴。（《漢書・武五子傳》）

昭帝始元五年（前八二年）夏陽人成方遂偽稱衛太子（戾太子），謂當年逃亡而實未被害。昭帝疑不能決，詔公卿將軍辨認，而事關重大，公卿莫敢置一辭。京兆尹雋不疑後到，叱從吏收縛之。在如此重大的事件中，君臣上下尚疑而未決之際，雋不疑敢於決斷，依據的也是《經》的力量。他說：

諸君何患於衛太子！昔蒯聵違命出奔，輒距而不納，《春秋》是之。衛太子得罪先帝，亡不即死，今來自詣，此罪人也。

他的行為得到昭帝和當時握有大權的大將軍霍光的稱讚，稱：「公卿大臣當用經術明於大誼。」（《漢書・雋不疑傳》）。

經術之被置於十分重要的地位，在政權爭奪的關鍵時刻尤其如此。漢昭帝崩，昌邑王嗣立，因行淫亂而為大將軍霍光等所廢。霍光與群臣上書皇太后廢昌邑王劉賀，根據的也是經典：

《詩》云：「籍曰未知，亦既抱子。」五辟之屬，莫大不孝。周襄王不能事母，《春秋》曰：「天王出居於鄭」，由不孝出之，絕之於天下也。宗廟重於君，陛下未見命高廟，不可以承天序，奉祖宗廟，子萬姓，當廢。

這是說，他嗣神位本應承先帝之遺教，行先帝之法度，而竟然行淫僻不軌，罪在不孝，當廢。廢昌邑王之後，霍光等又上書太后，立戾太子之孫皇曾孫為帝，依據的也是經典：

《禮》曰：「人道親親故尊祖，尊祖故敬宗。」大宗亡嗣，擇支子孫賢者為嗣。（均見《漢書·霍光傳》）

在這種時候，儒家經典的力量便表現在它能夠為政治行為提供理論的依據，給某種政治行為以正義性的解釋。在《漢書》和《後漢書》中，我們常常可以看到皇帝下詔引用五經，朝臣上書引用五經，賞罰以五經解釋因由，施政以五經說明根據。皮錫瑞《經學歷史》有一個概括：「元、成以後，刑名漸廢。上無異教，下無異學。皇帝詔書，群臣奏議，莫不援引經義以為依據。國有大疑，輒引《春秋》為斷。一時循吏多能推明經意，移易風化，號為以經術飾吏事。」顯然，此時佛學的影響不僅在人倫日用方面，不僅在維繫社會的秩序上，而且更主要的是在國家政治生活中。重要的制度和措施有了經典為依據，便名正言順，可以公然聲稱自己是正確的。儒學如此深地鍥入政治，是前此所未有的。

儒家經典既然在政權中處於如此重要的地位，很自然的便提出了一個解釋權的問題。一種學說一旦成為權威，便都存在著這樣一個問題。從儒學定於一尊的最初起，解釋權問題便出現了。《漢書・終軍傳》：

元鼎中，博士徐偃使行風俗。偃矯制，使膠東、魯國鼓鑄鹽鐵。還，奏事，徙為太常丞。御史大夫張湯劾偃矯制大害，法至死。偃以為《春秋》之義，大夫出疆，有可以安社稷、存萬民，顓之可也。湯以致其法，不能詘其義。有詔下軍問狀，軍詰偃曰：「古者諸侯國異俗分，百里不通，時有聘會之事，安危之勢，呼吸成變，故不受辭造命顓己之宜；今天下為一，萬里同風，故《春秋》『王者無外。』偃巡封域之中，稱以出疆何也？且鹽鐵，郡有餘臧，正二國廢，國家不足以為利害，而以安社稷存萬民為辭，何也？」……上善其詰，有詔示御史大夫。

同是《春秋》之義，可以作不同解釋。這一次是由漢武帝作了判定，在另外的情況下，由誰來作權威性的解釋呢？這類問題在以後是不斷出現的。石渠閣會議和白虎觀會議的召開，便都是為了解決解釋權上的紛爭。石渠閣會議之後，經學分家而家法由是森嚴；白虎觀會議統一了五經的解釋權，而使儒家經典具有更廣泛的應用能力，從政權基石、典章制度至行為規範，幾乎無所不包的可以用五經來解釋。家法森嚴，使儒學具有更濃厚的尊古色彩，更多守舊的傾向；統一解釋權而使儒學更加政治化也更加庸俗化。從武帝定儒學於一尊，經石渠閣會議到白虎觀會議，儒學的至高無上的權威是不可動搖了。士人從入學到入仕，都受到這種思想的教養，遵循這種思想，以之作為立身行事的規範。儒學的這種地位，造就了士人心理上的幾個特點。

一是正統觀念。儒學一尊從最初起，便是排他性的，只承認自己的正確性和合理性。無論是今文經學內部的不同家法之爭，還是經今古文之爭，都是為了爭取正統的地位。在士人心中形成了一種畸形的觀念：只有儒家思想代表著終極真理，而自己正是這個終極真理的代表者。這種思想觀念的形成，士便把自己封閉在一個僵化的思想硬殼裡，拒絕接受異端，拒絕異端共存。這種思想觀念後來成了中國士人傳統性格的一部分。

二是復古守成的思想傾向。士人的畢生精力，只是用來對儒家經典作解釋，而不是用來創造。皮錫瑞《經學歷史》提到：「漢人最重師法。師之所傳，弟之所受，一字毋敢出入；背師說即不用。」趙賓治《易》，不遵師說，好為己見，雖治《易》者不能難，而依然被輕視，理由只是「非古法也。」孟喜《易》學，原先是師事田王孫的，後又取趙賓說，有背師法，為皇帝所不用。建武四年（28年）韓歆上疏議立費氏《易》與左氏《春秋》博士，范升上疏反對：

> 臣聞主不稽古，無以承天；臣不述舊，無以奉君。……今費、左二學，無有本師，而多反異。先帝前世有疑於此，故京氏雖立，輒復見廢。……願陛下疑先帝之所疑，信先帝之所信，以示反本，明不專己。天下事之所以異者，以不一本也。《易》曰：「天下之動，貞乎一者也。」又曰：「正其本，萬事理。」（《後漢書・范升傳》）

嚴守師說，理由是正本，任何異說都在排斥之列。漢代士人的這一心態可以說把孔子的「述而不作」發展到了極端。唐晏對這種嚴守師法家法的現象給了這樣的解釋：

蓋漢代平事必本經義，經義茍異，則莫知適從。所以不肯博采者，良以斯耳。（《兩漢三國學案》卷一）

他是從經學在政治生活中實際應用的需要來理解這一現象的出現的。其實，這種現象的出現，除了實用的原因之外，或者還和聖人崇拜的傳統有關。

三是繁瑣的思想方法。《漢書・藝文志》敍繁瑣經學之弊：

後世經傳既已乖離，博學者又不思多聞闕疑之義，而務碎義逃難，便辭巧說，破壞形體；說五字之文，至於二三萬言。後進彌以馳逐，故幼童而守一藝，白首而後能言；安其所習，毀所不見，終以自蔽。此學者之大患也。

桓譚《新論》：

秦近君能說《堯典》篇目兩字之誼，至十萬言；但說「曰若稽古」，三萬言。

缺乏義理抽象的能力，只能支離破碎演繹章句的這種思想方式，與正統觀念和守舊傾向結合，便形成了僵化、缺乏創造力的思想模式。茍不論對於兩漢經學在學術思想史上的是非得失應作如何評價，僅就它對於士人的思想觀念、思想方法的訓練而言，它無疑是消極的。

隨著大一統政權的崩壞，經學中衰，這種僵化的思想模式也慢慢地鬆動了。先是從師法家法的鬆動開始。和帝末年，徐防上疏，已經指出師法家法鬆動的現象，他說：

伏見太學試博士弟子，皆以意說，不修家法，私相同隱，開生奸路。每有策試，輒興諍訟，論議紛錯，互相是非。……今不依章句，妄生穿鑿，以遵師為非義，意說為得理，輕侮道術，寖以成俗，誠非詔書實選本意。

師法家法的鬆動經馬融、鄭玄而打通今古文門戶。皮錫瑞說：「蓋以漢時經有數家，家有數說，學者莫知所從。鄭君兼通今古文，溝合為一，於是經生皆從鄭氏，不必更求各家。鄭學之盛在此，漢學之衰亦在此。」他所說的漢學之衰，應該說是師法家法森嚴的經學之衰。鄭玄不僅打破了師法家法的束縛，思想活躍起來，以己意選取今古文之所長而用之，而且由繁瑣章句趨向簡潔明快。在簡潔明快的釋經中出現了義理化的傾向。應該說，鄭玄既是經學的集大成者，也是由經學向玄學發展的一個中間環節，在思想方法上看尤其如此。

但是，更重要的變化，是大一統政權崩壞過程中帶來的正統觀念的變化。現實政治生活中君臣之義既已錯亂，經學家便很難曲為之說。由儒家思想建立起來的一套人倫關係，一套行為準則，一套是非標準，已經不能適應變化了的現實生活。也就是說，這些準則失去了它們的權威性，失去了它們的約束力。儒學的權威地位下降了。

儒學權威地位下降的同時，諸子思想便重新活躍起來。

傅毅《七激》，托玄通子之名，以闡揚儒家思想。其中寫一徒華公子「游心於玄妙，清思乎黃老」，受到玄通子的批評之後，領悟了儒家聖道。《七激》乃虛構之文，難以史料論之。然亦要非無的放矢，其時當有沉溺於老、莊思想者在。馬融行事，已重老、莊。永初初年，融尚困頓，鄧騭欲召其為舍人，而馬融為名而不應命。繼而後悔，謂其友人曰：

古人有言：「左手據天下之圖，右手刎其喉，愚夫不為。」所以然者，生貴於天下也。今以曲俗咫尺之羞，滅無貲之軀，殆非老、莊所謂也。（《後漢書・馬融傳》）

於是應鄧騭之召。馬融當然是儒家，但已雜取老、莊。他還注《老子》。據皇甫謐《高士傳》載，馬融的岳父摯恂就「博通百家之言」。《後漢書・劉表傳》集解引《零陵先賢傳》稱，別駕劉先「博學強記，尤好黃老。」《後漢書・獨行傳》稱向栩「恆讀《老子》，狀如學道。」崔寔，《隋志》入法家，而其人生態度，實明顯受到了老、莊之影響。其《答譏》一文，是反對儒家入世思想的：

且麟隱於遐荒，不紆機阱之路；鳳凰翔於寥廓，故節高而可慕。李斯奮激，果失其度；胥、種遂功，身乃無處。觀夫人之進趨也，不揣己而干祿，不揆時而要會，或遭否而不遇，或智小而謀大，纖芒毫末，禍亟無外，榮速激電，辱必彌世。故曰：受餌銜鉤，悔在鸞刀；披文食豢，乃啟其毛。若夫守恬履靜，澹爾無求，沉緡浚壑，棲息高丘，雖無炎炎之樂，亦無灼灼之憂。余竊嘉茲，庶遵厥猷。（《藝文類聚》卷二十五）

崔寔《政論》，是主法、主權變的。其中的一些主張，正與經學的泥古守舊傾向相反。如：

且濟時救世之術，豈必體堯蹈舜然後乃治哉？期於補綻決壞，枝柱斜傾，隨形裁割，取時

君所能行，要措斯世於安寧之域而已。……俗人拘文牽古，不達權變。（《玉函山房輯佚書續編三種》）

所謂「拘文牽古，不達權變」，顯係指漢世末季，世亂已成，而經術之士，仍拘泥於援經為治，不知適變。他又說：

故聖人能與世推移，而俗士苦不知變，以為結繩之約，可復理亂秦之緒；干戚之舞，足以解平城之圍！夫熊經鳥伸，雖延歷之術，非傷寒之理；呼吸吐納，雖度紀之道，非續骨之膏。蓋為國之法，有似理身，平則致養，疾則攻焉。夫刑罰者，治亂之藥石也；德教者，興平之粱肉也。夫以德教除殘，是以粱肉理疾也；以刑罰理平，是以藥石供養也。（《後漢書·崔寔傳》引）

他主張亂世用法治。這種思想後來為曹操所實行。

同被《隋志》列入法家的劉廙，《政論》一書亦充滿異端思想。經學極盛時，聖人萬能，被視之若神，而《政論》卻說：

聖人能睹往知來，不下堂而知四方，蕭墻之表，有所不喻焉。誠無所以知之也。夫有所以知之，無遠而不睹，無所以知之，雖近不如童昏之履之也。（《玉函山房輯佚書》）

儒家是重義輕利的，劉廙卻以為薄俸不足以養廉，要使官吏不貪污，在於高於其俸祿：

夫為政者，莫善於清其吏也。……日欲其清而薄其祿，祿薄所以不得成其清。夫饑寒切於肌膚，固人情之所難也，其甚又將使其父不父，子不子，兄不兄，弟不弟，夫不夫，婦不婦矣。貧則仁義之事狹而怨望之心篤。……故守清者死於溝壑，而猶有遺謗於世也。為之至難，其罰至重，誰能為之哉？人知守清之必困於終也，違清而又懼卒罰之及其身也，故不為昭昭之行，而咸思暗昧之利，奸巧機於內而虛名逸於外。（《玉函山房輯佚書》）

這就把貪贓受賄的種種腐敗現象，都歸之於薄俸上了。

《隋志》列入雜家的仲長統《昌言》中，也有類於劉廙的思想。《昌言》成書於建安二十四年之前，與劉廙《政論》作年相近。《昌言》謂：

彼君子居位，為士民之長，固宜重肉累帛，朱輪四馬。今反謂薄屋者為高，藿食者為清，既失天地之性，又開虛偽之名。……夫選用必取善士。善士富者少而貧者多，祿薄不足以供養，安能不少營私門乎？從而罪之，是設機置阱，以待天下之君子也。（《後漢書·仲長統傳》引）

《昌言》中有明顯的老、莊思想。《理亂篇》認為理亂更迭，乃「天道常然之大數」，正是老、莊的天道自然觀。《昌言》中還有名家思想，論人之才性，謂：

人之性，有山峙淵停者，患在不通；嚴剛貶絕者，患在傷士；廣大闊蕩者，患在無檢；和順恭慎者，患在少斷；端慤清潔者，患在拘狹；辯通有辭者，患在多言；安舒沉重者，患在後時；好古守經者，患在不變；勇毅果敢者，患在險害。（《意林》卷五）

更可注意的是《昌言》提出了對「孝」的一種新解釋：

> 父母怨咎人不以正己，己審其不然，可違而不報也；父母欲與人以空位爵祿，而才實不可，可違而不從也；父母欲為奢泰侈靡，以適心快意，可違而不許也；父母不好學問，疾子孫之違之，可違而學也；父母不好善士，惡子孫交之，可違而友也；士友有患故，待己而濟，父母不欲其行，可違而往也。故不可違而違，非孝也；可違而不為，亦非孝也。好不違，非孝也；好違，亦非孝也，其得義而已也。（《群書治要》卷四十五）

東漢是以孝治天下的，因孝可成名，亦可入仕。謹奉父母，不敢有違，為其時作人之一大準則。因給了「孝」以這樣高的地位，故末世往往多偽，史書上有不少假孝子的記載。隨著正統觀念的約束的解除，對於「孝」的理解也就出現了新的認識。仲長統提出了不盲目聽從，而以「義」為準的原則。這對於傳統經學來說，確乎已屬異端了。

這時在實際生活中，行為準則更是各種各樣。定儒術於一尊時所奠定的種種行為規範，都被打破了，可以說是各行其是。孔融是其中很突出的一位。路粹奏孔融，指責他的罪狀，謂：

> 融為九列，不遵朝儀，禿巾微行，唐突宮掖。又與白衣禰衡言論放蕩。衡與融更相讚揚。衡謂融曰：「仲尼不死也。」融答曰：「顏淵復生。」（《三國志・王粲傳》注引《典略》）
>
> 又前與白衣禰衡跌蕩放言，云：「父之於子，當有何親？視其本意，實為情欲發耳。子之於母，亦復奚為？譬如寄物瓶中，出則離矣。」（《後漢書・孔融傳》）

路粹奏書所列罪狀，是否真實，難以論定。曹操是據以給孔融定罪，並把他殺了的。曹操的《宣示孔融罪狀令》中提到孔融的上述言語，說是「此州人說」，是則孔融的上述言論，已在州人中傳播，或可信其為真。不管怎麼說，這種思想為孔融所有，似不為無據。傅玄《傅子》載：

漢末有管陽秋者，與弟及伴一人，避亂俱行。天雨雪，糧絕。謂其弟曰：「今不食伴，則三人俱死。」乃與弟共殺之，得糧達舍，後遇赦無罪。此人可謂善士乎？孔文舉曰：「管陽秋受先人遺體，食伴無嫌也。」

孔融顯然是不受固有的倫理道德準則約束的人。有意思的是他竟然把「食人」這樣一種行為與儒家提倡的「孝」聯繫起來，使人有些哭笑不得的。蓋隨意議論，無所顧忌而已。且看他的論酒禁，說話何等無顧忌？他的《汝潁優劣論》，說汝南之士優於潁川之士，理由之一，是汝南之士敢於與天子相頡頏，而潁川之士不敢。這些地方，都顯示了他不受約束的大膽見解。

社會上論定是非的標準多樣化了，你可以這樣說，我可以那樣說。這時事實已不存在忠不忠的問題，有用便是正確。統一的價值標準已讓位於不同的取向了。更明顯的是衡人用人的例子。衡人用人的標準也各不相同。劉焉荐任安，說任安可用，因為他「味清道度，厲節高邈」。是就其品格言的。劉楨論邢顒，稱其「玄靜淡泊，言少理多。」（《三國志・邢顒傳》）則頗以道家為是。孔融荐禰衡，讚美其志節之外，更側重於其才能：「飛辯騁辭，溢氣坌涌，解疑釋結，臨敵有餘。」郭泰論人，有所獎掖，往往重其德性。③龐士元論人，則重其才能。④最有名的例子，當然是曹操的用人。他的

《選舉令》、《求賢令》、《敕有司取士無廢偏短令》、《舉賢勿拘品行令》，反復強調取士不廢偏短，唯才是問。他是很講實用的，一切的道德準則，在他那裡都要視其時其地於他是否有益來論定是非。他在《舉賢勿拘品行令》中明確說過：「若文俗之吏，高才異質，或堪為將守，負汚辱之名，見笑之行，或不仁不孝，而有治國用兵之術，其各舉所知，勿有所遺。」（《三國志·魏書武帝紀》注引《魏書》）但他殺孔融的主要理由，卻是孔融「不孝」。可見標準原是沒有一定的，有用就是標準。重實用，而無固定標準，在這時影響是相當普遍的，連保存著相當正統的儒家思想的徐幹，在《中論·審大臣》中論用人，也主張重實用。重實用，各人所處地位環境不同，看問題的角度不同，需要不同，標準也就不同。何夔稱其時用人之情形，謂：

> 自軍興以來，制度草創，用人未詳其本。是以各引其類，時忘道德。（《三國志·何夔傳》）

「各引其類，時忘道德」，是說得很確切的。此時之士人，各事其主，主各有所好，士亦依類以歸附，附則從其所好，儒學所建立起來的道德準則是被置之不顧了。

當然，此時士人中也仍然有遵奉儒家準則的，上面提到的徐幹就是一位。他論人論事，總的傾向仍然是遵照著儒家的宗旨來定是非。這在戰亂的漢魏之交，是顯得很突出的。他的一部《中論》，對當時不守規矩，不行法度的種種現象，常加指責。他的是非標準，與孔融、曹操都不同。《三國志·王粲傳》提到徐幹，引了曹丕給吳質的信，稱徐幹「恬淡寡欲，有箕山之志，可謂彬彬君子矣。」《王粲傳》裴注引《先賢行狀》，稱「幹清玄體道，六行修備，聰識洽聞，操行成章，輕官忽祿，不耽世榮。」他的立身處世，是顏回式的。他的同時人為《中論》寫序，說靈帝末年「國典隳廢，冠族子弟，結黨權門，交援求名，竟相尚爵號」，而幹「病俗昏迷，遂閉戶自守，不與之群，以六籍娛心而已。」後來雖應曹操之征命，從戍征行，歷五六載，而「不堪王事，潛身窮巷，頤志保真，淡泊無為，惟存正道。環堵之牆，以庇妻子；並日而食，不以為戚。」和徐幹持同樣態度的，不在少數，如王昶。他教子，雜用儒、道。他在《家誡》中教兒子如何做人：

欲使汝曹立身行己，遵儒者之教，履道家之言。……潁陽郭伯益，好尚通達，敏而有知，其為人弘曠不足，輕貴有餘，得其人重之如山，不得其人忽之如草，吾以所知親之昵之，不願兒子為之。北海徐偉長，不治名高，不求苟得，澹然自守，惟道是務。其有所是非，則托古人以見其志，當時無所褒貶。吾敬之重之，願兒子師之。東平劉公幹，博學有高才，誠節有大意，然性行不均，少所拘忌，得失足以相補。吾愛之重之，不願兒子慕之。樂安任昭先，淳粹履道，內敏外恕，推遜恭讓，處不避洿，怯而義勇，在朝忘身。吾友之善之，願兒子遵之。若引而申之，觸類而長之。……其議論貴無貶，其進仕尚忠節，其取人務道實，其處世戒驕淫，其貧賤慎無戚，其進退念合宜，其行事加九思，如此而已。（《全三國文》卷三十六）

他的這些是非準則，與當時的普遍的風尚有許多是很不相同的，「議論貴無貶」，與人物品藻的褒貶風尚大異其趣；「進仕尚忠節」，與當時事主不忠的現象正相反對；而「處世戒驕淫」，則完全不同於其時的縱欲奢靡之風。

引徐幹和王昶的觀點，在於說明，其時正處於一個變動不居、各種思想、各種價值觀念、各種是非標準雜處並存的時期。經學的束縛解除了，儒家的道德準則已經失去了約束力；但是它作為一種思想傳統，仍有它延續的線路。

曹丕《典論》有一段話，論桓、靈之際的社會風貌：

> 桓、靈之際，閹寺專命於上，布衣橫議於下，干祿者殫貨以奉貴，要命者傾身以事勢，位成乎私門，名定乎橫巷。由是戶異議，人殊論，論無定檢，事無定價，長愛惡，興朋黨。
>
> （《意林》引）

「戶異議，人殊論，論無定檢，事無定價，」可以說是其時思想領域很生動、很真實的描述。不僅桓、靈之際，直到建安，亦復如此。上引材料中，有不少就是建安時期的。總之，在玄學建立之前，思想領域儒術一尊的局面完全打破了，沒有統一的價值觀念，沒有統一的是非標準，思想一統的局面已成了過去的歷史。思想學術都進入了一個非常活躍，而又變動不居，多元並存，而又互相滲透的時期。由什麼思想來重新取得思想領域的領導地位，還有待於歷史的發展來回答。

第三節　任情放縱——士人生活情趣、生活風貌的變化

《後漢書・班固傳》引班固上東平王劉蒼的奏記，推薦當時的名儒：

竊見故司空掾桓梁，宿儒盛名，冠德州里，七十從心，行不逾矩，蓋清廟之光輝，當世之俊彥也。京兆祭酒晉馮，結髮修身，白首無為，好古樂道，玄默自守，古人之美行，時俗所莫及。扶風掾李育，經明行著，教授百人，客居杜陵，茅室土階，……廉清修潔，行能純備，雖前世名儒，國家所器，韋、平、孔、翟，無以加焉。……京兆督郵郭基，孝行著於州里，經學稱於師門，政務之績，有絕異之效。……涼州從事王雍，躬卞嚴之節，文之以術藝，涼州冠蓋，未有宜先雍者也。……弘農功曹史殷肅，達學洽聞，才能絕倫，誦《詩》三百，奉使專對。此六子者，皆有殊行絕才，德隆當世，如蒙征納，以輔高明，此山梁之秋，夫子所為嘆也。

這是班固眼中佳士的典型，也是定儒術於一尊之後士人的行為典範，志行高潔，規行矩步。皓首窮經的士人，未仕之前與入仕之後，大抵都以此為立身處世的準則。他們以克己為美德。《後漢書・馬援傳》引馬少游論人生目的一段話可以說明這一點：

士生一世，但取衣食裁足，乘下澤車，御款段馬，為郡掾史，守墳墓，鄉里稱善人，斯可矣。致求盈餘，但自苦耳。

《後漢書・卓茂傳》說卓茂「究極師法，稱為通儒。性寬仁恭愛。」一次出門，有人錯認卓茂騎的馬是他丟失的，卓茂便把馬給了他，說以後你若認出這不是你的馬，再送還給我就是。克己到了這個地步，也就泯滅了是非。《後漢書‧劉寬傳》說劉寬行事，與卓茂同，不過他騎的是牛，錯認者後來把牛送還他，叩頭謝過。劉寬卻安慰他說：「物有相類，事容脫誤，幸勞見歸，何為謝之？」史稱劉寬「溫仁多恕，雖在蒼卒，未嘗疾言遽色。」與克己同時存在的，是安貧樂道。把安貧樂道做為士之一種美德。在朝為循吏，在野則安貧樂道。《後漢書‧韋彪傳》說韋彪「孝行純至，父母卒，哀毀三年，不出廬寢。服竟，羸瘠骨立異形，醫療數年乃起。好學洽聞，雅稱儒宗。……安貧樂道，恬於進趣，三輔諸儒莫不仰慕之。」

士人這種規行矩步，克己謙恭，安貧樂道的風貌，是儒家倫理道德觀念的約束的產物，用對於「禮」的虔誠信仰，去制約情，規範情。人總是有感情的，感情總要發洩，能發洩到何種程度，就要看在何種程度上符合於禮的要求。違禮的感情表現是不准許的。除了少數逸民之外，經學極盛時期的士人很少有縱情違禮的。縱情違禮，就會受到社會輿論的譴責，為社會所不容。逸民例外，但也得給以「合禮」的解釋。《後漢書‧逸民傳》有一段關於戴良的記載：

> 良少誕節，母喜驢鳴，良常學之以娛樂焉。及母卒，兄伯鸞居廬啜粥，非禮不行，良獨食肉飲酒，哀至乃哭。而二人俱有毀容。或問良曰：「子之居喪，禮乎？」良曰：「然。禮所以制情佚也，情苟不佚，何禮之論！夫食旨不甘，故致毀容之實。若味不存口，食之可也。」論者不能奪之。

《孝經》上說，子之喪親，「哭不偯，禮無容，言不文，服美不安，聞樂不樂，食旨不甘。此哀戚之情也。」「食旨不甘」，應如何理解？通常的理解是蔬食水飲，不飲酒不吃肉，而戴良的解釋則是可以飲酒吃肉，只要食時覺得口中無味就行。他也承認要用禮來制情，不過說是自己覺得感情並沒有放縱，也就不用談論禮了。他是逸民，是可以例外的。不是逸民的人，這樣做便要受到社會的譴責。東漢是以孝治天下的，在孝道上特別嚴格，嚴格得過了頭，虛偽便常常出現。有父母之喪，是不得行夫婦之事的，但是虛偽便出來了。有人為了表現純孝，父親死後便搬到父親的墓道裡去住，結果在墓道裡一住十餘年，生了一群孩子。不僅在孝行上出現虛偽，在生活的其他方面，也常常出現這類虛偽的事例。《後漢書・張湛傳》謂：

> 張湛，……矜嚴好禮，動止有則，居處幽室，必有修整，雖遇妻子，若嚴君焉。及在鄉黨，詳言正色，三輔以為儀表。人或謂湛偽詐，湛聞而笑曰：「我誠詐也。人皆詐惡，我獨詐善，不亦可乎？」

試想想，在妻子兒女、以至鄉里親朋面前，都道貌岸然，沒有一點人間氣，那是何等情狀！不過張湛還好，他承認那是假裝出來的，而且他還以為這種假正經是雖假而行善，比雖假而行惡者要好。

更極端的例子是周澤。《後漢書・儒林傳》說周澤「清潔循行，盡敬宗廟。」他官太常，太常是掌管禮樂郊廟社稷事宜的。他便經常住到祭祀的齋宮去，不和妻子同居。有一次，他在齋宮有病，他妻子去看望他，他便大怒，說妻子干犯了齋禁，送去詔獄謝罪。這樣的行為，已經到了不近人情的程度。

一個社會，沒有共同的倫理道德觀念的約束，這個社會便只能是一個混亂的社會；但如果倫理道德觀念對於感情的約束到了極端的地步，壓制了人類感情的正常表達，便只能導致悖於常理的行為。到了宋明理學盛極一時的時候，這種悖理的道學家的行為便盛行了。南宋一些道學家講「存天理滅人欲」，就產生了一些很離奇的行為。他們認為男女之情是不正當的、醜惡的，為控制情慾，把父母遺像掛在蚊帳裡，當情慾萌動時，覺得像在就如同人在，在父母面前是不便行男女之事的。這種悖理的行為，事實上已經從理性走向非理性了。而且，極端更多的是導向虛偽。中國士人的兩重人格，恐怕就是在漢代種下種子的。這種兩重人格到了宋明理學盛行時得到了很大的發展。這便是通常所說的公開場合裡道貌岸然，背地裡男盜女娼。兩漢經學對於中國士人傳統性格的影響，僅從這一點看也是十分深遠的。

但是，這種情形在漢末魏初有了一個巨大的變化。

大一統的觀念瓦解，正統思想失去了約束力，士人在生活情趣，生活方式上也隨之發生變化，從統一的生活規範，到各行其是，各從所好，而大的趨向，是任情縱欲。

最初出現的，是追求名士風流。隨著人物品評的出現，名士風流成了士人的一種理想的風度。名士風流的思想根源，或者與隱逸思想有些關係。《後漢書・逸民傳》序把隱之為義，追溯到《易》之遁卦，而中心思想，則是「不事王侯，高尚其事」，「或隱居以求其志，或迴避以全其道，或靜己以鎮其躁，或去危以圖其安，或垢俗以動其概，或疵物以激其清。然觀其甘心畎畝之中，憔悴江海之上，豈必親魚鳥樂林草哉，亦云性分所至而已。」隱之最初動因，大抵是避世。這種思想到漢末，便和士人對於大一統政權的疏離心理合拍起來，社人在感情上與大一統政權產生了距離，便渴望著用另一種方式（不是入仕的方式）來表現自己的存在。名士風流當然就成了一種恰當的方式。

名士高自標置，怡情自適，亦以此為世所仰慕，以此成名。《後漢書・郭林宗傳》說林宗「身長八尺，容貌魁偉，褒衣縛帶，周遊郡國。」他遊洛陽返歸故里，衣冠諸儒送至河上，車數千輛。他與李膺同舟渡河，望者以為神仙。他曾行於陳、梁間，遇雨，巾一角墊，時人仿效，故折巾一角，稱為「林宗巾」。其為當時所仰慕者如此！有人問范滂，郭林宗是何如人，范滂回答說：「隱不違親，貞不絕俗，天子不得臣，諸侯不得友，吾不知其它。」是說他以其高潔的人格，獨立於人間，無所希求，故天子不得臣，諸侯不得友。許劭也是這一類人，他鑒識人倫，有甚高聲譽。他的從祖許敬，從父許訓，從兄弟許相，並為三公，而許相諂事宦官，許劭惡其薄行，不與往來。宗世林很有名，曹操年輕時求與結交，而為其所拒。後來曹操作了司空，便問宗世林：「卿昔不顧吾，今可為交未？」宗世林回答說：「松柏之志猶存。」（《世說新語・方正》注引《楚國先賢傳》）名士大抵以奇行聳動士林。《後漢書・文苑傳》有一段關於趙壹的名士風采的記載：

（趙壹）既出，往造河南尹羊陟，不得見。壹以公卿中非陟無足以托名者，乃日往到門。陟自強許通，尚臥未起，壹逕入上堂，遂前臨之，曰：「竊伏西州，承高風舊矣，乃今方遇而忽然，奈何命也！」因舉聲哭，門下驚，皆奔入滿側。陟知其非常人，乃起，延與語，大奇之。謂曰：『子出矣。』陟明旦大從車騎奉謁造壹。時諸計吏多盛飾車馬帷幕，而壹獨柴車草屏，露宿其傍，延陟前坐於車下，左右莫不嘆愕。陟遂與言談，至熏夕，極歡而去，執其手曰：『良璞不剖，必有泣血以相明者矣。』」陟乃與袁逢共稱荐之。名動京師，士大夫想望其風采。……州郡爭致禮命，十辟公府，並不就，終於家。

趙壹以奇行聳動士林。聳動士林之後，便州郡爭辟而不就。他寫有《刺世疾邪賦》，表明他之所以不仕的原因：

佞諂日熾，剛克消亡，舐痔結駟，正色徒行。嫗媽名勢，撫拍豪強；偃蹇反俗，立致咎殃；捷懾逐物，日富月昌。渾然同惑，孰溫孰涼？邪夫顯進，直士幽藏。原斯瘼之攸興，實執政之匪賢。女謁掩其視聽兮，近習秉其威權，所好則鑽皮出其毛羽，所惡則洗垢求其瘢痕。雖欲竭誠而盡忠，路絕險而靡緣。

歸結到執政昏庸，邪佞當權，直指宦官與外戚。從趙壹的行為，也可以看出名士風流實與士人對政權的失望、與大一統政權在感情上的疏離關係至為密切。

郭林宗不仕，也是因為看到了朝政的沒有希望。《抱樸子．正郭篇》引郭林宗不願出仕的話：

天之所廢，不可支也。……雖在原陸，猶恐滄海橫流，吾其魚也，況可冒充風而乘奔波乎！未若岩岫頤神，娛心彭老，優哉游哉，聊以卒歲。

《後漢書．徐稚傳》說徐稚屢被征辟而始終不就：

> 嘗為太尉黃瓊所辟，不就。及瓊卒歸葬，稚乃負糧徒步到江夏赴之，設雞酒薄祭，哭畢而去，不告姓名。時會者四方名士郭林宗等數十人，聞之，疑其稚也，乃選能言語生茅容輕騎追之。及於涂，容為設飯，共言稼穡之事。臨訣去，謂容曰：「為我謝郭林宗，大樹將傾，非一繩所維，何為棲棲不遑寧處」？及林宗有母憂，稚往吊之，置生芻一束於廬前而去。衆怪，不知其故。林宗曰：「此必南州高士徐孺子。《詩》不云乎：「生芻一束，其人如玉」。吾無德以堪之。

郭泰已經高自標置，以人倫鑒識獲致令譽，走不仕一途，而徐稚卻覺得他到底還是未忘世事，「棲棲不遑寧處」。徐稚與大一統政權的疏離更為徹底，隱姓埋名了。當然結果名聲更大，所謂「逃名而名我隨，避名而名我追」者是。姜肱、申屠蟠、鄺炎，侯瑾等都屬於這一類士人。宦官殺了陳蕃之後，想借重士人的聲名，以粉飾朝政，於是征聘姜肱為太守。姜肱不就聘，隱身海邊，對朋友說：

> 吾以虛獲實，遂籍聲價。明明在上，猶當固其本志，況今政在閹豎，夫何為哉？

朝廷又下詔征他為太中大夫，詔書到門，他讓家人拒之，說是「久病就醫」，逃於青州界中，賣卜為生。（《後漢書・姜肱傳》）這些人的特點，是以己之高潔節操而污穢朝廷。他們人數並不多，但影響很大。

與這種崇拜名士的風氣相聯繫的，便是重人格風姿，擬人以形容。如《世說新語・賞譽》注引《李氏家傳》評李膺、陳蕃和朱穆：

膺岳峙淵清，峻貌貴重。華夏稱曰：「潁川李府君，頵頵如玉山。汝南陳仲舉，軒軒若千里馬。南陽朱公叔，揚揚如行松柏之下。」

郭林宗評論黃憲，說他「汪汪如萬頃之陂。澄之不清，擾之不濁，其器深廣，難測量也。」（《世說新語・德行》）

擬人以形容，是重視人格風姿的一種反映。這方面，到兩晉有了很大發展。可見東漢末年這一發端的巨大意義。

或者跟名士風流的風氣有些關係，這時出現了怡山樂水、追求自然山水的美的享受的生活情趣。名士輕功名利祿而重人格力量，強烈表現自我，追求山水情趣也是表現自我的一種方式，從山水得到娛悅，得到自我滿足，在山水的美的享受中體認自我的存在。《後漢書・仲長統傳》引統《樂志論》：

使居有良田廣宅，背山臨流，溝池環帀，竹木周布，場圃築前，果園樹後。舟車足以代步涉之艱，使令足以息四體之役。養親有兼珍之膳，妻孥無苦身之勞。良朋萃止，則陳酒肴以娛之；嘉時吉日，則烹羔豚以奉之。躊躇畦苑，遊戲平林，濯清水，追涼風，釣游鯉，弋高鴻。諷於舞雩之下，詠歸高堂之上。安神閨房，思老氏之玄虛；呼吸精和，求至人之彷彿。與達者數子，論道講書，俯仰二儀，錯綜人物。彈《南風》之雅操，發清商之妙曲。消搖一世之上，睥睨天地之間。不受當時之責，永保生命之期。如是，則可以凌霄漢，出宇宙之外矣。豈羨乎入帝王之門哉！

高山流水，向為隱士所眷戀。一般士人志在經術，皓首窮經，老死牖下，未聞嘯詠山水，老死林泉。在儒術一尊時期，山水是作為倫理化的外物存在的。所謂「智者樂水，仁者樂山」就是。而仲長統這裡說的是怡情山水，意在逍遙一世之上，睥睨天地之間。山水是作為怡情自適的生活內容的一部分存在的。他還有兩首詩，把這一點說得很明白。其一說不必為人事所局促，「達士拔俗」，應該游心於六合之內，了無牽掛才是。其二說：

百慮何為，至要在我。寄愁天上，埋憂地下，叛散《五經》，滅棄《風》《雅》。百家雜碎，請用從火。抗志山棲，游心海左。元氣為舟，微風為舵。敖翔太清，縱意容冶。（《後漢書·仲長統傳》引）

這裡極可注意的是不僅捨棄儒家經典，且並連諸子百家也捨棄；一切世事無所入於心，頗似莊子的游於無何有之鄉。事實上是完全以我為轉移，隨我之所適了。對於山水的這種留連，開了中國士人山水審美的先河。

此時更多的士人，是任情放縱。儒家倫理道德準則既已失去約束力，自我便發展起來。生活中的種種禮節被忽略了。這時的士人，更喜歡表現自己的感情，表現自己的個性，更真實地、沒有掩飾地表現自我。

禰衡是一個例子。他是一個恃才傲逸、無所顧忌的人。《三國志·荀彧傳》注引《典略》說，他無所顧忌地評論貶抑他人，衆人為之切齒。他將往荊州，衆人在給他送行時，都坐著不起來，以報復他的不遜。他便嚎啕大哭，說：「行屍柩之間，能不悲乎！」他的為人，大抵如此。他之罵曹操，在曹操大會賓客時裸身擊鼓等等，都是任性而行的表現。

禮的束縛是大大地鬆動了。個性表現出來了。《水經注》卷十六「穀水注」引《文士傳》：

文帝之在東宮也，宴諸文學，酒酣，命甄后拜坐。坐者咸伏，唯劉楨平視之。太祖以為不敬，送徒隸簿。後太祖乘步牽車乘城，降觀簿作，諸徒咸敬，唯楨匡坐磨石不動。太祖曰：「此非劉楨也？石如何性？」楨曰：「石出荊山玄岩之下，外炳五色之章，內秉堅貞之志，雕之不增文，磨之不加瑩，稟氣貞正，稟性自然。」太祖曰：「名豈虛哉！」復為文學。

《世說新語·言語》劉注引《文士傳》也有這一記載，而文字稍異。《三國志·王粲傳》裴注引《典略》，亦記此事，而極簡略。劉楨曾被罰輸作，從他的《贈徐幹詩》可得到證明，詩稱：

思子沉心曲，長嘆不能言。起坐失次第，一日三四遷。步出北寺門，遙望西苑園：細柳夾道生，方塘含清源；輕葉隨風轉，飛鳥何翩翩！乖人易感慟，涕下與衿連。仰視白日光，皎皎高且懸；秉燭八紘內，物類無頗偏。我獨抱深感，不得與比焉。（《先秦漢魏晉南北朝詩》魏詩卷三）

西苑園是昔日劉楨曾隨從曹丕宴樂之處，而今輸作北寺署，不得再與游宴，故發為悲愴之音。在這一事件中，可以清楚看到劉楨真率偏急的性格特點。

《三國志・崔琰傳》裴注引張璠《漢紀》，說孔融「天性氣爽，頗推平生氣，狎侮太祖。」孔融是一個剛直的任情而行的人，他想什麼便說什麼，無所顧忌，而且往往說話偏激。袁宏《後漢紀》卷二十九：

（建安二年），是歲，袁術自立為天子。（袁）術與楊彪婚親也。（曹）操忌彪忠正，收彪付獄，將殺之。孔融聞之，不及朝服，往見操曰：「楊彪累世清德，四葉重光，《周書》：『父子兄弟，罪不相及。』況袁氏之罪乎？《易》稱：『積善餘慶』，但欺人耳。」操曰：「國家之意也。」融曰：「假使成王欲殺召公，則周公可得言不知耶？今天下纓緌縉紳之士所以仰瞻明公者，以輔漢室，舉直措枉，置之雍熙也。今橫殺無辜，則海內觀聽，誰不解體？孔融，魯國之男子，明日便當拂衣而去，不復朝也。」

你看他脾氣有多大！曹操行事，凡他看不慣的，他都要冷嘲熱諷，加以反對，曹操對於他的剛直，很是受不了，後來借故把他殺了。其實，孔融對於曹操，是一片真心。他是很推崇曹操的。他《與王朗書》勸王朗北來，理由之一，便是曹操的愛賢。：

曹公輔政，思賢並立，策書屢下，殷勤款至。

他的《六言詩三首》之二三：

郭李紛爭為非，遷都長安思歸。瞻望關東可哀，夢想曹公歸來。
從洛到許巍巍，曹公憂國無私。減去廚膳甘肥，群僚率從祁祁。雖得俸祿常饑，念我若寒心悲。

他之所以被曹操殺了，就因為他太任性，太無所顧忌了。

當時是尚「通脫」的，「通脫」就是簡易，什麼事都很隨便，不講究禮節。曹丕是很喜歡在自己宴客的時候讓妻子出來見客的，上引劉楨平視甄后一例之外《三國志・王粲傳》裴注引《吳質別傳》：「帝嘗召質及曹休歡會，命郭后出見質等。帝曰：『卿仰諦視之。』其至親如此！君臣之間，這些舉動在經學極盛時期是難以想像的。王粲死後，曹丕到他墓前，因為王粲生前喜歡聽驢鳴，他便讓部屬都學一聲驢鳴，為王粲送行。其隨便竟至於此！曹植比他哥哥更隨便。《三國志・王粲傳》注引魚豢『魏略』：

植初得邯鄲淳，甚喜，延入座，不先與談。時天暑熱，植因呼常從取水，自澡訖，傅粉。遂科頭拍袒胡舞五椎鍛，跳丸擊劍，誦俳優小說數千言訖，謂淳曰：「邯鄲生何為邪？」於是乃更著衣幘，整儀容，與淳評說混元造化之端，品物區別之意；然後論羲皇以來賢聖名臣烈士優劣之差；次頌古今文章賦誄及當官政事宜所先後；又論用武行兵倚伏之勢。乃命廚宰，酒炙交至，坐席默然，無與伉者。及暮，淳歸，對其所知嘆植之材，謂之天人。

隨便，純任情性發作，愛怎麼做便怎麼做，禮的痕跡是一點也見不到了，見到的是個性，是活脫脫的「人」。

吳質也是一位任情而行的人。《三國志・王粲傳》注引《吳質別傳》：

質黃初五年朝京師，詔上將軍及特進以下皆會質所，大官給供具。酒酣，質欲盡歡。時上將軍曹真性肥。中領軍朱鑠性瘦，質召優，使說肥瘦。真負貴，恥見戲，怒謂質曰：「卿欲以部曲將遇我邪？」驃騎將軍曹洪、輕騎將軍王忠言：「將軍必欲使上將軍服肥，即自宜為瘦。」真愈恚，拔刀嗔目，言：「俳敢輕脫，吾斬爾。」遂罵坐。質按劍曰：「曹子丹，汝非屠幾上肉，吳質吞爾不搖喉，咀爾不搖牙，何敢持勢驕邪？」鑠因起曰：「陛下使我等來樂卿耳，乃至此邪！」質顧叱之曰：「朱鑠，敢壞坐！」諸將軍皆還坐。鑠性急，愈恚，還拔劍斬地。遂便罷也。

「輕脫」，就是輕浮隨便。不只是俳優經浮隨便，吳質召優說肥瘦，就是一個輕浮隨便的舉動。文人任性，武人亦任性，玩笑幾至釀成悲劇。

不僅任性，而且縱樂。這時的縱樂，是普遍的。曹丕周圍的文人集團，便在這種縱樂的環境中體認人生。我們且引他們寫宴樂的詩在下面：

應瑒《侍五官中郎將建章台集詩》：「公子敬愛客，樂飲不知疲，」

曹植《公宴詩》：「公子愛敬客，終宴不知疲。淸夜游西園，飛蓋相追隨。」

阮瑀《公宴詩》：「上堂相娛樂，中外奉時珍。五味風雨集，杯酌若浮雲。」

劉楨《公宴詩》：「永日行遊戲，歡樂猶未央。遺コ在玄夜，相與復翱翔。」

陳琳《宴會詩》：「凱風飄陰雲，白日揚素暉，良友招我游，高會宴中闈。」

王粲《公宴詩》：「佳肴充圓方，旨酒盈金罍。」

他們的縱樂，其中含有甚深之意義。用貴公子的享樂來解釋是不夠的。在經學束縛解除之後，儒家的一套修養道德，躬行儉約的準則失去了道義上的力量，即使作為表面上的裝飾也失去了意義，欲望便放縱起來了。東漢末年社會生活中許多現象說明，欲望一旦不受任何道德準則的制約，在生活行為上可以發展到何種程度！史書上有不少當時放縱情欲的記載。曹丕《典論・酒誨》記靈帝時的情形：

> 孝靈之末，朝政墮廢。群官百司，並湎於酒。貴戚猶甚。斗酒至千錢。中常侍張讓子奉，為太醫令，與人飲酒，輒牽引衣裳，發露形體，以為戲樂。將罷，又亂其舄履，使小大差踦，無不顛倒僵僕，踊跌手足，因隨而笑之。（《北堂書鈔》卷一百四十八）
>
> 洛陽令郭珍，家有巨億，每暑召客，侍婢數十，盛服飾，羅縠披之，袒裸其中，使進酒。（《太平御覽》卷八百四十五）

當時縱慾的另一種表現，似乎和道教的房中術有些關係，是以養生的名義出現的。《後漢書・方術傳》注引曹丕《典論》：

> 左慈到，又竟受其補導之術，至寺人嚴峻往從問受，閹豎真無事於斯術也。人之逐聲，乃至於是！⑤

但是，士人的縱樂，其中卻還包含有對於人生的深切眷戀和對於人性的體認。禮的束縛解除了，自我得到了很大程度的認可，感情也在放縱中得到豐富的發展。士人從皓首窮經，規行矩步的桎梏中解脫出來之後，忽然體認到自己還有如此豐富的內心世界，驚喜於人間還有如許之歡娛！於是盡情縱樂，感受到生的可貴。但是，當自我覺醒，體認到生之可貴的時候，卻同時也是戰亂不斷、人命危淺的時期。於是生的歡樂便伴隨著人生短促的悲哀，在縱樂的時候便常常彌漫著一重濃重的悲涼情思。曹丕《大牆上蒿行》：

排金鋪，坐玉堂，風塵不起，天氣清涼。奏絙瑟，舞趙倡，女娥長歌，聲協宮商，感心動耳，蕩氣回腸。酌桂酒，膾鯉魴，與佳人期為樂康，前奉玉巵，為我行觴。今日樂不可忘，樂未央。為樂常苦遲，歲月逝，忽若飛，何為自苦，使我心悲。

生固然美好，奈時光如水之流逝，須信人生如寄。在這些士人中，縱樂是包含著對於人生的強烈眷戀的意味的，是人性的覺醒之後的一種反映。這時的許多士人，都流露出來人生短促的感慨。孔融寫信給曹操，推薦盛孝章，信一開頭就充滿了對於歲月流逝的嘆息：

歲月不居，時節如流，五十之年，忽焉已至。公為始滿，融又過二，海內知識，零落殆盡，惟會稽盛孝章尚存。（《三國志・吳書・孫紹傳》注引《會稽典祿》）

以孔融之豪宕，亦難免人生匆匆之哀傷。曹植在這方面表現得更為集中，更為突出。《與吳季重書》說到人生固有嚮往與抱負，奈時光流逝無可如何：

如上言，其樂固難量，豈非大丈夫之樂哉！然日不我與，曜靈急節，面有過景之速，別有參商之闊。思欲抑六龍之首，頓羲和之轡，折若木之華，閉濛汜之谷，天路高邈，良久無緣，懷戀反側，何如何如！（《曹植集校注》卷一）

《送應氏》詩中說的「天地無終極，人命若朝霜」；《王仲宣誄》中說的「人生靡常，吉凶異制」；《贈白馬王彪》中說的「人生處一世，去若朝露晞」；《薤露行》中說的「天地無窮極，陰陽轉相因。人居一世間，忽若風吹塵。」《箜篌引》中說的「驚風飄白日，光景馳西流，盛時不再來，百年忽我遒。」都是這種由於對人生深深愛戀而發出的生命短促、無可如何的嘆息。他在《當來日大難》中說：「日苦短，樂有餘，乃置玉樽辦東厨。」為什麼要縱樂？就是因為人生畢竟太短促了。

徐幹《室思詩》，把人生比喻為暮春草。應瑒《侍五官中郎將建章台集詩》，把人生比喻為逆旅，有如孤雁，「問子游何鄉，戢翼正徘徊。……遠行蒙霜雪，毛羽日摧頹。常恐傷肌骨，身隕沉黃泥。」曹丕說：「人生居天地間，忽如飛鳥棲枯枝。」阮瑀《七哀詩》說：「丁年難再遇，富貴不重來，良時忽一過，身體為土灰。」又說：「常恐歲時盡，魂魄忽高飛，自知百年後，堂上生旅葵。」另一些士人，把人生比為飛蓬。前此沒有任何一個時期的士人，像建安士人那樣敏感到生與死的問題，沒有像他們那樣集中的把注意力放到生命的價值上來。人的存在的價值是被極大地發現了。

這時的士人，比起他們的前輩來，感情豐富細膩了。從建安時期留下的不多的詩賦中，我們可以清楚地了解到他們豐富的感情世界，他們的善感的心靈。他們發現了自己有著一個如此敏感如此豐富的內心世界，並且表現出了這樣一個內心世界。內心世界的自我發現，也就發現了一個充滿感情的外在世界。自然界的一草一木，在這時的士人的心目中，也和人同樣充滿了情思意緒，和人同其憂樂，同其命運。在這個意義上說，人和自然的關係，不僅由功利目的的紐帶聯繫著，而且由一條感情的紐帶聯繫起來了，變得更加親近，而且更加富於美的意味。讀王粲《登樓賦》，常驚異於他把一種內心悲涼情思那麽微妙地融入了景色：「風蕭瑟而並興兮，天慘慘而無色。獸狂顧以求群兮，鳥相鳴而舉翼。原野闃其無人兮，征夫行而未息。」在蕭索的原野中體認到自己的心境，彷佛風之蕭瑟，天之陰沉，獸之愴惶與鳥之驚鳴，都有凄惶情懷在。他在《從軍詩》中寫落日征途景色：「白日半西山，桑梓有餘暉。蟋蟀夾岸鳴，孤鳥翩翩飛。」把對於夕照的光線的感覺寫得很傳神。這林梢的一抹夕照，很好地傳達出征夫的惻愴情懷，感受真是細膩極了。曹植和曹丕，表現濃烈細膩情思的詩賦就更多。曹丕的許多小賦和書信，真是寫得情思纏綿。在這些詩賦和書信裡，很少留下他的政治地位的印記。而他更多的是帶著當時士人的心態，是一個重感情的心靈的自白。

至此，士人心態的變化已經走了很長一段路。儒學一尊走向各家思想並存。在理論主張、政治信仰、人生理想和道德觀念上，都顯現出來多元共存的傾向。各家互相滲透，思想變動不居。可以說，思想領域正處於大的動蕩之中。經學一統的僵化的局面是打破了，統一的思想規範失去了權威，士人從聖人崇拜轉向名士崇拜，轉向自我體認。人性和人生，受到了極大的重視。可以說，定儒學於一尊時士人的那個理性的心靈世界，已經讓位於一個以自我為中心的感情的世界了。

當他們擺脫僵化的經學的束縛的時候，他們體認到人生的歡樂，體認到生命的可貴；但是，當他們盡情縱樂的時候，他們也就同時體認到人生朝露的悲哀。他們將在何處尋找心靈的歸宿？當他們意識到了自我的價值，人性極大發揚，走向任情率真的時候，他們又常常發現，社會現實其實還存在著許多制約，完全的任情率真並不為社會所容。他們將從何處超越理想人生與現實人生的鴻溝？

他們是走進一個感情世界了。但是，他們最終將向何處去呢？似乎還在等待著、或者說尋求一種理性的解釋。

這就是玄學產生前夕士人的基本心態。

【注　釋】

①《資治通鑑・漢紀三十九》：和帝永元三年十月，「上行幸長安，……竇憲與車駕會長安。憲至，尚書以下議欲拜之，伏稱萬歲，尚書韓稜正色曰：『夫上交不諂，下交不瀆；禮無人臣稱萬歲之制！』議者皆慚而止。」

②趙承亦為李固之弟子，《後漢書・李固傳》注引謝承《後漢書》：「固所受弟子，潁川杜訪、汝南鄭遂、河內趙承等七十二人，相與哀嘆悲憤，以為眼不復瞻固形容，耳不復聞固嘉訓，乃共論集《德行》一篇。」按：《隋書、經籍志》尚著祿有《李固集》十二卷。

③《世說新語・黜免》「鄧竟陵免官後赴山陵」條劉孝標注引《郭林宗別傳》：「鉅鹿孟敏，字叔達，敦樸質直。客居太原，雜處凡俗，未有所名。曾至市買甑，荷擔墮地壞之，徑去不顧。適遇林宗，見而異之，因問曰：『壞甑可惜，何以不顧？』客曰：『甑既已破，視之何益？』林宗賞其介決，因以知其德性，謂必為美士，勸令讀書。游學十年，三府並辟，不就，東夏以為美談。」

《後漢書・郭泰傳》記郭泰勸勵茅容，是因為他重孝；獎掖庾乘，是因為他出身微賤而謙卑好學，等等。

④《世說新語・品藻》：「龐士元至吳，吳人並友之。見陸績、顧劭、全琮而為之目曰：『陸子所謂駑馬有逸足之用，顧子所謂駑牛可以負重致遠。』」

⑤何焯《義門讀書記》卷一，對嚴峻往問房中術作了如下理解：「寺人受房術，殆魏公恐為人所窺，欲轉從嚴峻學之。子桓未喻耳。」此說依理可通。然究為推測之辭，故附之於此。

第二章　正始玄學與士人心態

我們首先面臨的一個問題，便是正始玄學的時間斷限問題。玄學分期，向以袁宏《名士傳》中的一段話為據。《世說新語・文學》「袁彥伯作《名士傳》成」條劉注云：

> 宏以夏侯太初、何平叔、王輔嗣為正始名士，阮嗣宗、嵇叔夜、山巨源、向子期、劉伯倫、阮仲容、王濬仲為竹林名士，裴叔則、樂彥輔、王夷甫、庾子嵩、王安期、阮千里、衛叔寶、謝幼輿為中朝名士。

據此而把玄學的發展分為三個時期。這種分法，其實是值得討論的。

關於袁宏的這段話，《世說新語・文學》明說：

> 袁彥伯作《名士傳》成，見謝公（謝安），公笑曰：「我嘗與諸人道江北事，特作狡獪耳，彥伯遂以著書。」

陳寅恪先生據此指出：「可知所謂正始、竹林、中朝名士，即袁宏著之於書的，是從謝安處聽來。而謝安自己卻說與諸人『道江北事，特作狡獪』，初不料袁宏著之於書。」陳先生又引《世說新語・傷逝類》「王濬仲為尙書令」條劉注所引《竹林七賢論》：

俗傳若此，潁川庾爰之嘗以問其伯文康。文康云：「中朝所不聞，江左忽有此論，皆好事者為之也。」

指出：「可知王戎與嵇康、阮籍飲於黃公酒壚，共作竹林之遊，都是東晉好事者揑造出來的，『竹林』並無其處。」他說：

「竹林七賢」是先有「七賢」而後有「竹林」。「七賢」所取為《論語》「作者七人」的事數，意義與東漢末年「三君」、「八俊」等名稱相同，即為標榜之義。西晉末年，僧徒比附內典、外書的「格義」風氣盛行，東晉之初，乃取天竺「竹林」之名，加於「七賢」之上，成為「竹林七賢」。東晉中葉以後，江左名士孫盛、袁宏、戴逵等遂著之於書（《魏氏春秋》、《竹林名士傳》、《竹林七賢論》）。（《清談誤國》）。

雖然有學者提出來竹林確有其地、竹林七賢之稱謂當起於七賢生時，然亦無確證。①遍查七賢詩文，無一言涉及竹林。嵇康多次寫宴遊之樂，寫樹林、寫花草，而未及竹林。「樂哉苑中遊，周覽無窮已，百卉吐芳華，崇基邈高峙。林木紛交錯，玄池戲魴鯉。」（《酒會詩七首》之一，《嵇康集校注》卷一，以下引此書只注卷數）「輕車迅邁，息彼長林，春木載榮，布葉垂陰。」（《兄秀才公穆入軍贈詩》，卷一）這裡描寫的真實境界，都不是竹林的那種蕭疏韻味。設若七賢縱酒清談確在竹林，很難想像在這類描寫宴樂的詩中，沒有竹林的風韻出現。

最重要的一點，是七賢非居於一地。嵇康居山陽，阮籍、阮咸是陳留人，山濤、向秀是河內懷人，劉伶沛人，王戎臨沂人，幼隨父在洛陽。正始三年，阮籍入洛為尙書郎，此時王戎隨父在洛，始與阮籍結識；嵇康與王戎交，亦始於此時，都在洛陽。這應該看作是七賢交遊的開始。嵇康與向秀鍛鐵於洛邑，山濤識向秀於少時，七賢交遊，非始於一時，非始於一地。但開始於正始年間，卻是無疑的。這就是說，他們的交遊與何晏、王弼、夏侯玄談玄同時。正始年間，嵇康與阮籍，也都已有論及玄旨的文章。②他們與何、王之間思想與心態的差異，似只能看作同一時期不同人的差別，而難以看作理論上不同階段的標志。

基於此種考慮，我們把何晏、王弼、夏侯玄與竹林七賢都看作一代士風的代表，而把正始時期的劃分作了擴展。上限起自魏明帝靑龍元年（二三三年），下限止於魏元帝咸熙元年（二六四年），共三一年。明帝太和六年（二三二年），代表一代士風最後一位重要士人曹植死，建安士風便成為過去。另一批重要士人如何晏、王弼、夏侯玄、山濤、阮籍、嵇康、向秀、王戎、皇甫謐、呂安等人相繼出現。他們的心理狀態、人生理想、生活情趣、生活方式，都與建安士人有很大差別。他們是正始玄風的創造者，是玄學的創立者。他們標志著思想上一個新的時代的開始。待到王弼死，何晏、夏侯玄被殺，二六三年阮籍死，嵇康被殺，這個時期便結束了。嵇康被殺，對士人的震動是很大的，士人心態又一變，轉入下一個時期。

第一節　正始玄學的出現

玄學的出現，原因甚為複雜，只歸結於任何一個因素都不全面。

從學術思想發展的角度說，經學發展到玄學，自有其內在聯繫。兩漢經學用的是實證的方法，繁瑣章句。繁瑣章句發展到極端，便走向自我否定，為義理化準備了條件。最初是刪繁就簡。王莽時已省五經章句；漢光武曾詔令鍾興定《春秋》章句，去其復重。後漢光武時伏黯章句繁多，子伏恭刪省浮詞，定為二十萬字。明帝時桓榮把朱普的《尚書》章句由四十萬言減為二十三萬，他的兒子桓郁又由二十三萬刪至十二萬言。樊鯈刪《春秋》章句，張霸又在樊鯈刪定的基礎上，再作刪減。東漢以後五經章句的刪繁就簡似成為一種普遍趨勢。從這樣一種趨勢中，我們可以看到一個重要訊息，這就是由繁瑣章句訓練出來的士人的僵化繁瑣的思想方法，正在慢慢地、不知不覺地改變中，向著簡潔明快的方向發展。古文經學的出現，加速了這個發展過程。思想方法轉向簡潔，才有可能從直觀實證走向思辨。事實上，在經學章句簡潔化的過程中，正在慢慢地從重章句走向重義理。經學的義理化傾向，是玄學的出現在思想方法上的一個重要準備。換句話說，學術思想的演變本身，正在導向玄學的出現。

玄學產生的另一個自然過程便是清談。

清談之與玄學有關，不只在於它進入談玄階段以後，往往就是玄學的另一種說法，還在於它從清談到人物品評、到談論義理、到談論玄學問題這整個過程中表現出來的對人的自我認識，必然要導致對於人和社會、人和自然的關係的思索與探討，必然要導致玄學的出現。

清談一詞，向有不同理解。其實漢末魏晉人使用這個詞時，已經有意義上的差異。③我們且不論「清談」在當時使用的種種歧義，而只從它作為談玄的意義上來考察它的發展過程。

清談的雛形可以追溯到清議。清議原是一種選拔人材的社會監督，是社會輿論。顧炎武《日知錄》卷十三「清議」條，提到古已有清談之制：

兩漢以來，猶循此制。鄉舉里選，必先考其生平，一玷清議，終身不齒。君子有懷刑之懼，小人存恥格之風，教存於上而上不嚴，論定於鄉而民不犯。降及魏晉，而九品中正之設，雖多失實，遺意未亡，被糾彈付清議者，即廢棄終身，同之禁錮。至宋武帝篡位，乃詔有犯鄉論清議，贓汙淫盜，一皆蕩滌洗除，與之更始。自後凡遇非常之恩，赦文並有此語。

他還舉了以後的一些例子，之後說：「官職之升沉，本於鄉評之與奪，其猶近古之風乎！」可見，他是明確地把清議理解為鄉里中的一種輿論監督的。④他以為這種輿論監督在維護一個社會的正常存在上起著很重要的作用：

天下風俗最壞之地，清議尚存，猶足以維護一二；至於清議亡而干戈至矣。

這正是後漢末年的情形。《晉書‧傅玄傳》謂玄上疏，稱：「近者魏武好法術，而天下貴刑名；魏文慕通達，而天下賤守節。其後綱維不攝，而虛無放誕之論盈於朝野，使天下無復清議，而亡秦之病復發於今。」傅玄指的是玄談（他所說的「虛無放誕之論」）起來之後，請議便被代替了。傅玄的說法是可信的。但他沒有注意到在清議與清談之間，人物品評所具有的重要意義。

關於人物品評，學術界論之已多，材料山積，無須贅為復述。然尚可論者，即其在清議與清談間之意義。

清議主要是道德判斷，所謂敦樸有道，賢能直言，獨行高節，質直清白敦厚之屬，主要的也是指道德評價而言的。東漢末年，清議之權柄逐漸移入名士手中，一經名士品題，即可獲致令譽，定身價於朝廷，顯聲名於士林。《後漢書・趙壹傳》載趙壹入京師求名，以異常的舉動引起司徒袁逢、河南尹羊陟的重視，「陟乃與袁逢共稱荐之，名動京師，士大夫想望其風采。」《後漢書・黨錮列傳》稱：「是時朝廷日亂，綱紀頹阤，（李）膺獨持風裁，以聲名自高。士有被其容接者，名為登龍門。」《後漢書・符融傳》說郭林宗初到京師時，名聲未顯，符融把他介紹給李膺，由李膺品評，由是知名。謝承《後漢書》記此事稱：「融見林宗，便與之交。又紹介於膺，以為海之明珠，未耀其光；鳥之鳳凰，羽儀未翔。膺與林宗相見，待以師友之禮，遂振名天下。融之致也。」這一例子說明，是真名士，在未被品題之前，只是如渾金璞玉，未為社會所了解；一經品題，才大放異彩。而這種品題，只是品題者從鄉里清議轉向名士論定，內容並未有根本的轉變，品題的側重點仍是以道德判斷為主。謝承《後漢書》：

> 桓帝征徐稚等不至，因問陳蕃曰：「徐稚、袁閎、韋著，誰為先後？」蕃對曰：「閎生公族，聞道漸訓，著長於三輔仁義之屬，所謂不扶自直，不鏤自雕；至於稚者，爰自江南卑薄之域而角立傑出，宜當為先。」（《太平御覽》卷四四五）

陳蕃定袁閎、韋著、徐稚高下的標準，是一種道德判斷，以為袁、韋雖道德高潔，但他們本來就生於仁義之鄉，理有固然；徐稚之道德高潔，是在蠻荒薄俗中出現的，是自身修養所致，才更為可貴。郭林宗論人，主要是道德情操，如，以茅容為賢，是因為他孝；以孟敏為賢，是因為他介決；⑤獎掖庾乘，是因為他謙虛。他否定某一個人，也主要是以道德為標準，《後漢書‧郭泰傳》：

> 黃允字子艾，濟陰人也，以俊才知名。林宗見而謂之曰：「卿有絕人之才，足成偉器。然恐守道不篤，將失之矣。」後司徒袁隗欲為從女求姻，見允而嘆曰：「得婿如是足矣。」允聞而黜遣其妻夏侯氏。婦謂姑曰：「今當見棄，方與黃氏長辭，乞一會親屬，以展離訣之情。」於是大集賓客三百餘人，婦中坐，攘袂數允隱匿穢惡十五事，言畢，登車而去。允以此廢於時。
>
> 謝甄字子微，汝南召陵人也。與陳留邊讓並善談論，俱有盛名。每共候林宗，未嘗不連日達夜。林宗謂門人曰：「二子英才有餘，而並不入道。惜乎！」甄後不拘細行，為時所毀，讓以經侮曹操，操殺之。

許劭是另一位品鑒人物的名士，他論定人物是非高下，也主要是道德情操標準。《後漢書‧許劭傳》：

劭嘗到穎川，多長者之遊，唯不候陳寔。又陳蕃喪妻還葬，鄉人畢至，而劭獨不往。或問其故，劭曰：「太丘道廣，廣則難周；仲舉性峻，峻則少通，故不造也。」其多所裁量若此。

曹操微時，常卑辭厚禮，求為己目。劭鄙其人而不肯對。操乃伺隙脅劭，劭不得已，曰：「君清平之奸賊，亂世之英雄。」

操大悅而去。

符融與李膺，論人亦以道德情操為先。《後漢書．符融傳》：

時漢中晉文經，梁國黃子艾，並恃其才智，炫燿上京，臥托養疾，無所通接。洛中士大夫好事者承其聲名，坐門問疾，猶不得見。三公所辟召者，輒以詢訪之，隨所臧否，以為與奪。融察其非真，乃到太學，並見李膺曰：「二子行業無聞，以豪傑自置，遂使公卿問疾，王臣坐門。融恐其小道破義，空譽違實，特宜察焉。」膺然之。二人自是名論漸衰，賓徒稍省，旬日之間，慚嘆逃去。後果為輕薄子，並以罪廢棄。

有名無實，雖無實而詐偽以獲虛名，當然也是道德情操問題。符融與李膺看出來了，並給予揭穿，而後來的發展證明他們眼力的洞澈。

蔡邕論人，亦多以道德準則定高下。《世說新語．品藻》記他定陳蕃、李膺優劣：

汝南陳仲舉，穎川李元禮二人，共論其功德，不能定先後。蔡伯喈評之曰：「陳仲舉強於犯上，李元禮嚴於攝下。犯上難，攝下易。」仲舉遂在三君之下，元禮居八俊之上。

劉注引姚信《士緯》：

陳仲舉體氣高烈，有王臣之節；李元禮忠壯正直，有社稷之能。海內論之未央，蔡伯喈抑一言以變之，疑論乃定也。

姚信三國吳人，離蔡邕年代甚近，可證《世說》所記，實有其事，非小說家言。

清議從鄉選里舉的道德評價轉入名士手中，根本原因是朝政的腐敗所致。《晉書・山濤傳》說：

至於後漢，女君臨朝，尊官大位，出於阿保，斯亂之始也。是以郭泰、許劭之倫，明清議於草野；陳蕃、李固之徒，守忠節於朝廷。

郭泰、許劭的人物鑒識，也被稱為「清議」，而且指出其出現的原因，這也可以說明清議和人物品評的關係。

但是，值得注意的是，漢末的人物品評中承接清議而衡人重道德情操判斷這一主要傾向中，也出現了一些新的東西，即開始出現了對於人的才性、風姿儀容的評論：

世目李元禮：「謖謖如勁松下風。」（《世說新語・賞譽》）

桓帝時，南陽語曰：「朱公叔肅肅如松柏下風。」（袁山松《後漢書》卷三《朱穆傳》）

膺岳峙淵清，峻貌貴重。華夏稱曰：「潁川李府君，頵頵如玉山。汝南陳仲舉，軒軒若千里馬。南陽朱公叔，揚揚如行松柏之下。」（《世說新語・賞譽》注引《李氏家傳》）

所謂「謖謖如勁松下風」，是指由內在道德情操所表現出來的風神氣貌，給人以剛正不阿、不可侵犯的感覺。「頽頽如玉山」，是形容其儀容之美。而用「揚揚如行松柏之下」來形容朱穆，則完全是從一種對於風神儀態的感覺出發來評論的了。行於松柏之下而覺其肅穆、搖曳，這是一種情韻的體驗，用來狀人，顯然是指朱穆情操的高潔，表現在風神上，便有一種肅穆的風韻。朱穆是以剛腸疾惡知名的，論者不直論其道德品格，而意在於描述風神韻味，這裡就透露出一個重要的消息：內在的才性情操，必定會表現在風姿儀態上，道德、才性與儀容之間，有著密切的關係。

試比較《禮記・玉藻》關於容止的論述：

君子之容舒遲，足容重，手容恭，目容端，口容止，聲容靜，頭容直，氣容肅，立容德，色容莊，坐如尸，燕居告溫溫。

「足容重」，是說舉步要慢；「手容恭」，是說行禮舉手要高而且正；「目容端」，是說不斜視；「口容止」，是指不隨便說，等等。都是從行為規範上說的，是在道德原則的約束下，對於風姿儀態提出的一些規範，所謂「禮從外制」，用禮來修飾儀容。而在上述引及的有關風神儀態的評論中，卻找不到這種外在規範的痕跡，完全是指才性情操的自然外露。而這一點，正是重視人，重視自我的思潮起來之後的產物。

論人重儀容，到三國時，在朝廷中似也成為風氣。《太平御覽》卷三八九引《吳書》：

張純字元基，少厲操行，學博才秀，切問捷對，容止可觀。

引《吳錄》：

滕胤年十二，孤單煢獨，為人白晳，威儀可觀。每正朔朝會修覲，在位大臣見者莫不嘆賞。

引《魏志》：

（延康元年）蜀將孟達率衆降。達有容止可觀，文帝甚器愛之，使達為新城太守、加散騎常侍。

這種重儀容風姿的人物品評，後來發展成為一種評論的主要傾向。論人重儀容的同時，也重才性。這一點在三國時有充分的表現，用人以才，是衆所周知的事實。曹丕論七子，亦主要論其才性之特色。

從清議的重道德到人物品評的重道德又重才性容止，反映著從經學束縛到自我意識的轉化。有了這個變化，就會逐步走向重視人、重視人的自然情性，重人格獨立。而有了重視人、重視人的自然情性，重人格獨立，亦就逐步導向對於人的哲理思考，探尋人與自然、人與社會的關係，逐步地轉向玄學命題。

反映由道德判斷到既重道德判斷又重才性容止鑑賞的轉變的，是劉劭的《人物志》。《人物志》是在人物品評發展起來之後，對於人的姿質、性格、才能、儀容的理論探討，是關於如何知人、用人的理論研究著作。

《人物志》涉及的問題很多，這裡只就其在人物品鑒中從道德到才性的轉變這一點說。《人物志》

把陰陽、五行、人的氣質和道德品質看作一個緊密聯繫的整體。他認為，「蓋人物之本，出於情性。……凡有血氣者，莫不含元一以為質，稟陰陽以立性，體五行而著形。」（《九徵》）他把五行、五常、五德組成了對應的關係：五行→五種氣質→五常→五德。可以把他的論述歸納為對應的五組：

元一之氣→陰陽→五行：→五體：→五質：→五常：→五德：

木—骨（骨植而柔者）—弘毅—仁—溫直而擾毅

金—筋（筋勁而精者）—勇敢—義—剛塞而弘毅

火—氣（氣清而朗者）—文理—禮—簡暢而明砭

土—肌（體端而實者）—貞固—信—寬栗而柔立

水—血（色平而暢者）—通微—智—願恭而理敬

把這個表倒過來看，就可以看出行為特徵源於道德素養，道德素養源於不同氣質，不同氣質源於五行中的不同物質，而這一切最終又都統一歸之於元一之氣。

在劉劭看來，人的氣質才性是自然存在的，取決於他秉受了五行中的何種物質。這一點，他在《體別》中有進一步論述。他舉出強毅、柔順、雄悍、懼慎、凌楷（意謂凌厲端正）、辨博、狷介、休動（意謂靜默少動）、樸露、韜譎十種材性特點，認為這十種都是偏材之性，偏材之性是生來如是，難以糾其偏失的：

夫學所以成材也，恕所以推情也，偏材之性，不可移轉矣。雖教之以學，材成而隨之以失；

雖訓之以恕，推情各從其心，信者逆信，詐者逆詐，故學不入道，恕不周物，此偏材之益失也。

偏材之性乃由天生，難以學成；若性非偏材，能否學成呢？似也不能。他認為最好的材性，是中和（或稱中庸）之性。中和之性，也是天生的：

中和之質，必平淡無味。故能調成五材，變化應節。

其為人也，質素平淡，中睿外朗，筋勁植固，聲清色懌，儀正容直，則九徵皆至，則純粹之德也。九徵有違，則偏雜之材也，三度不同，其德異稱。故偏至之材，以材自名；兼材之人，以德為目；兼德之人，更為美號。是故兼德而至，謂之中庸。中庸也者，聖人之目也。（《九徵》）。

劉昞注「兼德之人，更為美號」稱：「道不可以一體說，德不可以一方待，育物而不為仁，齊衆形而不為德，凝然平淡，與物無濟，誰知其名也。」顯然，這個兼德的聖人，便是兼無形無名的自然之道的聖人，當然非以學所能成。劉昞可謂深得劉劭之本意。劉劭在《體別》篇中就說到這個「中庸之德」的實質：

夫中庸之德，其質無名，鹹而不碱，淡而不酪醋，質而不縵，文而不繢，能威能懷，能辯能訥，變化無方，以達為節。

這也就是無所不在的道之德。秉中庸之德的聖人，是道家的聖人，而不是孔聖。湯用彤先生早已指出

這點：「中庸本出孔家之說，而劉劭乃以老氏學解釋之。」（《魏晉玄學論稿・讀人物志》）

至此，我們已可清楚看出，《人物志》深刻地反映出經學束縛解除之後，對於人性的重視與認識，論人，重其氣質材性。曹丕《典論論文》謂「氣之清濁有體，不可力強而致。譬諸音樂，曲度雖均，節奏同檢，至於引氣不齊，巧拙有素，雖在父兄，不能以移子弟。」劉劭則說，偏至之材，來自天性，糾其缺失，只能順其天性，不能強力矯之以學；中和之質，則來自至淡無味的道之德，無所不有，無須再學。兩人的基本觀點十分相似，其實都是當時對人性的認識的反映。

論人重材性，而探究材性，又窮其根源，歸之自然，最後便很自然地與道家的思想體系聯結起來，《人物志》正是這樣。

《人物志》，《隋書・經籍志》入名家。是否屬名家，學界頗有分歧。然就其思想而言，則其中有極明顯的道家思想傾向。把平淡無味的中和之質看作至高的材性，固已說明這一點。湯用彤先生曾指出：「《人物志》中道家之說有二：一為立身之道，一為人君之道。」其實，論材性而歸之於自然，在這一根本點上，《人物志》正體現了道家的基本思想。這種思想傾向，已經傳達出人物評論逐漸向著玄學命題轉變的訊息了。後來關於材性同異的論爭，正是從這條線發展起來的。

當然，人物品評只是在重視人的才性、氣質、獨立人格上由清議到清談中具有過渡的意義，是對從清議到清談的一種促進。由清議發展到清談，還有另外的因素。在人物品評把評論標準由道德引向材性的同時，一種以探索義理為內容的談論也在發展著。以探索義理為談論的內容，當然可以追溯到說經的相難，但那只是就經的章句的解釋而言的，與後來的清談關係實不大。這方面的例子很多，不贅述。從經義的相難，又發展到有關經義的談論，如《東觀漢記》卷十八：

> 召馴，字伯春，以志行稱，鄉里號之曰：「德行恂恂召伯春。」以明經有智讓，能講論，拜議郎。章、和中為光祿勛。（《東觀漢記校注》）。

所謂講論，已經不是經義的論難，而是佛學義理的闡述了。但是，與後來清談的發展有直接關係的，是一般義理的探討。袁山松《後漢書・王充傳》謂：

> 充所作《論衡》，中土未有傳者，蔡邕入關始得之，恒秘玩以為談助。

「以為談助」，當然不應理解為談論的對象是《論衡》的內容，而應該理解為蔡邕與人談論義理問題時借《論衡》之思想觀點以為佐證。《太平御覽》卷六〇二引《抱樸子》曰：

> 王充作《論衡》，北方都未有得之者。蔡伯喈嘗到江東，得之，嘆其文高，度越諸子。及還中國，諸儒覺其談論更遠，嫌得異書，或搜求至隱處，果得《論衡》，捉數卷將去。伯喈曰：「唯我與爾共之，勿廣也。」

可見蔡邕確因《論衡》之助而使自己談論義理更為深廣。此處「更遠」二字，深可注意。「遠」，似可理解為深遠、玄遠。《論衡》涉及的是大量的理論問題，其中包括有大量的道家思想，蔡邕借以為談助的是其中那一部分內容，現在當然已不能確知，但是這一點卻是十分值得注意的。

清談而談及玄理的，向來都認為是從正始時開始。此說似可懷疑。《文選・擬魏太子鄴中集》詩注引曹植的話：

高談虛論，問彼道原。

「高談虛論」已經不是前文引的孔公緒「虛枯吹生」的清談高論（見本章注③），而是問道之原了。「道原」的「道」，顯然指道家一派的道，而非儒家之道。至於他談論的具體內容，已經不得而知。不過，曹植兄弟都是受了道家思想影響的。曹植《桂之樹行》就說：

要道甚省不煩：淡泊、無為、自然。（《曹植集校注》卷三）

三國時崇尚道家思想的不少，在談論中涉及道家的理論命題、如曹植的「問彼道原」者，是可以理解的。當然，清談而大量談玄，是在魏太和初。

《文心雕龍‧論說》有一段話，歷來被當作談玄始於正始的根據。這段話是：

魏之初霸，術兼名法，傅嘏王粲，校練名理。迄至正始，務欲守文，何晏之徒，始盛玄論，於是聃、周當路，與尼父爭途矣。

其實這段話衡之於史實，是不確的。談玄不始自正始。《世說新語‧文學》注引《荀粲別傳》：「粲太和初到京邑，與傅嘏談。嘏尚名理，粲善玄遠，宗致雖同，倉卒時或格而不相得意。裴徽通彼我之懷，為二家釋，頃之，粲與嘏善。」這是一條為論者所常引用的材料。對於這條材料的理解，差異極大。但有一點是可以瞭然的，那便是「名理」與「玄遠」之言異，這一點，與劉勰的說法相同，「尚玄遠」，也就是劉勰所說的正始所盛行的「玄論」。由此可見，談玄至少不晚於太和初荀粲所談。粲所談玄遠之言都有一些什麽內容，已不得而知，從何劭《荀粲別傳》提及他談到象外之意、系表之言看，大概是《易》、《莊》。言、象、意論題，正始年間由王弼進一步發展為玄學方法論。可見，荀粲所談，實已涉及玄學的重要命題，對於玄學的發展，是意義重大的。

談玄的還有裴徽。《三國志·魏書·管輅傳》注引《輅別傳》：

冀州裴使君，才理清明，能釋玄虛，每論《易》及老、莊之道，未嘗不注精於嚴、瞿之徒也。

《輅別傳》又引裴徽答管輅的話：

吾數與平叔共說老、莊及《易》，常覺其辭妙於理，不能折之。又時人吸習，皆歸服之焉，益令不了。

裴徽和管輅，都對何晏的談玄評價不高，但裴徽是一位善於談玄的人，卻是不易的事實。裴徽當時是冀州刺史，上引《輅別傳》孔曜薦管輅時對管輅說的裴徽「能釋玄虛」那段話，說於正始五年，⑦是則談玄之風，北至冀州，盛於正始初。其實，裴徽談玄，或許還要更早，當他太和初在洛陽參預傅嘏、荀粲談論時，可能已開始「論《易》及老、莊之道」了。

當然，談玄的中心是洛陽，且是在洛陽的宮廷勢要圈子裡，以何晏、鄧颺為核心。《輅別傳》：「輅辭裴使君，使君言：『何、鄧二尚書有經國才略，於物理無不精也。何尚書神明精微，言皆巧妙，巧妙之志，殆破秋毫，君當慎之！自言不解《易》九事，必當以相問。比至洛，宜善精其理也。』輅言：『何若巧妙，以攻難之才，遊形之表，未入於神。夫入神者，當步天元，推陰陽，探玄虛，極幽明，然後覽道無窮，未暇細言。若欲差次老、莊而參爻、象，愛微辯而興浮藻，可謂射侯之巧，非能破秋毫之妙也。』」《世說新語・文學》注引《文章敍錄》：「晏能清言，而當時權勢，天下談士多宗尙之。」引《魏氏春秋》：「晏少有異才，善談老、《易》。」以何晏為談玄的核心，多有記載。《世說新語・文學》：「何晏為吏部尙書，有位望。時談客盈坐，王弼未弱冠，往見之。晏聞弼名，因條向者勝理語弼曰：『此理僕以為極，可得復難不？』弼便作難，一坐人便以為屈，於是弼自為客主數番，皆一坐不及。」這一材料說明，當時何宴周圍聚集的談玄者衆多，也說明，談玄的出色人物有王弼。《賞譽篇》注引王隱《晉書》：「衛瓘有名理，及與何晏、鄧颺等數共談講。」正始年間，衛現以二十餘歲之青年，得參預何、鄧談玄，以至給他留下了難忘的印象，所以後來他為尙書令的時候，還對樂廣回憶起這件事。《世說新語・賞譽》注引孫盛《晉陽秋》，記衛瓘對樂廣說的一段話：「昔何平叔諸人沒，常謂淸言盡矣，今復聞之於君。」他顯然對何晏等人的談玄充滿了崇敬之情。

與何晏談玄的，還有夏侯玄。袁宏寫過《三國名臣頌》，說夏侯玄「君親自然，匪由名教。」（《晉書・文苑傳・袁宏傳》）他在正始玄風中是一位有名人物。《晉書・景帝紀》說他與司馬師、何晏齊名。他著有《無本論》、《道德論》等。《晉中興書》謂：「庾元規少好黃、老，能言玄理，時人方之夏侯太初。」⑧可見他以善談玄而名聞兩晉。與夏侯玄接近而談玄的，還有一位應貞。《晉書・應貞傳》：「夏侯玄有盛名，貞詣玄，玄甚重之。」應貞思想，兼採儒、道，⑨但亦參預談論。《三國志·魏書·王粲傳》注引《文章敍錄》：

貞字吉甫，少以才聞，能談論。正始中，夏侯玄盛有名勢，貞嘗在玄坐作五言詩，玄嘉玩之。

應貞是應璩的兒子，也是曹魏集團中人。他仕晉以後，頻歷顯位，而未仕之前，與曹魏集團中人接近，是很自然的事。正始間曹魏集團中人善談玄理，司馬氏周圍的人則推重名教，似形成一種自然的聚集。

參預王、何談玄的，還有鍾會和荀融。《三國志·魏書·鍾會傳》注引何劭《王弼傳》：

弼與鍾會善，會論議以校練為家，然每服弼之高致。何晏以為聖人無喜怒哀樂，其論甚精，鍾會等述之。弼與不同，……弼注《易》，潁川人荀融難弼《大衍義》。……

鍾會大抵屬校練名理一派，但他也參預何晏的聖人無情的談論，正始間校練名理與談玄，在一些理論問題上似已不易分開。《三國志·魏書·荀彧傳》注引《荀氏家傳》：「（融）字伯雅，與王弼、鍾會俱知名，為洛陽令，參大將軍事。與弼、會論《易》、《老》義，傳於世。」可證鍾會雖校練名理，亦談玄。

正始間談玄的，除以何晏為中心的一些人物外，還有另一群人，他們當時不像何晏、夏侯玄的身處世要。這便是以「七賢」為主的一群人。當正始年間何晏諸人談玄時，七賢追求玄理之風也已開始。阮籍與王戎談玄，似始於正始中。《世說新語·簡傲》注引《竹林七賢論》：

初，籍與戎父渾俱為尚書郎，每造渾，坐未安，輒曰：「與卿語，不如與阿戎語。」就戎，必日夕而返。

同篇注引《晉陽秋》：

戎年十五，隨父渾在郎舍，阮籍見而說焉。每適渾，俄頃，輒在戎室久之。乃謂渾：「浚仲清尚，非卿倫也。」

阮籍為尚書郎在正始五年，是則阮籍與王戎談玄在此時已開始。⑩王戎後來成為一位談玄的名家。嵇康與向秀的談玄，似亦始於正始年間。《文選》卷二十一顏延年《五君詠・嵇中散》李善注引孫綽《嵇中散傳》：「嵇康作《養生論》，入洛，京師謂之神人。向子期難之，不得屈。」嵇康入洛，當在正始年間。⑪孫綽所說，作《養生論》之後入洛，是則與向秀反復論難養生問題，當在正始中。嵇康不惟與向秀討論養生問題，且與向秀討論《莊子》。《晉書・郭象傳》：「先是，注《莊》者數十家，莫能究其旨統。向秀於舊注外而為解義，妙演奇致，大暢玄風，惟〈秋水〉、〈至樂〉二篇未竟而秀卒。」《晉書・向秀傳》：「（秀）清悟有遠識，少為山濤所知，雅好老、莊之學。莊周著內外數十篇，……秀乃為之隱解，發明奇趣，振起玄風，讀之者超然心悟，莫不自足一時也。……始，秀欲注，嵇康曰：『此書詎復須注，正是妨人作樂耳。』及成，示康曰：『殊復勝不？』又與康論養生，辭難反復，蓋欲發康高致也。」上引《晉書》這兩段話，可能都來源於《世說新語》，而略有改動。《世說新語・文學》注引《秀別傳》，謂向秀注莊之前，先以告嵇康、呂安。注成後，又給嵇康、呂安看。呂安看後驚嘆為「莊周不死。」嵇康、呂安既已看過向秀的《莊子》注，當亦於談論中及之，故有「莊周不死」之類的話。

談玄之風在正始年間盛行，事實上反映了其時士人普遍存在的一種巨大的理論熱情。談玄的談資，當然是《易》、《老》、《莊》三玄，所談的主要是本末、有無、言意諸命題，但涉及的遠比這些要廣闊得多。有的學者拘泥於中心論題，而把正始玄風的範圍縮得很小，只有那麼幾個人，很少的「玄論」，這是不確的。談玄，談資既是三玄，而論題實涉及一切玄遠之學，涉及與玄遠之學有關的許多現實理論命題。

從談玄之盛，以至形成一時風氣看，當然可以說談玄是玄學發展過程中一個十分重要的方面，是玄學建立過程中的一個十分重要的部分。玄學理論正是借助談玄、著論和注疏《易》、《老》、《莊》三玄建立起來的。談玄正反映了其時士人建立玄學理論的巨大熱情，可以說為數百年來所未有，實為戰國百家爭鳴之後又一思想理論都極為活躍的高潮。

由談玄而發展到玄學理論的建立，當然是順理成章的。

但是，談玄也還不是玄學產生的根本原因。它只是玄學發展過程中的一種現象，從清議到人物品評到談名理到談玄的發展，也可以看作是玄學發展的一個過程。玄學理論的建立，似尚有更為深刻的社會原因。

有研究者認為，玄學理論建立的最重要的社會條件，是改制的政治背景。⑫曹魏改制的實質是什麼，仍可討論。改制是否就是玄學產生的現實基礎，似尚難以論定。在玄學產生過程中，許多玄學家與改制並無關係；且談玄可與講論、人物品評、談名理等等相銜接，實難與改制相銜接。更重要的是，玄學作為一個哲學體系，很難從「改制」中找到直接的聯繫。這裡只要舉一個例子就夠了。玄學的高度思辨的思想方法，怎麼能說明是改制的產物呢？顯然，從兩漢經學的實證的方法，到玄學的思辨的方法的轉變，另有原因（例如，哲學命題的特點，學術思想發展的內部規律等等），單從「改制」上找對應關係，是不易說清的。玄學的產生，與現實生活的需要有關，但似乎並不直接表現在「改制」上。

一種理論的產生，它為社會所接受的程度，取決於社會對它的需要的程度。玄學之所以一出現，就為士人所普遍接受，並且成為兩晉的主要的思想潮流，決非一種偶然現象，也決非曹魏改制的一時需要。它乃是一種更為廣泛、更為深遠的現實生活的要求。

經學束縛解除之後，思想一尊的局面是打破了，各種思想活躍起來。士人以往所信奉的儒家一套人生理想、行為規範，已經失去了它的吸引力，任情而行成為一時風尚。但這種任情而行的風尚，只能是一種過渡的現象。一個社會不可能沒有它的思想信仰。玄學就是在這種情況下出現的。它是士人尋找來的一種思想歸宿，一種用以塡補儒學失落之後的思想位置的新的理性的依歸。

個性覺醒的初期，老、莊思想被廣泛地用來解釋現實生活中種種新的行為。老、莊思想在任自然這一點上，無疑給重個性、重情感、重欲望的風尚找到了理論依據。但是，老、莊思想、特別是莊子思想，它在實質上與任情縱慾是不同的。它的任自然，是重心靈的自由，經物質享受，貴心賤身；是超越慾念，超越人生。它不可能最終滿足魏晉士人的現實需要。魏晉士人的任自然，既重心靈自由，又貴身。老、莊思想需要在新的社會條件下加以改造，加以新的闡釋。這個過程便從個性覺醒之後慢慢地開始了，從清談、談玄、注玄、論玄中，不知不覺地對老、莊思想作出了新的解釋。這種解釋，汲收了老、莊的基本精神，而注入現實的新的生機。在某種意義上說，是現實生活中已經出現了的新的思想的理論升華。從這個角度來理解玄學，或者可以更清楚地看出它的出現的現實依據。

從另一個方面來看，個性覺醒的同時，儒家一尊時期形成的思想習慣、社會生活準則也十分頑強地存在著，抗拒著新的人生理想、新的行為方式、新的生活方式，造成了思想領域中的深刻矛盾，這就是通常所說的自然與名教的矛盾。需要尋找一種理論，來解決自然與名教的矛盾，於是尋找到玄學。玄學是企圖從理論上解決自然與名教的矛盾而出現的，它與現實實有至為密切的關係。

正是現實生活中這些更為深層更為實質的需要，促使玄學的產生。從人性覺醒到清談到談玄，這樣一個自然而然發展過程的內在動力，便是社會現實向理論提出的要求。

因此，玄學並非遠離現實，玄學家也非超塵出世者。昔人已看到這一點，雖然看得並不十分清晰，但已經感覺到了。顏之推《顏氏家訓》卷三《勉學》：

夫老、莊之書，蓋全真養性，不肯以物累己也。故藏名柱史，終蹈流沙；匿跡漆園，卒辭楚相，此任縱之徒耳。何晏、王弼，祖述玄宗，遞相誇尚，景附草靡，皆以農、黃之化，在乎己身，周、孔之業，棄之度外。而平叔以黨曹爽見誅，觸死權之網也；輔嗣以多笑人被疾，陷好勝之阱也；山巨源以積蓄取譏，背多藏厚亡之文也；夏侯玄以才望被戮，無支離臃腫之鑒也；荀奉倩喪妻，神傷而卒，非鼓缶之情也；王夷甫悼子，悲不自勝，異東門之達也；嵇叔夜排俗取禍，豈和光同塵之流也；郭子玄以傾動專勢，寧後身外己之風也；阮嗣宗沈酒荒迷，乖畏途相誡之譬也；謝幼輿贓賄黜削，違棄其餘魚之旨也：彼諸人者，並其領袖，玄宗所歸。其餘桎梏塵滓之中，顛仆名利之下者，豈可備言乎！直取其清談雅論，剖玄析微，賓主往復，娛心悅耳，非濟世成俗之要也。

顏之推這段話可注意的地方，是他列舉的玄學領袖人物，都並非超塵出世者，他們並未能擺脫人間欲念，未能忘情，並且指出了這一點正是他們與老、莊思想的根本不同之處。這是非常有見地的。他最後提到玄談只為娛心悅耳，無關乎世用，這用來指玄學發展到後來的性質，而非指它產生的起因，也是對的。這一點，我們後面還將談及。

第二節　正始玄學的現實主題

玄學涉及的命題很多，本末、體用、才性、言意，以至養生、聲無哀樂等等，我們所要討論的，不是玄學所有這些命題，而是從玄學與現實的關係著眼，考察玄學的現實主題。

玄學家提出來的一個與現實有極密切關係的問題，是關於聖人有情無情的討論。這一問題的討論，其實是漢末以來重情風尚的理論思索。

何晏、王弼都提出了聖人有情無情的問題。《三國志・鍾會傳》注引何劭《王弼傳》：

何晏以為聖人無喜怒哀樂，其論甚精，鍾會等述之。弼與不同，以為聖人茂於人者神明也，同於人者五情也。神明茂，故能體沖和以通無；五情同，故不能無哀樂以應物。然則聖人之情，應物而無累於物者也。今以其無累，便謂不復應物，失之多矣。

何晏論聖人無喜怒哀樂，詳細內容已不可考。鍾會等既述之，顯為時人所重視。何以提出聖人無喜怒哀樂，這只能從當時士人所關心的問題加以解釋。自從重感情、任情縱慾成為一種風尚之後，感情問題便一直為社會所關注。縱慾任情而動，是合理還是不合理？應該如何看待情欲？如何引導、節制情欲等等，都需要從理論上加以說明，需要理性的反思。對於這些問題，有種種看法，桓范承認情的合理性，但主張節欲：

人生而有情，情發而為欲。物見於外，情動於中，物之感人也無窮，而情之所欲也無極，是物至而人化也。人化也者，滅天理矣。夫欲至無極，以尋難窮之物，雖有聖賢之姿，鮮不衰敗。故修身治國之要，莫大於節欲。（《世要論・節欲》）

傅玄也主張節欲，而且認為應該從在上位者做起：

上欲無節，衆下肆情，淫侈並興，而百姓受其殃毒矣。（《傅子・校工》）

他這裡說的是節制情欲，是對於奢侈淫佚的欲望而言的。他自己在《席銘》中說：「閑居勿極其歡，寢處毋忘其患。」也指節制欲望，並非指節制感情。史稱傅玄峻急，往往感情不能自制，以至於對百僚而罵座，他自己就是一位重感情的人物。

桓范和傅玄，持的都是儒家的傳統觀點。以禮節情，《禮記》多有論述。⑬儒家不僅主張節制情欲，而且主張感情的中和，反對過濫。

但是，當時更多的士人傾向於任情而動，無所節制，這有他們的行為可以證明。《三國志・荀彧傳》引何劭《荀粲傳》，記荀粲鍾情一事，實為其時士人重情之一代表。粲娶曹洪女，天姿國色，感情甚篤：

後婦病亡，未殯。傅嘏往唁粲。粲不哭而神傷。……痛悼不能已，歲餘亦亡，時年二十九。

阮籍是有名的例子。阮籍母死居喪，飲酒食肉，為禮法所不容，而其實他悲傷至極，以至「舉聲一號，嘔血數升」。蓋真情坦露而哀樂至到，無須乎禮之緣飾。

竹林名士中的其他人，如劉伶、阮咸，也都是任情的例子。劉伶的縱酒放達，脫衣裸形；阮咸的居母喪而縱情越禮，都反映了其時士人重真情而輕禮法的風氣。

這樣一種感情解放的潮流，它的思想基礎，本來來源於老、莊的任自然，但是它的發展，卻超越了老、莊的任自然的思想。老、莊主張任自然，是走向忘情，而感情解放的潮流，是從任自然開始，走向縱欲。任自然只是作為擺脫禮敎束縛的思想武器，使感情從禮的束縛中解放出來。但是事實上，感情擺脫禮的束縛之後，並不返歸素樸無為沒有欲念羈繫不為喜怒哀樂傷身的自我，而是走向任由感情發泄，哀則極哀、樂則極樂，以我爲中心的自我。對於老、莊的忘情，反而大不以為然。蔣濟《蔣子萬機論》論及此，謂：

莊周婦死而歌。夫通性命者，以卑及尊，死生不悼，周不可論也。夫象見子皮，無遠近必泣，周何忍哉？（《太平御覽》卷八九〇）

莊子的任自然，是物我兩忘，從根本上說，當然是重自我的一種表現。我就是我，我與萬物為一，我因此而存在，因此而不受社會的任何誘惑，也不受社會的任何約束，社會上的一切，都不能引起我的喜怒哀樂，都不能引起我的繫念。從本質上說，莊子的這個「我」，是一個「自然的人」，而不是一個「社會的人」。正始士人接受了莊子任自然、擺脫禮敎束縛的思想，但卻把這個「自然的人」變成了一個「社會的人」。社會的人是社會關係的總和，社會關係的種種變化都要引起感情的波浪，產生種種欲望。承認這種感情欲望是自然的，不應受到約束，這就離開了莊子，從忘情走向任情。

這樣的思潮在理論上的代表性表述，便是向秀。向秀《難養生論》：

有生則有情，稱情則自然，若絕而外之，則與無生同，何貴於有生哉？

夫人含五情而生，口思五味，目思五色，感而思室，饑而求食，自然之理也。

且生之為樂，以恩愛相接。天理人倫，燕婉娛心，榮華悅志；服饗滋味，以宣五情；納御

聲色，以達性氣。此天理自然，人之所宜，三王所不易也。（《嵇康集校注》卷四附）

這就從理論上承認了任情而動的合理性。

任情而動的新的社會思潮，與兩漢以來儒家為整個社會打下的牢固的禮法觀念，必不可免地發生著衝突。何曾之所以數次指責阮籍違禮，正是這種衝突的表現。如何解決這個衝突，即解決名教與自然關係中的這一問題，是玄學家無法迴避的。聖人有情無情問題的提出，是解決這一問題的一種途徑。

何晏提出聖人無喜怒哀樂，推測其本意，並非說聖人無情，而是說聖人由於其道德修養。因而能做到喜怒哀樂皆節之以禮。這從他的《論語集解》中可以得到例證。《論語集解》大多非其親自訓說，但卻代表著他的意見。他在《序》中說：「今集諸家之善說，記其姓名，有不安者，頗為改易。」可見，他對各家訓說的選擇，以合於已意者為準，不合於己意者，且改易之使合於己意。何況，其中也還有部分是他的自注。因此，把《論語集解》中有關情的論述，作為何晏「聖人無喜怒哀樂」論的佐證，是可行的。《論語集解》所記孔子的喜怒哀樂，正是禮節制下的喜怒哀樂。《集解》中凡關涉聖人感情問題的解釋，都沒有說聖人無情，而只是說聖人並不任情而動⑭。這是說，何晏認為聖人不同於一般人的地方，不是因為他無情，而是因為他有情而能節之以禮。聖人之情，是道德化了的感情，不是應物而動的人性自然的感情。聖人如此，那麼一般人呢？這可能有兩種解釋，一種解釋是一般人應該向聖人學習，也節之以禮；另一種解釋是聖人可以做到，一般人做不到，一般人的喜怒哀樂，自然是任情而動。這後一種解釋似更能代表當時玄學家的主要傾向。後來王衍的看法正是這樣。《晉書・

王衍傳》：

行嘗喪幼子，山簡弔之。衍悲不自勝。簡曰：「孩抱中物，何至於此！」衍曰：「聖人忘情，最下不及情。然則情之所鍾，正在我輩。」簡服其言，更為之慟。

王弼與何晏不同的地方，是說聖人也有應物而動的人性自然的感情，聖人的五情與一般人相同，故不能無哀樂以應物。這在他的另一處言論裡有清楚的說明。《三國志・鍾會傳》引弼《戲答荀融書》：

夫明足以尋極幽微，而不能去自然之性。顏子之量，孔父之所豫在，然遇之不能無樂，喪之不能無哀。又常狹斯人，以為未能以情從理者也，而今乃知自然之不可革。

孔子因顏回死，悲傷過度，以至不能自制，王弼在這裡作了解釋，以為感情之不可已已，乃是自然之性，聖人也不例外，不能把這看作未能以情從理。這樣說，就更加強調了一般人的任情而動的合理性：聖人尚且如此，何況常人！

王弼與何晏不同的另一點，是他認為聖人節制五情，不是由於禮的約束而是由於自制，由於自己能把應物而動的感情控制在一定限度之內，即應物而不累於物。節制的辦法，便是以性制情。王弼注《易》，釋《文言》「利貞者，性情也」：

不性其情，焉能久行其正。

明人張萱對王弼這段話作了解釋：

不性其情，言不以性制情也。⑮

皇況對這一注解作了更為詳盡的解釋：

此是情之正也。若心好流蕩失真，此是情之邪也。若以情近性，故云性其情。情近性者，何妨是有欲。若逐欲遷，故云遠也；若欲而不遷，故曰近。

他把「性其情」解為「以情近性」，把「不性其情」的結果說成流蕩失真的情之邪。而認為邪情就是欲的發展。

那麼，王弼的「性其情」的「性」指什麼呢？我以為就是守住自然本性。他為《老子》三章「常使民無知無欲」作注，謂：

守其真也。

「守真」，也就是守住自然本性，用理智，用「度」，使「性」回復到一種無欲念、即「真」的狀態中去。有感情，感情必然應物而動，動之後，又自我節制，使不至於逐欲而遷，不至於發展到極端，不增益它。這種自我節制；不同於儒家的以禮節情，而更接近於老、莊的思想。《莊子·德充符》有一段惠子和莊子的對話，莊子說人無情；惠子說：「人而無情，何以謂之人？」莊子回答說：

是非吾所謂情也。吾所謂無情者，言人之不以好惡內傷其身，常因自然而不益生也。

好惡是有的，情是有的，但因其自然，不使流蕩而內傷其身。莊子的最終目的，是達到忘情的境界；而王弼，則用以論證一種感情的自我節制。

何晏提出來聖人無喜怒哀樂，是要說明聖人之情，以禮節制；王弼說聖人有情，是要說明聖人之情，是一種自然本性的自我節制。兩人都為重情的社會風氣尋找一種感情節制的方法，何晏以禮，而王弼以性。何晏近孔，而王弼近老、莊。

但兩人的共同特點，都是承認一般人重情、任情而動的合理性。

可見，關於聖人有情無情的討論，乃是其時社會現實為玄學家提出來的一個迫切需要解決的理論命題。正是由於這一問題的深刻的現實意義，因之為玄學家所普遍重視。《隋書・經籍志》道家類「符子」注著錄有《聖人無情論》六卷，不著撰人。姚振宗以為：「《中庸》章句：『喜怒哀樂，情也。』聖人無喜怒哀樂論，似即此聖人無情論也。大抵始於何晏，而鍾會等述之，王弼非之。其後尚論者又演益為六卷。」[16]《聖人無情論》六卷梁時尚存，隋已亡，不然，當能見其時對此一問題討論之更為豐富之內容。

二

與聖人有情無情的討論緊密相聯的另一個問題，便是養生。養生問題，是關於感情問題必然要涉及的另一個方面。

《世說新語・文學》引舊說：

> 王丞相過江左，止道「聲無哀樂」、「養生」、「言盡意」三理而已。然宛轉關生，無所不入。

可見，養生問題，在玄談中地位十分重要，它不僅涉及養生本身，且亦牽涉玄談中的其他問題，即所謂「宛轉關生，無所不入」也。

正始士人論養生問題，現存僅有嵇康和向秀的論、難三篇。然僅此三篇，已包括了養生的兩種基本觀點，即順欲養生與節欲養生。

向秀在對待感情問題上既強調任情而動的合理性，在養生問題上便也主張順欲養生。他認為，人生而有情，有情必應物，必有種種欲望，這是天理自然的事。要人為的抑制，不僅做不到，而且於身體有害。他說：

今五色雖陳，目不敢視；五味雖存，口不得嘗；以言爭而獲勝則可。焉有芍葯為荼蓼，西施為嫫母，忽而不欲哉？苟心識可欲而不得從，性氣困於防閑，情志郁而不通，而言養之以和，未之聞也。

抑制情欲，既在事實上做不到，有害；而且即使強行做到了，也就失去了人生的意義，失去了人生的歡樂。他說：

今若捨聖軌而恃區種，離親棄歡，約己苦心，欲積塵露以望山海，恐此功在身後，實不可冀也。縱令勤求，少有所獲。則顧影尸居，與木石為鄰，所謂不病而自灸，無憂而自默，無喪而疏食，無罪而自幽。……故相如曰：「必若長生而不死，雖濟萬世猶不足以喜」。言悖情失性，而不本天理也。長生且猶無歡，況以短生守之耶？（《難養生論》，《嵇康集

校注》卷四附）

向秀的這種觀點，把養生和人生價值聯繫了起來，正代表了建安以來個性解放的思想潮流。重自我，也就重生命，生之歡樂與生之悲哀，正是感受到現實人生之可眷戀之後的產物。享受生之歡樂與生之悲哀，也就是享受人生。有了這一切，人生才有意義，才可眷戀，如果把這一切都抑制了，人活著也就如木石、如尸居，雖長命百歲也毫無意義。向秀的觀點，可代表重生活重情欲一派的養生觀。這一派把生活的快樂看得比生命的存在本身更重要，結論是生不需養，長壽乃天生。持類似觀點，肯定人生情欲的，當時似尚大有人在，如現存張遼叔《自然好學論》就流露了這種觀點：

夫喜怒哀樂，愛惡欲懼，人之有也。得意則喜，見犯則怒，乖離則哀，聽和則樂，生育則愛，違好則惡，飢則欲食，逼則恐懼，凡此八者，不教而能，若論所云，即自然也。（《嵇康集校注》卷七附）

這雖然不是論養生的，但以為有自然之性，必有種種欲求，從而即可證明情欲的合理性。這種觀點在實質上與向秀是相同的。

嵇康的觀點與之相反。他的養生觀的最主要內容，就是主張去欲。去欲不是不要一切感情欲望，而是把感情欲望降低到人生的最低需要的水平上，意足即可。他的養生觀，實質上也是一種感情的自我節制，也是以性制情的一種表現。

嵇康承認人生而有情。《聲無哀樂論》謂：「夫內有悲痛之心，則激切哀言，言比成詩，聲比成音，雜而詠之，聚而聽之。心動於和聲，情感於苦言，嗟嘆未絕，而泣涕流漣矣。……夫喜怒哀樂愛憎慚懼，凡此八者，生民所以接物傳情，區別有屬，而不可溢者也。」他又說：「夫不慮而欲，性之動也。」（《答難養生論》）

夫嗜欲雖出於人，而非道之正。猶木之有蝎，雖木之所生，而非木之宜也。故蝎盛則木朽，欲勝則身枯。然則欲與生不並久，名與身不俱存，略可知矣。而世未之悟，以順欲為得生，雖有後生之情，而不識生生之理，故動之死地也。（《答難養生論》）。

他主張節欲以養生。節欲之要，在喜怒無動於衷：

是以君子知形恃神以立，神須形以存，悟生理之易失，知一過之害生，故修性以保神，安心以全身，愛憎不棲於情，憂喜不留於意，泊然無感，而氣體和平；又呼吸吐納，服食養身，使形神相親，表裡俱濟也。（《養生論》）。

服食修煉固有益於養身，而內去欲，卻是更為重要的。嵇康不是主張情欲發動起來之後再以禮去抑制，而是主張內心去欲，不讓情欲發展：

善養生者則不然矣，清虛靜泰，少私寡欲，知名位之傷德，故忽而不管，非欲而強禁也。識厚味之害生，故棄而弗顧，非貪而後抑也。外物以累心，不存神氣，以醇白獨著，曠然無憂患，寂然無思慮，又守之以一，養之以和，和理日濟，同乎大順。（《養生論》）

以大和為至樂，則榮華不足顧也。以恬淡為至味，則酒色不足欽也。（同上）。

他認為不是不要飲食男女，而是飲食男女要得理。得理，就是內去欲，如瞽者之遇室，西施與嫫母同情；如聵者之忘味，糟糠與精粺等甘。「今能使目與瞽者同功，口與聵者等味，遠害生之具，御益性之物，則始可與言養性命矣。」（《答難養生論》）把內去欲、求意足作為養生之要，說明他的養生理論與王弼情感觀這條線相銜接，近於老、莊，而不近於以禮節情的儒家觀點。

嵇康養生論的現實意義，在於它反映出對於任情而動的社會思潮的一種反思。重情，任情縱欲，固是重個性、重自我的產物，在擺脫禮法束縛上，有其現實意義。但是，這種思潮的不受約束的發展，對社會也會造成破壞。它既與名教矛盾，也與合理的人性的正常發展矛盾。這一從禮教束縛中解放出來的任情縱慾的思潮如何發展，王弼從以性制情的角度，嵇康則從養生的角度提出了自己的看法。他們的看法，在總的傾向上是一致的，都是以老、莊的自然思想作為立足點，從老、莊思想內部尋找解決這一問題的途徑，而不是用名教的手段來解決。

嵇康養生論的另一現實意義，就是它從一個側面反映了重自我因而貴生命的思想，這也是重人的價值的一種表現。

三

正始玄學家提出的又一個具有深刻現實意義的論題，便是言意關係問題。

言意關係問題的提出，非始於正始，此為學界所共知，無須贅述。然而正始前後這一問題又提出來，並且得到如此深入的探究，則只能從現實需要上來加以解釋。

兩漢經學是述古，解釋聖人的教導，是把《經》實用化。它需要的是實證、闡釋、推理的方法。經學衰落之後，對人生、對社會、對宇宙萬物都做了重新思索，它主要的不是闡釋，不是實證，不是從已有的理論中找到根據來指導實踐，而是從現實生活中已經出現的問題，來思索宇宙人生，是一種新理論的創立。玄學所涉及的主要是本體論的問題，疏證、訓詁已經無濟於事，需要從經驗上升到抽象思辨，需要找到一種全新的方法。言意問題就是在這樣的背景下受到重視的。

實證與義理思辨，是很不一樣的。實證對於理論的表述往往淪於膚淺，對更為復雜的理論問題往往無能為力。我們可以比較經學家注《論語》與王弼注《論語》的不同方法，來說明這一點。《論語・述而》：「子曰：志於道，據於德，依於仁，游於藝」。鄭玄注：

志，慕也，道不可體，故志之而已。

鄭玄的著眼點，在釋「志」字之義，何以用「志」字，就是因為「道」不易表述。但是這個「道」到底是什麼，他就無能為力了。王弼注：

道者，無之稱也，無不通也，無不由也。況之曰道。寂然無體，不可為象。是道不可體，故但志慕而已。（《論語釋疑》）

王弼當然是以老釋孔，把孔子的「道」改造了。孔子的「道」，指道德，王弼卻把它變成了老子的本體論的「道」。這一點姑且不說，我們只說他如何解釋道不可體。他從「道」的性質（無不通，無不由）、形態（寂然無體，不可為象）來說明，因為道是無所不在、至大無外的「無」，所以不可體。他已經完全離開《述而》本身，闡述他的「道」的實質，作一種純抽象的表述。這一表述，遠遠超過了它的字面的意義，引導人進入一個更廣闊的思辨的領域。

《論語・泰伯》：「子曰：『大哉，堯之為君也！巍巍乎唯天為大，唯堯則之。蕩蕩乎民無能名焉』。」孔安國疏：

則，法也，美堯則法天而行化也。

苞氏注：

蕩蕩，廣遠之稱也，言其布德廣遠，民無能識名焉。

王弼注：

蕩蕩，無形無名之稱也。夫名所名者，生於善有所章而惠有所存。善惡相須，而名分形焉。若夫大愛無私，惠將安在？：至美無偏，名將何生？故則天成化，道同自然，不私其子而君其臣。凶者自罰，善者自功；功成而不立其譽，罰加而不任其刑。百姓日用而不知所以然，夫又何可名也。（《論語釋疑》）

孔疏與苞注，只闡釋《論語》本身的含義，而王注則離開《論語》加以發揮。《泰伯》本身只頌揚堯的功德的巨大，而王弼則把這種功德解釋成老子的無為而治，論無為而治的意義，已經不停留在對堯的功德的頌揚上，而進入一般義理的探討，具有理論的價值。

思辨較之實證，更重意，而不是更重言象，把得意看作是目的，而把言、象看作是得意的一種手段，得了意，言、象都可以忘。但是意是不可能完全得到的，更幽微的意，非言、象所能表述。言不盡意，是這時的普遍認識。蔣濟、鍾會、傅嘏，都是主張言不盡意的。歐陽建《言盡意論》托「雷同君子」之口說：

世之論者，以為言不盡意，由來尚矣。至乎通才達識，咸以為然。若夫蔣公之論眸子，鍾、傅之言才性，莫不引此以為談證。

蔣濟論眸子，未見著錄。《三國志・鍾會傳》：「(會)少敏惠夙成。中護軍蔣濟著論，謂『觀其眸子，足以知人。』會年五歲，繇遣見濟，濟甚異之，曰：『非常人也。』」引文可知蔣濟之確曾著論論眸子。《太平御覽》卷三六六存有其「兩目不相為視」一段，未審為其眸子論中片斷否？他論眸子如何引「言不盡意論」為證，已完全不可考。鍾會之才性論與傅嘏之才性論，均未存留，亦無從推知其言不盡意之觀點。然歐陽建所言，當有根據。「言不盡意」為正始前後之一普遍認識，似可視為事實。現在留下來的最早的一段論述，是荀粲的，見《三國志・荀彧傳》：

粲諸兄並以儒術論議，而粲獨好言道。常以為子貢稱夫子之言性與天道不可得而聞，然則六籍雖存，固聖人之糠秕。粲兄俁難曰：「《易》亦云：聖人立象以盡意，繫辭焉以盡言，則微言胡為不可得而聞見哉？」粲答曰：「蓋理之微者，非物象之所舉也。今稱立象以盡意，此非通於意外者也；繫辭焉以盡言，此非言乎繫表者也。斯則象外之意，繫表之言，固蘊而不出矣。」

荀粲之用意，在貶儒術，謂夫子既不言性與天道，而只言文章（文獻），則儒家典籍乃糠秕耳。粲蓋以為性與天道才是精華，才有深奧之義理，而文章（文獻）特外殼而已。荀粲崇道家，這樣說是可以理解的。而崇儒術的荀俁為了說明聖人亦言天道，於是引孔子說《易》為證，提出了象和繫辭可以表達微言的問題。荀俁這一觀點，來自《易》繫辭，為後來歐陽建「言盡意論」所發揮。他的這一觀點，才引出了荀粲的一番「言不盡意」的議論。荀粲所要說明的，是「理之微者」，難以用言、象表達。言、象所能表達的，只是表層的意義，即言、象本身的含義；而更深層，即象外之意、繫表之言，則是難以表達的。這既提出義理有不可能完全認知的部分，也指認知的部分與語言表達能力之間的矛盾。其實，這一思想是從《莊子》來的，《莊子•秋水》：「可以言論者，物之粗也；可以意致者，物之精也；言之所不能論，意之所不能察者，不期精粗焉。」

發展了「言不盡意論」的是王弼。他的貢獻，在於用「言不盡意論」來解決義理抽象的方法問題。他在《周易略例•明象》中說：

夫象者，出意者也。言者，明象者也。盡意莫若象，盡象莫若言。言生於象，故可尋言以觀象；象生於意，故可尋象以觀意。意以象盡，象以言著。故言者所以明象，得象而忘言；象者所以存意，得意而忘象。猶蹄者所以在兔，得兔而忘蹄；筌者所以在魚，得魚而忘筌也。然則，言者，象之蹄也；象者，意之筌也。是故，存言者，非得象者也；存象者，非得意者也。象生於意而存象焉，則所存者乃非其象也；言生於象而存言焉，則所存者乃非其言也。然則，忘象者，乃得意者也；忘言者，乃得象者也。得意在忘象，得象在忘言。故立象以盡意，而象可忘也；重畫以盡情，而畫可忘也。

這段論述可以看作義理抽象的完整的方法論，有著極為豐富的內涵。

首先，王弼承認言可明象，象可盡意，從「夫象者」到「故可尋象以觀意」，都是要說明這一問題的。因為言以明象、象以表意，所以可以由言觀象，由象觀意。這個「象」，是指具體的象；這個「意」，是指具體的意。具體的象與意，是可以由言象去表現的，例如牛、馬。

但只承認這一點還不夠，他進而論述得象忘言，得意忘象。這裡的「得象」和「得意」，已經不是指具體的象與意，而是指具有普遍意義的象與意。他在下面接著論述這個問題時說：「義苟在健，何必馬乎？類苟在順，何必牛乎？爻苟合順，何必坤乃為牛？義苟應健，何必乾乃為馬？」就是這個意思。《說卦》：「乾，健也；坤，順也。」又說：「乾為馬，坤為牛」。《說卦》是解說八卦屬性與卦象的，乾為天，天行健，乾卦的性質是剛健，故以健行之馬象徵之。但「馬」只是健的一個具體象徵，乾卦的性質，它所代表的義理既是剛健，那麼剛健並非只有「馬」這一種物象可以象徵，其他物象也可以。坤卦的性質是柔順，「坤，順也，」「坤為牛」。坤為地，地道柔順，牛性也柔順，故坤為牛，以牛象徵之。但是坤卦的柔順的性質，並非只有「牛」可以象徵，只要是柔順的，其他物象也可以。如果卦義屬「健」和「順」，不一定只有乾卦可以用「馬」象徵，其他卦也可以用「馬」象徵；不一定只有坤卦可以用「牛」象徵，其他卦也可以用「牛」。邢璹注：「遁無坤，六三亦稱牛。明夷無乾，六二亦稱馬。」這就是說，義理抽象之後，具體的物象與言詞都可以捨棄。這就是「得象忘言」、「得意忘象」。反過來說，如果執著於具體的言和象，就不可能得到具有更普遍意義的象和意，所以他說：「是故，存言者，非得象者也；存象者，非得意者也。」最後導致的結論是：「忘象者，乃得意者也；忘言者，乃得象者也。」忘言忘象的目的，是為了把握住更具普遍意義的象和意，是從具體上升到抽象。

這樣，我們從方法論的角度考察王弼關於言意關係的這段話，就可以把他的玄學方法論表述為如下圖式：

言明象		忘言		得象
（具體）	→	（捨棄具體）	→	（得到具有普遍意義的象和意）
象盡意		忘象		得意

我們或者可以把最後這一環節看作由具體上升到理論。

這方法論的提出，顯然與現實生活的需要分不開。現實中對於許多重大理論命題的探討，需要有一種具有更強的思辨色彩的理論方法，因為只有訓詁、實證和闡釋已經完全無能為力了。

王弼自己處處用的都是這種方法，他注《易》，注《老》都如此。《老子指略》中有一段話正可與上引他論言意關係的那段話相發明：

凡物之所以存者，乃反其形；功之所以克，乃反其名。夫存者不以存為存，以其不忘亡也；安者不以安為安，以其不忘危也。故保其存者亡，不忘亡者存；安其位者危，不忘危者安。……故取天地之外，以明形骸之內；明侯王孤寡之義，而從道一以宣其始。

這種方法的運用，我們在嵇康的文章（例如《聲無哀樂論》）中也可以看到。不僅思辨，而且有濃厚的辯證的意味。

四

正始玄學家討論的核心理論問題，當然是本末、有無。這一問題的提出，正是為了從根本上解決現實生活中自然與名教的矛盾。

本末、有無問題提出的一個重要意義，就是從認識論上把漢儒的宇宙萬物構成論推進到宇宙萬物的本源論上。漢儒講宇宙構成，便講陰陽五行，由此而進一步講天人感應，天也就成了有意識的天。清談興起之後，人物品評講才性，加入了老、莊思想，強調人的自然本性，講人的自然氣質。但是，最後還是歸結到五行，《人物志》就是一例。歸結到五行，就講五常、五德，最終還是落實到儒家的綱常名教上。雖說才性與稟賦有關，但也證明五常與稟賦有關，證明五常的合理性。正始玄學家出來，論本末、有無，撇開了五行五德，追究宇宙萬物的本源，才把這個問題從根本理論上解決了。

對於本末、有無，正始玄學家認識並不一致，最有影響的要數王弼的貴無論。《三國志・鍾會傳》注引何劭《王弼傳》說王弼未弱冠，往見當時的吏部郎裴徽。裴徽問他：「夫無者誠萬物之所資也，然聖人莫肯致言，而老子申之無已者何？」王弼回答說：「聖人體無，無又不可以訓，故不說也；老子是有者也，故恆言無所不足。」這是一段很有名的反映王弼基本觀點的話。從這段話，我們還可以推測裴徽的觀點。裴徽是承認萬物得以產生的根源是「無」的，他只是不明白爲什麼孔子不說「無」，而老子反復說「無」，原因何在。從《三國志・管輅傳》裴注可知，他曾調和荀粲與傅嘏談論的矛盾。傅嘏是尙名理的，荀粲則尙玄遠。裴徽能為二家釋，「使兩情皆得，彼此俱暢。」則裴徽的觀點當屬較通達的一種，雖談玄而不執著於玄。從他對王弼提出的問題看，他對於聖人不說「無」並無非議之意。而王弼的回答，其實是順著這一思路來的。不過他對聖人不說「無」給了解釋，認為聖人不是不體認「無」，而是體認了，不說，因為「無」不可以訓說。這是說，世界是「有」，離開了「有」，一切無從說起。老子之所以說「無」，是因為他承認「有」，所以常說「無」歸於完全空無之不足，即以「有」歸之於「無」，以「有」說「無」。聖人因為「無」不可以訓說，故不說，而說「有」，但是他是體認「無」的：老子以為說空無難以說清，故以「有」說「無」。這樣，孔、老便在這一點上統一起來了：都承認「有」與「無」，不過闡釋的側重點不同而已。

王弼的這個「無」不是空無，而是自然的有，是存在於自然萬物自身中的，存在於「有」自身中的，是「道」，是「一」。王弼注《老子》四十章，「天下萬物生於有，有生於無」：

天下之物，皆以有為生。有之所始，以無為本。將欲全有，必反於無也。

全有，就是純然有，實在有。要承認實在有，只有返歸於「無」才能得到解釋。前引王弼《論語釋疑》：「道者，無之稱也，無不通也，無不由也。」也是這個意思。「道」就是「無」，就是無不由無不通，存在於宇宙萬物之中。王弼注《老子》四十一章：「大方無隅，大器晚成，大音希聲，大象無形。道隱無名，夫唯道善貸善成」：

凡此諸善，皆是道之所成也。在象則為大象，而大象無形；在音則為大音，而大音希聲。物以之成，而不見其形，故隱而無名也。貸之非唯供其乏而已，一貸之則足以永終其德，故曰「善貸」也。成之不如機匠之裁，無物而不濟其形，故曰「善成」。

道無物不在，自然而然地生成萬物，但不見其生成的過程。它不僅可使物有象，而且可以使它有其品質，故曰「善貸」；它不僅可以成一物，而且可以成一切物，故曰「善成」。

這都是要說明，一切「有」皆推原於「無」，而「無」就存在於一切的「有」中。所以他說老子論「道」論「一」：

故其大歸也，論太始之原以明自然之性，演幽微之極以定惑罔之迷。因而不為，損而不施；崇本以息末，守母以存子，賤夫巧術，為在未有；無責於人，必求諸己；此其大要也。

（《老子指略》）

崇本也就是守母，息末，是生息末，也就是存子，推原事物的本源——「無」，也就是為了承認「

有」，即萬事萬物的存在，是為了明事物的自然之性。反過來說，承認萬物的存在，就要崇本、守母，要順其自然之性，不要人為地干預它。雖存子，而必守母，雖息末，而必崇本，「本」是「道」是「一」是「無」，就是自然。因此，王弼處處講「因」，講「順」，講「隨」。《老子》二十九章注：

凡此諸或，言物事逆順反復，不施為執割也。聖人達自然之性，暢萬物之情，故因而不為，順而不施。除其所以迷，去其所以惑，故心不亂而物性自得之也。

萬物以自然為性，故可因而不可為也，可通而不可執也。物有常性，而造為之，故必敗也。物有往來，而執之，故必失也。

五十六章注：

因自然也。

四十五章「大成若缺，……大辯若訥」這一段注：

隨物而成，不為一象，故若缺也。大盈充足，隨物而與，無所矜愛，故若沖也。隨物而直，直不在一，故若屈也。大巧因自然以成器，不造為異端，故若拙也。大辯因物而言，己無所造，故若訥也。

不是不言、不巧、不直、不成、不盈，而是因物隨物而言，因自然而巧，隨物而直，隨物而與，隨物而成，就是說，不是完全否定，而是順物之性而已。

王弼的這些觀點，有著巨大的現實意義。對於自然與名教的矛盾來說，他找到了一種解決辦法：

承認名教的存在，但它應該順物之性，因而不為，把名教引向自然。這在王弼注《論語》中可以得到具體的說明。注《學而章》「孝悌也者，其為仁之本與！」他說：

自然親愛為孝，推愛及物為仁也。

不是不要孝，而是不要偽飾的徒具形式的孝，要自然親愛、發自內心的孝。他注《里仁》「夫子之道，忠恕而已矣」：

忠者，情之盡也；恕者，反情以同物者也。

在《老子》三十八章注中，他在理論上進一步闡述這一思想：

夫仁義發於內，為之猶偽，況務外飾而可久乎！……仁義，母之所生，非可以為母；形器，匠之所成，非可以為匠也。捨其母而用其子，棄其本而適其末，名則有所分，形則有所止。雖極其大，必有不周；雖盛其美，必有憂患。功在為之，豈足處也。

母，是自然，這裡指人的自然本性。仁義是人的自然本性生發出來的，不應捨棄人的自然本性去追求仁義。若捨棄人的自然本性去追求仁義與孝悌，其偽必生。

王弼的這一表述，不僅可以從理論上解釋正始前後士人在對待仁義孝悌上重真情而不重禮的形式的行為，而且可以作為這些行為的合理性的理論依據。

正始其他玄學家在本末、有無上的見解，或與王弼、何晏有別，但在具有明顯的現實意義這一點上則是相同的。

向秀注《莊》，片斷保存於張湛《列子注》與陸德明《經典釋文》中。《列子注》《黃帝篇》引向秀注：

> 同是形式之物耳，未足以相先也。以相先者，唯自然也。

這個「自然」，就是自生自化的「有」。《列子・天瑞篇》注引向秀注：

> 吾之生也，非吾之所生，則生自生耳。生生者豈有物哉？無物也，故不化焉。若使生物者亦生，化物者亦化，則與物俱化，亦奚異於物？明夫不生不化者，然後能為生化之本也。

向秀這個自生自化的「自然」之所以是「有」，從他注《莊子・應帝王》中「鄭有神巫曰季咸」一段文字可以得到佐證。張湛《列子・黃帝篇》注引向秀的這段文字：

> 夫實由文顯，道以事彰。有道而無事，猶有雌而無雄耳。今吾與汝雖深淺不同，然俱在實位，則無文相發矣。故未盡我道之實也。此言至人之唱，必有感而後和者也。

這是注壺子回答列子的話「吾與汝無其文，未既其實，而固得道與」的。壺子這句話似不可解，歷來解釋不一。王叔岷先生以為「無」當為「玩」，「既」亦當為「玩」字之誤，較可信。如作這樣理解，則壺子的話的原意，是說列子從他這裡學到的只是一些皮毛，而沒有學到根本。「文」，指事物的有形存在，而「實」，指其根本即「道」。向秀卻倒過來解釋，以為有「道」而無事，等於有雌而無雄，把「事」放到更為重要的位置上。「事」是實有，是自生自化的而已。

講自然的自生自化，進而講自然無心。《列子、黃帝篇》注引向秀注：

得全於天者，自然無心，委順至理也。

無心以隨變也，泛然無所繫。

萌然不動，亦不自止，與枯木同其不華，死灰均其寂魄，此至人無感之時也。夫至人其動也天，其靜也地，其行也水流，其湛也淵嘿。淵嘿之與水流，天行之與地止，其於不為而自然一也。

自然無心，就是不為而自然。不為而自然既可以是超越名教的，任情而動，任情縱欲；也可以是名教的，只要無心即可。在某種意義上，又可以是任情而動與名教的統一。正是在這一點上，向秀從自生自化的「有」，走向儒道合一。後來謝靈運在《辨宗論》中說：「向子期以儒道為一」，是說得很確切的。

無論王弼還是向秀，都是力圖從理論上尋找到一條解決現實生活中名教與自然的矛盾的出路，或者說，尋找到一塊解決名教與自然的矛盾的理論基石。

正始玄學的理論大家何晏和夏侯玄，我們都還沒有作認真的介紹。因為我們的目的，只在於說明正始玄學涉及現實主題的主要理論命題。即使是正始玄學涉及現實主題的理論命題，當然也遠不止上述這些。但從上面這些命題的解決中，我們可以看到一種基本的傾向，那就是為現實生活中已經出現的新的問題尋找解決的途徑，尋找理論上的依據。任情率真、任情縱欲，重個性之後，向何處去？要不要有某種約束？名教和自然的矛盾如何解決？是取其一還是合為一？人生應該有什麼樣的生活歸宿？

有什麼樣的生活情趣等等。不管玄學家們是否已經意識到他們是在探討這些問題，但是他們的玄學論題毫無疑問地是這些問題的反映，雖然有時是曲折的反映。他們是在探索新的人生。

第三節　正始士人的心態

正始士人有不同的群體，這裡所涉及的，是受玄學思潮影響的士人。而這部分士人的心態，正是當時士人心態的主流。

影響他們心態的因素是多種多樣的，政局、社會環境、家族關係，以往經濟地位、文化教養等等，但是，影響最為深廣的，是玄學思潮。玄學思潮對於他們的人生理想、生活情趣、生活方式，特別是對於他們的精神生活，影響是根本性的。

而由於正始玄學家在解決玄學命題時態度和結論的差異，往往使得他們的心態也存在差異。要把他們的總傾向相近而其實千差萬別的心態說清是極不容易的，我們試著來分析幾個代表人物，以便窺測他們的不同類型。

（上）　嵇康：悲劇的典型

嵇康是返歸自然的玄學思潮造就出來的典型人物，然而卻是一個悲劇的典型。這其中，包含有甚深的歷史意蘊。

嵇康，字叔夜，生於黃初五年（二二四年）。他出生兩年後，魏文帝曹丕逝世，曹叡即位，是為明帝。此時，活躍於思想領域的士人，是以裴徽、荀粲、夏侯玄、何晏、諸葛誕等為代表的一批崇尚玄風的名士。明帝好儒術。據《三國志・明帝紀》記載，明帝即位的第二年，便下詔「尊儒貴學」，隨後於太和四年（二三〇年）又從董昭議，以浮華之名罷諸葛誕、鄧颺等官，這時前後被抑黜不用的，似還有何晏、夏侯玄等人。直到魏明帝死後，齊王曹芳即位，正始初，曹爽執掌大權時，才重新啟用這些崇尚玄風的名士。這時嵇康已經十七八歲。就是說，正當嵇康的少年時代，曹氏政權並不支持玄論派，它是重名教的。這樣的格局，很難說嵇康少年時代對曹氏政權有好感。正始中，嵇康與向秀、山濤、阮籍等游，但與其時掌握大權的何晏、夏侯玄等人，也並無關係。大約在他二十幾歲的時候，娶了曹操的兒子曹林的女兒長樂亭主為妻（一說是曹林的孫女，然亦無確證）。但曹林這一系在正始年間似未進入權力中心，所以嵇康娶長樂亭主之後，只補了個郎中的小官，不久拜中散大夫，也只是個七品的閑職，而且這個閑職似乎也未認真做過，因為他生兒育女之後，還依然鍛鐵洛邑、灌園山陽，依然游於山林。直到景元四年（二六三年）他被殺，他與曹氏政權似並無更密切之關係。

對於嵇康所追求的理想人生境界，後人做過各種解釋。江淹《擬嵇中散言志》以為嵇康追求的是一種超塵絕俗的理想人生：

曰余不師訓，潛志去世塵。遠想出宏域，高步超常倫。靈鳳振羽儀，戢景西海濱。朝食琅玕實，夕飲玉池津。處順故無累，養德乃入神。曠哉宇宙惠，云羅更四陳。哲人貴識義，大雅明庇身。莊生慕無為，老氏守其真。天下皆得一，名實外相賓。咸池饗爰居，鍾鼓或愁辛。柳惠善直道，孫登庶知人。寫懷良未遠，感贈以書紳。（《江文通集匯注》卷四）

夏完淳襲用江淹詩意，作《嵇叔夜言志》：

曰余厭塵罔，振衣潛羽儀，卓犖驚古人，灼灼揚高姿。遠眺八紘外，陵景希清夷。靈鳳矯羽翼，飄然雲際飛。明餐若木華，夜飲蒼淵池。悠悠莊周子，方能悟無為。爰居饗鍾鼓，徒令達者嗤。長嘯倚天下，採葯南山陲。

他們的著眼點，都在嵇康的志向高潔上。於是猜想嵇康的心態是遨遊塵埃之外，不與流俗為偶。在他們看來，嵇康彷佛不食人間煙火。

陳祚明則以為，嵇康之主要心態，是憤世嫉俗，是對於司馬氏之不滿，他的忘情老、莊，並非其本願：

叔夜情至之人，託於老、莊忘情，此憤激之懷，非其本也。詳竹林沈冥，並尋所寄：「典午」陰騺，摧戕何、夏，惟圖事權，不惜名彥。如斯之舉，賢者嘆之，非必於魏恩深，實亦醜晉事鄙。（《采菽堂古詩選》）

這又可以說，嵇康之與俗忤違，並非僅因其超塵絕俗之人生追求所致。反過來也可以說，他的理想人生，乃在入世，雖然由於環境關係，他並未對這種入世的理想作出明確的表達。

其實，他們都是從嵇康的某一個側面推測嵇康心態的全貌。嵇康的親朋對嵇康的評論，當然是更為可靠的了解他的心態的線索。他的哥哥嵇喜在《嵇康傳》中說他「長而好老、莊之業，恬靜無欲。性好服食，常採御上葯。善屬文論，彈琴詠詩，自足於懷抱之中。……超然獨達，遂於世事，縱意於塵埃之表。」（《三國志・王粲傳》注引）他的好友向秀後來在《思舊賦序》中說：「嵇志遠而疏」。距嵇康不太遠的李充在《吊嵇中散文》中說：

先生挺邈世之風，資高明之質；神蕭蕭以宏遠，志落落以遐逸；忘尊榮於華堂，括卑靜於蓬室；寧漆園之逍遙，安柱下之得一。寄欣孤松，取樂竹林；尚想榮莊，聊與抽簪。……凌晨風而長嘯，托歸流而永吟。乃自足於丘壑，孰有慍於陸沉。（《太平御覽》卷五百九十六）

嵇喜、向秀和李充，對於嵇康的描述更有人間意味，雖然他們沒有更詳盡的解說。從他們的這些描述裡，可以看出嵇康追求一種恬靜寡欲、超然自適的生活。這種生活的最基本的特點，便是返歸自然，但又不是不食人間煙火，不是虛無飄渺，而是優游適意，自足懷抱。這正是玄學思潮在人生理想上的一種典型反映。

對於這樣一種理想人生，嵇康是深思熟慮過的。可以說，他是一位不僅在實踐中而且從理論上自覺追求這種理想人生的人。他對於如何處世，是反復思考了的。在《卜疑》中，他一連提出了二十八種處世態度作為選擇。這二十八種處世態度，歸納起來，大抵是三類。一類是入世。入世有種種方式，或建立大功業，「將進伊摯而友尚父」；安享富貴淫樂，「聚貨千億，擊鍾鼎食，枕藉芬芳，婉孌美色」；或「卑懦委隨，承旨倚靡」；或「進趨世利，苟容偷合」；或「愷悌弘覆，施而不德」；或為任俠，如「市南宜僚之神勇內固，山淵其志」，「如毛公藺生之龍驤虎步，慕為壯士」等等。另一類是游戲人間，「傲倪滑稽，挾智任術」。再一類便是出世，出世也有種種方式，或不食人間煙火，「苦身竭力，剪除荊棘，山居谷飲，倚岩而息」；或隱於人間，「外化其形，內隱其情，屈身隱時，陸沉無名，雖在人間，實處冥冥」；或逃政而隱，「如箕山之夫，潁水之父，輕賤唐虞，而笑大禹」；或修神仙之道，「與王喬赤松為侶」；或如老聃之清靜微妙，守玄抱一；或如莊周之齊物，變化洞達而放逸；等等。他列出的這二十八種處世態度，可以說幾乎包括了士人出處去就可能有的各種方式。而最後，通過太史貞父之口，說出了一種選擇：「內不愧心，外不負俗，交不為利，仕不謀祿，鑒乎古今，滌情蕩欲。」這個選擇其實是一些行為準則，還沒有展開為生活方式。但是這已經說明，他並不像任情縱欲的思潮起來之後多數士人那樣把返歸自然當作只是生之本能，他對於返歸自然應該是一種什麼樣的生活，是認真探討了的。從嵇康的詩文裡，我們可以清楚地感到，他有著一個十分明確的生活目標，有一個為自己描繪的非常動人的生活圖景。他一生都向往於這樣一種雖處人間而超脫世俗之外，自由閑適、如詩如畫的生活，他一生的精神追求，主要的便是這一點。

嵇康是第一位把莊子的返歸自然的精神境界變為人間境界的人。莊子是主張返歸自然，泯滅自我的大師。他把物我一體，與道為一看作是人生的最高境界。他以為至人是世事無所繫念於心的，因之也就與宇宙並存：

王倪曰：「至人神矣，大澤焚而不能熱，河漢沍而不能寒，疾雷破山而不能傷，飄風振海而不能驚。若然者，乘雲氣，騎日月，而遊乎四海之外。死生無變於己，而況利害之端乎！」（《齊物論》）

要做到這一點，就要遊於形骸之內，而不遊於形骸之外。游於形骸之內，就要以死生為一條，以可不可為一貫，既要泯滅是非界線，無可無不可；又要泯滅物我界線，作到身如枯木，心如死灰，達到坐忘的境界。《應帝王》說了一個列子請鄭巫為壺子看相的故事，描述了人生的幾種精神境界。達到沒有朕兆的境界已經不容易了，而最高的境界是萬象俱空的境界，什麼也不是，以為是什麼就是什麼。他描述沒有朕兆的境界：

鄉吾示之以太沖莫勝。是殆見吾衡氣機也。鯢桓之審為淵，止水之審為淵，流水之審為淵。淵有九名，此處三焉。

這是一種深不可測的境界，沒有跡象可尋。他描述萬象俱空的境界：

鄉吾示之以未始出吾宗。吾與之虛而委蛇，不知其誰何，因以為弟靡，因此為流波。

這個境界實際上就是「無」，是坐忘的境界。進入這個境界之後，便可以隨物化遷：

浸假而化予之左臂以為雞，予因以求時夜；浸假而化予之右臂以為彈，予因以求鴞炙；浸假而化予之尻以為輪，以神為馬，予因以乘之，豈更駕哉？且夫得者，時也，失者，順也，安時而處順，哀樂不能入也。此古之所謂懸解也。（《大宗師》）

我既不必執著為我，任自然而委化，也就一切不入於心。莊子妻子死了鼓盆而歌；他處窮閭厄巷，槁項黃馘，而泰然自若。他完全地進入了一種內心的境界中，捨棄人間的一切。他主張生應該逍遙，「巧者勞而知者憂，無能者無所求，飽食而遨遊，泛若不繫之舟，虛而遨遊者也。」他這個逍遙，完全是精神的，即所謂「樹之於無何有之鄉，廣漠之野，彷徨乎無為其側，逍遙乎寢臥其下。」心與道合，我與自然泯一，這就是全部追求。

這種追求，與其說是一種人生境界，不如說是一種純哲理的境界。這種境界，並不具備實踐的品格，在生活中是很難實現的。若果真的進入這種境界，便會有如夢如幻之感。《大宗師》託孔子與顏回的對話，說的正是這一點：

顏回問仲尼曰：「孟孫才其母死，哭泣無涕，中心不戚，居喪不哀。無是三者，以善處喪蓋魯國，固有無其實而得其名者乎？回壹怪之。」

仲尼曰：「夫孟孫氏盡之矣，進於知矣，唯簡之而不得，夫已有所簡矣。孟孫氏不知所以生，不知所以死，不知孰先，不知孰後；若化為物，以待其所不知之化已乎！且方將化，惡知不化哉？方將不化，惡知已化哉？吾特與汝，其夢未始覺者耶！且彼有駭形而無損心，有旦宅而無耗精。孟孫氏特覺，人哭亦哭，是自其所以乃。且也相與吾之耳矣，庸詎知吾所謂吾之非吾乎？且汝夢為鳥而厲乎天，夢為魚而沒於淵。不識今之言者，其覺乎，其夢者乎？」

而這種似夢非夢，似我非我的境界，正是「入於寥天一」的境界。莊子多處提到生之如夢，夢亦如夢，都說明著這種純哲理的境界之難以成為可捉摸的實在的人生。在莊子，是要以這樣的精神境界去擺脫人間的一切痛苦，是一種悲憤的情緒走向極端之後的產物，其實是對現實的一種迴避。

但是對於後人，莊子這一基本思想的影響則要廣泛得多，它的客觀的存在比它本來的面目更為多樣而豐滿。各人從不同的角度，去領悟莊子的返歸自然，返歸自然而寡欲，返歸自然而無欲，返歸自然而縱欲等等。但是，真正做到物我兩忘，身為枯木、心如死灰，雖槁項黃馘而仍然泛若不繫之舟，於無何有之鄉遨遊，則是很難的，可以說是不可能的。莊子所追求的人生境界，並不是一個實有的人間境界。

嵇康的意義，就在於他把莊子的理想的人生境界人間化了，把它從純哲學的境界，變為一種實有的境界，把它從道的境界，變成詩的境界。

莊子是槁項黃馘，而嵇康的返歸自然，卻是「土木形骸，不加飾厲，而龍章鳳姿，天質自然。」（《世說新語・容止》注引《康別傳》）《世說新語・容止》：

嵇康身長七尺八寸，風姿特秀。見者嘆曰：「蕭蕭肅肅，爽朗清舉。」或云：「肅肅如松下風，高而徐引。」山公曰：「嵆叔夜之為人也，岩岩若孤松之獨立；其醉也，傀俄若玉山之將崩。」

他雖然不加修飾，完全是自然面目，但已是名士風姿，無半點枯槁困頓的形態了。最重要的，是嵇康把坐忘的精神境界，變成了優遊容與的生活方式：

息徒蘭圃，秣馬華山，流磻平皋，垂綸長川。目送歸鴻，手揮五弦。俯仰自得，游心太玄。（《兄秀才公穆入軍贈詩》十九首之十五）

琴詩自樂，遠遊可珍，含道獨往，棄智遺身。寂乎無累，何求於人？長寄靈岳，怡志養神。（同上詩之十八）

流詠蘭池，和聲激朗。操縵清商，遊心大象。傾昧修身，惠音遺響。鍾期不存，我志誰賞？（《酒會詩》七首之四）

淡淡流水，淪胥而逝，泛泛柏舟，載浮載滯，微嘯清風，鼓楫容裔，放棹投竿，優遊卒歲。（同上詩之二）

優遊、了無掛礙、怡然自得的生活，充滿著閑適情趣。他所追求的這些優遊閑適的生活，當然有莊子返歸自然的精神，不是富貴逸樂，不是任情縱欲，而是一種不受約束、隨情之所至的淡泊生活。這種生活與建安士人的及時行樂、詩酒宴會，已經完全不同了。建安士人是在感喟時光流逝、人生短促之後盡情地享受人生，縱樂中帶著一種悲涼情調。而嵇康則是在一種對於自然的體認中走向這如詩如畫的人生境界，閑適中透露出一種平靜的心境。嵇康是從自然中領悟人生的美。他的琴、歌、酒，都是在對於自然的體認中展開的，他的遊獵垂釣，他的鼓楫泛舟，也是為了遊心於寂寞。這些當然來源於莊子，有著濃重的莊子的影響。他的垂綸長川，便使人想到莊子的避世。《莊子·秋水》說莊子釣於濮水，楚王派大夫二人去請他出來做事，莊子連頭也不回，說：

「吾聞楚有神龜，死已三千歲矣。王巾笥而藏之廟堂之上。此龜者，寧其死為留骨而貴乎，寧其生而曳尾於途中乎？」二大夫曰：「寧生而曳尾途中。」莊子曰：「往矣，吾將曳尾於途中。」

莊子垂釣的故事，後來便成了隱者的象徵。致有達官顯貴也圖畫莊子垂釣形象於廳壁以自標高潔者⑰。其實，在《莊子》中，就已經明確提到垂釣是避世者之所好。《刻意》：

就藪澤，處閑曠，釣魚閑處，無為而已矣。此江海之士，避世之人，閑暇者之所好也。

毫無疑問，嵇康所追求的人生境界充滿著莊子精神，從莊子受到啟示，其中包含著莊子理想人生的意蘊。嵇康從優遊容與的生活中要體認的，正是莊子所要追求的道的境界，遊心大象，遊心太玄，含道獨往等等，都說明了這一點。他在很多地方提到主於內、不主於外。《答難養生論》：「有主於中，以內樂外；雖無鍾鼓，樂已具矣。故得志者，非軒冕也；有志樂者，非充屈也，得失無以累之耳。……故順天和以自然，玩陰陽之變化，得長生之永久，任自然以託身，並天地而不朽者，孰享之哉？」更重精神的滿足，而輕榮華富貴，這當然也是莊子式的。

但是，他到底是改造了莊子了。他的游心太玄，他的求之於形骸之內，求意足，已經不是空無，不是夢幻，不是不可捉摸的道，而是實實在在的人生，是一種淡泊樸野、閑適自得的生活。在這種可感可行的生活裡，他才進入遊心太玄的境界中。「目送歸鴻，手揮五弦」，是一種體驗，在無拘無束的悠閑自得的情景中，忽有所悟，心與道合，於是我與自然融為一體。這種心境是難以言狀的，言所不能傳的意蘊，正在「目送歸鴻」之中，前人稱其「妙在象外」。⑱《晉書・顧愷之傳》謂：「愷之每重嵇康四言詩，因為之圖，恆云：手揮五弦易，目送歸鴻難。」目送歸鴻之所以難以圖畫，就在於其中有難以言說者在，不唯後人難以言說，即在當時，嵇康也難以言說。後來唐人司空圖論詩，其論「沈著」一品有云：「如有佳語，大河前橫。」蓋謂言語道斷，庶幾近之。「目送歸鴻，手揮五弦」，當然並非「沈著」之境界，然其有悟於道，而無從說起者則同。亦以其有悟於道，故俯仰自得，從其中得到一種心境的寧靜，得到一種享受，又回到現實中來。這不可言說，是現實體驗中的一種不可言說，非進入莊子式的「太沖莫勝」抑或「未始出吾宗」的境界，並未歸於空無。它既是對於道的了悟，又是一種審美，一種對於寧靜的美的體驗。

嵇康從未進入一個坐忘的境界，他追求的只是一種心境的寧靜，一種不受約束的淡泊生活。這種生活是悠閑自得的，應該有起碼的物質條件，起碼的生活必須，必要的親情慰藉，是在這一切基礎上的返歸自然。在《與山巨源絕交書》中他說他「遊山澤、觀魚鳥，心甚樂之；一行作吏，此事便廢，安能捨其所樂，而從其所懼哉？」他嚮往的是擺脫世俗的羈縛，回到大自然中去。他常常與向秀、呂安「率爾相攜，觀原野，極遊浪之勢，亦不計遠近，或經日乃歸，修復常業。」（《世說新語・言語篇》注引《向秀別傳》）在《與山巨源絕交書》中，他還提到當他醉心於大自然中時，他喜歡一個人自由自在的獨處。他說如果做了官，「抱琴行吟，弋釣草野，而吏守之，不得妄動，二不堪也。」他是很喜歡自由自在的，《與山巨源絕交書》中把這種自由自在陳述得相當充分，他說一做官，這種生活方式受到干預，他便受不了：

臥喜晚起，而當關呼之不置，一不堪也；……危坐一時，痺不得搖，性復多虱，把搔無已，而當裹以章服，揖拜上官，三不堪也；素不便書，又不喜作書，而人間多事，堆案盈機，不相酬答，則犯教傷義，欲自勉強，則不能久，四不堪也。不喜弔喪，而人道以此為重，……然性不可化，欲降心順俗，則詭故不情，亦終不能獲無咎無譽，如此，五不堪也。不喜俗人，而當與之共事，或賓客盈坐，鳴聲聒耳，囂塵臭處，千變百伎，在人目前，六不堪也。心不耐煩，而官事鞅掌，機務纏其心，世故繁其慮，七不堪也。

這七不堪，都是說自己嚮往的是隨性自然的生活，而這種生活在世俗中是不可能得到的，不惟有俗務的干擾，且亦有種種禮法的制約，只有超脫於世俗之外，才能隨情適意：

今但願守陋巷，教養子孫，時與親故敍闊，陳說平生，濁酒一杯，彈琴一曲，志願畢矣。

這裡充滿著生之情趣，充滿樸素親情，雖返歸自然，實處人間，閑適愉悅，自由自在。七不堪，不是說他什麼生活享受都不需要，無欲無念，而只是說要自由自在，不受約束，在純樸的自由自在的生活中，得到快樂，得到感情的滿足。

在論及魏晉之際的士人時，人們常常把他們完全當作政治的人，把他們歸入曹氏與司馬氏兩個集團中，一切都從政局的種種變幻糾葛去解釋他們的行為心態。這當然是有根據的。此時之主要士人，由於他們的各種複雜關係，不同程度地與政局有牽連。但是，這並不是他們的全部人生，他們還受著並非全由政局左右的社會思潮的影響。他們的追求，更非政局所能全部概括，即如嵇康，他的行為雖然常常牽涉到政治，但就其主觀的追求而言，卻是力求擺脫政治的牽制。他所追求的自由自在的生活，在相當大的程度上帶著審美的意味，帶著一種審美的心境：

南凌長阜，北厲清渠，仰落驚鴻，俯引淵魚，盤於遊畋，其樂只且。（《兄秀才公穆入軍贈詩》十九首之十一）

輕車迅邁，息彼長林，春木載榮，布葉垂陰。習習谷風，吹我素琴。咬咬黃鳥，顧儔弄音。感悟馳情，思我所欽。（同上詩之十三）

臨川獻清酤，微風發皓齒，素琴揮雅操，清聲隨風起。（《酒會詩》七首之一）

這些景物的描寫，或設想對方將經歷之境界，或為自身所親歷，但寫來都一往情深，其中蘊含有對於大自然之甚深眷戀，對於大自然的美的體味。在嵇康的詩裡，我們常常可以感受到一種清冷的韻味，這種飄浮於清峻基調之外的淡淡的清冷韻味，正是他自由自在、閑適愉悅的生活中審美意味的反映。

其實，他在生活中也處處反映著審美情趣。他是一個很有藝術修養的人，精於音樂，能書能畫。

他的音樂素養，可以從他的《琴賦》、《聲無哀樂論》中得到證明；他還善於彈琴。關於他的善彈琴，還有種種小說的附會。《琴賦》所反映的他對於琴聲的形象體味，為前此所未見，其美感之細膩敏銳，亦屬空前。他能作曲，有琴曲「嵇氏四弄」。《聲無哀樂論》從音樂的藝術特質上立論，一掃儒家樂論之功利說，亦為前此所僅有。若非對音樂有精心之理解，決難道出⑲。嵇康雖自己說他不喜作書，而其實他是極善書的。唐人張懷瓘於《書斷》中列康草書為妙品。懷瓘《書議》謂：「嘗有其草寫《絕交書》一紙。非常寶惜，有人與吾兩紙王右軍書不易。」《書斷》又謂：「叔夜善書，妙於草制。觀其體勢，得之自然，意不在乎筆墨。若高逸之士，雖在布衣，有傲然之色。」韋續《墨藪》：「嵇康書，如抱琴半醉，酣歌高眠。又若衆鳥時翔，群烏乍散。」唐人所見嵇康書，是否為真跡，前人已頗懷疑，然嵇康之善書，似為事實。又張彥遠《歷代名畫記》：「嵇康工書畫，有《獅子擊象圖》《巢由圖》傳於代。」了解了這些，就可以知道，他其實是一個很有藝術氣質的人，是一個純情的人。他說的「濁酒一杯，彈琴一曲」的話，其中是充滿著對於生活的藝術情趣的嚮往的。

至此，我們就可以得到這樣一個印象：嵇康追求一種自由自在、閒適愉悅的、與自然相親、心與道冥的理想人生。這種理想人生擺脫世俗的繫累和禮法的約束，而又有最起碼的物質生活必需，有素樸的親情慰藉。在這種生活裡，他才能得到精神的自由，才有他自己的真實存在。莊子的純哲理的人生境界，從此變成了具體的真實的人生。也從此，以其真實可感，如詩如畫，正式進入了文學領域。可以說，嵇康第一個把莊子詩化了⑳。

二

嵇康的最有名的主張，當然是「越名教而任自然」，他的最驚世駭俗的話，當然是他在《與山巨源絕交書》中提到的「非湯武而薄周孔。」而且，這些他都認真實行了，他與名教取一種完全對立的態度，不是狂放，不是放誕，而是一種嚴肅的傲然，而且對於仕途有一種近於本能的厭惡情緒。

對於嵇康何以厭惡仕途，後世有種種解釋。其中的一種解釋認為，他是曹魏的姻親，心存魏室，不願為司馬氏所用。方弘靜《千一錄》：

> 漢氏桓、靈以來，海內鼎沸久矣，有能定於一者，萬姓之倒懸，不亦解乎？山公是以引中散也。而司馬氏非應天順人者也，湯武且薄之，寧比於竊鉤者？此志也山公寧不知之？

這是說，嵇康之所以拒絕山濤之推薦，乃是由於鄙薄司馬氏。呂兆禧《呂錫侯筆記》此點說得更為明確：

> 嵇叔夜以宗室聯姻，一拜中散，便無意章綬者，誠見主孱國危，不欲俯首司馬氏耳。故山濤欲舉以自代，輒與絕交。觀其書有非湯武之語，固有所指，而作《高士傳》取龔勝者，豈非以其不仕新莽也。《世語》謂康欲起兵應毌丘儉，言雖近誣，要也叔夜意中事也。

這種觀點的更為絕對的說法，是說嵇康積極反對司馬氏。持這種觀點的一個最有力的證據，是說他在毌丘儉起兵反司馬氏中起了作用。這條材料來自《三國志‧王粲傳》注引《世語》。這是唯一的一條材料。其實，這條材料的可靠性是大可懷疑的。唐人修《晉書》，已經注意到了這一點。《晉書・嵇康傳》：「（鍾會）言於帝曰：『嵇康，臥龍也，不可起，公無憂天下，顧以康為慮耳。』因譖：『康欲助毌丘儉，賴山濤不聽。』」用一「譖」字，以明本無其事，實為鍾會之誣詞。嵇康之不可能參預毌丘儉起兵，可從毌丘儉起兵的經過推斷。《三國志・毌丘儉傳》：

初，儉與夏侯玄、李豐等厚善。揚州刺史前將軍文欽，曹爽之邑人也，驍勇粗猛，數有戰功，好增虜獲，以邀寵賞，多不見許，怨恨日甚。儉以計厚待欽，情好歡洽。欽亦感戴，投心無貳。正元二年正月，有慧星數十丈，西北竟天，起於吳楚之分。儉、欽喜，以為己祥。遂矯太后詔，罪狀大將軍司馬景王，移諸郡國，舉兵反。

《晉書・天文志》：

（正元）二年正月，有慧星見於吳楚分，西北竟天。鎮東大將軍毌丘儉等據淮南叛，景帝討平之。

可知毌丘儉之起兵，雖先有謀慮，厚結文欽，然決定起兵之時日實甚倉卒。正元二年（二五五年）正月因慧星見，旋即起兵。在這樣短的時間內，要與洛陽方面聯絡，是極不可能的。且《世語》所說，是「毌丘儉反，康有力，且欲起兵應之，以問山濤。濤曰：『不可。』儉亦已敗。」不僅指毌丘儉之起兵與嵇康有關，康曾為出力，且謂康欲起兵應之。此更為無稽。當時無論從任何角度說，嵇康都沒有在洛陽起兵的條件。他當時的官職是中散大夫，是一個備議論的閒散位置，並無什麼實際的權力。

在當時的軍隊中，他也沒有任何力量。有的學者認為，嵇康可能會發動太學生，占領洛陽城。㉑這其實是一種純醉的想象之詞。這些觀點的產生，建立在嵇康為曹魏政權效力這樣一種認識上，並不了解嵇康的為人。《與山巨源絕交書》作於景元二年（二六一年）。《書》一開始就說：「足下昔稱吾於潁川，吾常謂之知言。然經怪此意，尚未熟悉於足下，何從便得之也。前年從河東還，顯宗阿都，說足下擬以吾自代，事雖不行，知足下故不知之。」這裡明說，山濤初嘗稱道嵇康之不願出仕於山嶔，㉒嵇康以為這是深知他的為人，後來又舉他自代，說明其實還是不了解他。這裡所說的前年，即甘露四年（二五九年），距毌丘儉起兵已過四年，就是說，在甘露四年以前，嵇康還認為山濤是了解他的，甘露四年以後，才知山濤對他其實並不了解。了解他什麼呢？就是了解他不願入仕，不願參預政事，如《書》所說，不願忍受七不堪。這就說明，甘露四年以前，嵇康以其不願參預政事之心態，絕不可能參預毌丘儉起兵，更不可能有在洛陽起兵的願望。以嵇康忠於魏而反晉者，僅因其為魏之姻親。其實，無論從史料還是從嵇康自己的詩文中，都找不到明確的忠於曹魏的證據。《世語》的這條材料是不可靠的。裴松之曾論及《世語》之史料價值，謂：

（張）璠撰《後漢紀》，雖似未成，辭藻可觀。（虞）溥著《江表傳》，亦粗有條貫。惟（郭）頒撰《魏晉世語》，蹇乏全無宮商，最為鄙劣，以時有異事，故頗行於世。干寶、孫盛等多採其言以為《晉書》，其中虛錯如此者，往往而有之。（《三國志・魏書・三少帝紀》注）

當然，能夠最有力證明嵇康並未直接捲入反對司馬氏的政治鬥爭的事實，是他對於榮華名利的基本態度。就是說，嵇康並不是因為反對司馬氏才不願做官的。實實在在是因為他有一種厭惡榮華名利的情緒。下面是他在詩中表現的這種情緒：

澤雉雖饑，不願園林。安能服御，勞形苦心？身貴名賤，榮辱何在？貴在肆志，縱心無悔。（《兄秀才公穆入軍贈詩》十九首之十九）

多念世間人，夙駕咸驅馳。沖靜得自然，榮華安得為？（《述志詩》二首之一）

哀哉世俗殉榮，馳騖竭力喪精。得失相紛憂驚，自是勤苦不寧。（《六言》十首之四）

三為令尹不喜，柳下降身蒙恥。不以爵祿為己，靜恭古惟二子。（同上詩之八）

富貴尊榮，憂患諒獨多。……惟有貧賤，可以無他。歌以言之，富貴憂患多。（《秋胡行》七首之一）

詳觀淩世務，屯險多憂虞，……權智相傾奪，名位不可居。……至人存諸己，隱璞樂玄虛；功名何足殉，乃欲列簡書！（《答二郭》三首之三）

澤雉窮野草，靈龜樂泥蟠。榮名穢人身，高位多災患，未若捐外累，肆志養浩然。（《與阮德如》）

這些詩作於不同時期，而厭仕的思想卻終始一致，厭薄功名，鄙視榮華富貴。在文中，他也多處表達了類似思想。在《答難養生論》中，他也提到他在詩中提到的子文、柳下惠的故事：

且子文三顯，色不加悅；柳惠三黜，容不加戚。何者？令尹之尊，不若德義之貴；三黜之賤，不傷沖粹之美。……奉法循理，不絓世網，以無罪自尊，以不仕為逸，遊心乎道義，偃息乎卑室，恬愉無遌，而新氣條達，豈須榮華，然後乃貴哉？

《答難養生論》又說：

不以榮華肆志，不以隱約趨俗，混乎與萬物並行，不可寵辱，此真有富貴也。……以大和為至樂，則榮華不足顧也；以恬淡為至味，則酒色不足欽也。

這些都說明，他從內心深處不願追求仕祿，不願參預政爭。因為他把這些看作是對自己的自由的束縛。他之與山濤絕交，最基本的原因正是這一點。如果把嵇康拒絕山濤的推薦歸之於政治的原因，那就把玄風對於士人從生活態度到生活方式的影響低估了。有的學者把山濤薦嵇康看作是整個名士集團或者說站在曹魏一邊的政治勢力與司馬氏的較量。㉓這不僅把竹林名士的政治色彩看得太濃重，而且把他們的政治一致性看得過於絕對。事實上，他們在醉心玄風上的一致性比他們政治上的一致性更為鮮明。山濤更加靠近司馬氏，這點我們後面還要談到，阮咸與劉伶，都並未顯示其傾向曹魏的態度。其時政局中曹魏與司馬氏兩種勢力的鬥爭固甚激烈，但並非士人的一切行為都可以歸入這種鬥爭中。山濤薦嵇康，並非為了「表明他自己在面對著一個重要的邀請時沒有離開自己的一群」，（引文見徐高阮《山濤論》，《中央研究院歷史語言所集刊》第四十本第一分）而是因為他覺得嵇康較自己才致更佳，他更多的是出於對嵇康的讚賞。（《世說新語．賢媛》有關於山濤引嵇、阮家中留宿，山濤與其妻論嵇、阮才致的話。）山濤任選曹，以正直處事為其準則，他認為任吏部郎，最重要的條件就是正直，能正己正人。他推薦杜默、崔諒、陳準任吏部郎，理由就是他們正直，「此三人皆衆論所稱，諒猶質正少華。」他推薦阮咸任吏部郎，也以其「真素寡欲，深識清濁，萬物不能移也。」所謂萬物不能移，是說因其真素寡欲，而能做到剛強不屈，這對於負有選用人才重任的吏部郎來說，是十分重要的。他們選拔人才，要以朝廷利益為重，而能不屈服於各種各樣請託構陷與壓力。山濤之所以推薦嵇康，正是因為嵇康剛直不阿，符合於他心目中吏部郎的理想標準。山濤是從積極入世的態度要求嵇康，而嵇康卻是以一種厭惡仕祿的心態拒絕山濤的推薦。《與山巨源絕交書》可以說是嵇康厭惡仕祿的心態的很典型的反映。

出於與不願追求仕祿，不願參預政爭的同樣的原因，他強烈地反對名教。在《絕交書》中說，他自己「每非湯、武而薄周、孔」。他如何非湯、武而薄周、孔，沒有留下來多少材料。錢鍾書先生謂：

> 按其菲薄之言，不可得而詳：卷五《難張遼叔〈自然好學論〉》謂「六經未必其為太陽，」「何求於六經」，又《管蔡論》謂管蔡「頑凶」之誣，周公誅二人，乃行「權事」，無當「實理」，亦足示一斑。（《管錐篇》第三冊一〇八八頁）

除了錢先生指出的以外，在《答難養生論》中，他對孔子頗多非議：

> 或修身以明汚，顯智以驚愚，藉名高於一世，取準的於天下；又勤誨善誘，聚徒三千，口

倦談議，身疲磬折，形若求孺子，視若營四海，神馳於利害之端，心驚於榮辱之途，俯仰之間，已再撫宇宙之外者。若此之於內視反聽，愛氣嗇精，遺世坐忘，以寶性全真，吾所不能同也。

他所寫的這個孔子，是莊子眼中的孔子，㉔是一個為名利奔忙的孔子，所以他說是「神馳於利害之端，心驚於榮辱之途。」這對於名教中人來說，是不可思議的，是對孔子的大不敬。「非湯、武而薄周、孔」，可以看出來他對於名教的厭惡態度。這就可以了解他為什麼要「越名教而任自然」。任自然，就是任心之自然，只有超越名教的約束，才能達到心之自然。他是在論公私、是非時論述這一思想的：

夫氣靜神虛者，心不存乎矜尚；體亮心達者，情不繫乎可欲。矜尚不存乎心，故能越名教而任自然；情不繫於可欲，故能審貴賤而通物情。物情順通，故大道無違；越名任心，故是非無措也。

無矜尚，是非不存於心，氣靜神虛，體亮心達，通萬物之情，一事之來，不人為地考慮得失，任心而行，則自然是是而非非，心中無私，就能越名教而任自然。不能做到越名教而任自然，便有偽飾。他在這篇文章的後面說到：「抱私而匿情不改者，誠神已喪於所惑，而體已溺於常名，心已制於所懾，而情有繫於所欲，咸自以為有是而莫賢乎己。未有攻肌之慘，駭心之禍，遂莫能收情以自反，棄名以任實。」任實，就是任情實，即任心。有偽飾就不能任情實，要任情實就要反偽飾。這也可以看出來，他之主張「越名教而任自然」帶著強烈反對名教的虛偽的性質。

從他厭惡仕途，反對名教看，他有著一種傲視世俗，以己為高潔、以世俗為汚濁的心態。有一種強烈的願望：保持自己的高潔，不為世俗所沾染、所迷惑。這正是嵇康心態的最主要方面。

三

嵇康這樣一種人生理想，這樣一種心態，不幸卻伴有一個過於執著、過於切直的性格。

《世說新語・德行篇》注引《嵇康別傳》：

康性含垢藏瑕，愛惡不爭於懷，喜怒不寄於顏。所知王濬沖在襄城，面數百，未嘗見其疾聲朱顏。此亦方中之美范，人倫之勝業也。

《德行篇》

王戎云：「與嵇康居二十年，未嘗見其喜慍之色。」

《三國志・王粲傳》注引《魏氏春秋》也說：

與之遊者，未嘗見其喜慍之色。

《晉書・嵇康傳》也說他：

恬靜寡欲，含垢匿瑕，寬簡有大量。

《世說新語》小說家言，不知何所據。四條材料從字面看，顯然來自一個出處。但無論如何，都可以說明，嵇康在平日交往上，是十分注意自節，做到喜怒不形於色的。這也就是他在《家誡》中告誡他兒子的：「宏行寡言，慎備自守，則怨責之路解矣。」「夫言語，君子之機，機動物應，則是非之形著矣，故不可不慎。」（歷代學者常常以為《家誡》與康之行事異趣，其實卻有許多可解釋的內在一致性。）在《絕交書》中，他也明說自己有意學阮籍的口不論人過，與物無傷，只是做不到。可見，與人交往而喜慍不形於色，是他的玄學思想修養，他所追求的和平寧靜的人生境界對於自己情性的一種自我制約的結果，而其實並不是他的性格的表現。他的性格，是剛直峻急。他在《絕交書》中就說，降心順俗，就感到那是「詭故不情」，就是說，與自己的本性忤違，不近情理；又說自己「剛腸疾惡，輕肆直言，遇事便發。」他其實是個是非之心十分分明的人，對於他認為非的，便加以憤激的駁斥，例如，他對於呂巽的行為，便極其憤慨，以至與之絕交。《與呂長悌絕交書》說明，他原來與呂巽是至交，但是因為呂巽誣陷呂安，㉕他便慨然與之決裂。在《與呂長悌絕交書》中說：

足下陰自阻疑，密表繫都，先首服誣都，此為都故，信吾又無言，何意足下苞藏禍心耶？都之含忍足下，實由吾言。今都獲罪，吾為負之。吾之負都，由足下之負吾也。悵然失圖，復何言哉！若此，無心復與足下交矣。

與呂巽絕交，以其不道德且卑鄙；與山濤絕交，是因為他的行爲與己之人生理想大相背離。他對於與他情趣不同的人，採取一種傲然蔑視的態度，如對鍾會。《三國志・王粲傳》注引《魏氏春秋》

鍾會為大將軍所昵，聞康名而造之。會名公子，以才能貴幸，乘肥衣輕，賓從如云。康方箕踞而鍛，會至，不為之禮。

鄧粲《晉紀》記同一事：

稽康曾鍛於長林之下，鐘會造焉。康坐以鹿皮，嶷然正容，不與之酬對，會恨而去。

嵇康的這些性格特點，孫登早就指出來，以為這正是他的致命弱點。《三國志・王粲傳》注引《嵇康別傳》：

孫登謂康曰：「君性烈而才俊，其能免乎？」

性烈，而且感情也極其濃烈，他不是莊子式的那種死生無所動心、是非不繫於懷的人。他一旦感情激蕩起來，便難以已已。看他的《幽憤詩》，看他的《思親詩》，便可以明白感受到這一點：

奄失恃兮孤煢煢，內自悼兮啼失聲。思報德兮邈已絕，感鞠育兮情剝裂。嗟母兄兮永潛藏，想形容兮內摧傷。……忽已逝兮不可追，心窮約兮但有悲，上空堂兮廓無依，睹遺物兮心崩摧。（《思親詩》）

這樣一位感情如此濃烈，而又性格剛直峻急的人，他的感情性格與人生理想之間，與他在這個人生理想指引下的心態之間，便產生了矛盾。

「越名教而任自然」，可以有許多可供選擇的生活方式，例如，可以放縱，不受名教約束，任情而行，而對於人間的是非，也不管不問，置之不理，例如阮咸與劉伶。《世說新語・賞譽篇》注引《名士傳》：

咸字仲容，陳留人，籍兄子也。任達不拘，當世皆怪其所為。及與之處，少嗜欲，哀樂至到，過絕於人，然後皆忘其向議。

《晉書》本傳說他：

居母喪，縱情越禮。素幸姑之婢，姑當歸於夫家，初云留婢，既而自從去。時方有客，咸聞之，遽借客馬追婢，既及，與婢累騎而還，論者甚非之。

本傳又稱：

諸阮皆飲酒，咸至，宗人間共集，不復用杯觴斟酌，以大盆盛酒，圓坐相向，大酌更飲。時有群豬來飲其酒，咸直接其上，便共飲之。

《晉書・劉伶傳》說伶「常乘鹿車，攜一壺酒，使人荷插而隨之，謂曰：『死便埋我。』」《世說新語・文學篇》注引《竹林七賢論》謂：「伶處天地間，悠悠蕩蕩，無所用心。嘗與俗士相牾，其人攘袂而起，必欲築之。伶和其色曰：『雞肋豈足以當尊拳！』其人不覺廢然而返。」至於他的裸形屋中縱酒，客來而處之泰然；他的《酒德頌》所表現的狂態，則可以說他是一個完全不加檢束的人。阮咸與劉伶的行為，當然是違背名教的。但是他們雖「越名教而任自然」，卻與世無爭。他們只求自己的放縱任情，而於社會並無妨礙。他們雖行為悖於名教，而並無反名教的言論，不像嵇康的「非湯、武而薄周、孔」。從他們的心態看，其實只是求自適而已。劉伶留存下來的僅有的一首詩，求自適的心情表現得很是真切：

陳醴發醉顏，巴歈暢真心。縕被終不曉，斯嘆信難任。何以除斯嘆，付之與瑟琴。長笛響中夕，聞此消胸襟。

詩中情思，比嵇康更帶世俗氣息。除了求自適之外，他們兩人處世其實是極不認真的。兩人後來也都並不拒絕做官，所以他們也就都以壽終。

「越名教而任自然」還可以有另一種生活方式，如孫登，岩居穴處，當然亦於世無礙。但是嵇康與他們都不同，他太認真。他的「越名教而任自然」，是認認真真地執行了的，分毫不爽。這樣認真，這樣執著，就使自己在整個思想感情上與世俗、特別是與當政者對立起來，就使自己在思想感情上處於社會批判者的立場上。劉伶、阮咸、孫登他們，都不存在「口不論人過」的問題，因為他們根本就沒有想到要論人過，沒有想到要是是而非非。

嵇康在思想感情上把自己和世俗對立起來，特別是把這種對立落腳到「非湯、武而薄周、孔」之後，他便把自己從超越名教返歸自然的願望中拉回到世俗的敵對者的位置上，而這正是他完全預料不到的，與他的初衷完全相反。出現了以己為高潔、以世俗為污濁這樣一種局面之後，他之處於世俗對立面的位置上便是不可避免的了。

以己為高潔是可以的，以世俗為污濁則不可。皇甫謐正是在這一點上掌握得恰到好處。因此，他高潔之名甚大，而世俗與當政者亦始終對其備加崇敬。皇甫謐當然不完全是玄學思潮造就的人物，他既熟習老、莊，且著《玄守論》，謂「又生為人所不知，死為人所不惜，至矣。……苟能體堅厚之實，居不薄之真，立乎損益之外，遊乎形骸之表，則我道全矣。」但他也博通儒家經典，而且既作《高士傳》，又作《列女傳》，並未非議名教。他雖隱居不仕，屢辟不就，但他申述不應聘的理由，並不像嵇康那樣提出「七不堪」「二不可」，一類內容，而是說自己有病。晉武帝征召他，詔書說：「男子皇甫謐，沈靜履素，守學好古，與流俗異趣，其以謐為中庶子。」（劉道薈《晉起居注》，《黃氏逸書考》輯本）武帝是知道他「與流俗異趣」的，但這異趣，並不是非薄名教，而是說他立身高潔。他便上疏說：

> 久嬰篤疾，軀半不仁，右腳偏小，十有九載。又服寒食藥，違錯節度，辛苦荼毒，於今七年。隆冬裸袒食冰，當暑煩悶，加以咳逆，或若溫瘧，或類傷寒，浮氣流腫，四肢酸重。於今困劣，救命呼吸，父兄見出，妻息長訣。

真是情詞懇切，絲毫也沒有超塵出俗，不與為偶的氣味。不僅如此，他後來還上表，向皇帝借書，皇帝便送了他一車書。皇甫謐這樣做，既無損於己之高潔，又給皇帝增加了禮賢下士的美名。於己，是讓朝野都知自己無心仕祿，趣在讀書；於皇帝，是奉獻他一點風流儒雅，讓他感到舒服，兩相無礙，皇甫謐後來當然也得以善終。不惟得以善終，且在朝在野，都給了他甚高評價。

嵇康卻是處處以己之執著高潔，顯名教之偽飾。而偽飾，正是當時名教中人之一要害。

當時反對〝越名教而任自然〞最激烈的人，就是維護名教最出力的人，如何曾。而這些人，同時又是最豪華奢侈的人。

《晉書・何曾傳》說：

> 曾性至孝，閨門整肅，自少及長，無聲樂嬖幸之好。年老之後，與妻相見，皆正衣冠，相待如賓。己南面，妻北面，再拜上酒，酬酢既畢便出。一歲如此者不過再三焉。

《何曾傳》又說：

> 然性豪奢，務在華侈。帷帳車服。窮極綺麗，廚膳滋味，過於王者。每燕見，不食太官所設，帝輒命取其食。……食日萬錢，猶曰無下箸處。

以儒家之道德觀而言，窮奢極欲，且過於王者，實是有悖於修身準則的。但他一方面窮奢極欲，一方面卻以道德家自居，視玄學名士之行為為大逆不道。他之極力要置阮籍於死地，就是例子。《何曾傳》說：

> 時步兵校尉阮籍負才放誕，居喪無禮。曾面質籍於文帝座曰：「卿縱情背禮敗俗之人，今忠賢執政，綜核名實，若卿之曹，不可長也。」因言於帝曰：「公方以孝治天下，而聽阮籍以重哀飲酒食肉於公座。宜擯四裔，無令汚染華夏。」帝曰：「此子羸病若此，君不能為吾忍耶？」曾重引據，辭理甚切。帝雖不從，時人敬憚之。

司馬昭為什麼沒有殺阮籍，我們後面論及阮籍時將專論。何曾因彈劾阮籍不孝而使時敬憚，則可知此事在維護名教上所引起的廣泛的社會反響。其實，阮籍是個真正的孝子，只不過他的孝表現在真感情而不是表現在禮的形式上而已。何曾卻是個偽飾的人。都官從事劉享嘗奏何曾華侈，何曾辟劉享為掾，然後借小故橫加杖罰；權臣賈充，人品極壞，何曾心鄙之而身附之，其詐偽有類於此。他死的時候，禮官議謚，博士秦秀議謚以「繆丑」。可見當時士人對他的一些看法。

何曾當然與嵇康無直接之關係，但是作為當時名教勢力之一種代表，卻是與嵇康的操守完全對立的。與嵇康有直接關係的是鍾會與呂巽，在行為的偽飾上與何曾是一樣的。當然，更重要的是司馬氏。司馬氏之殺戮異黨，是極其殘忍的，從司馬懿殺王淩而夷其三族起，到司馬炎的殺張弘而夷其三族，二十二年間夷三族的就有六起，而司馬氏是以孝治天下的。很顯然，當時朝廷之上其實充滿著一種虛偽風氣，雖講名教而其實不忠不孝。這樣一種政治氣氛，可以容忍阮咸、劉伶輩的狂放，可以容忍孫登、皇甫謐輩的隱逸，而決不能容忍嵇康輩的「越名教而任自然」。嵇康的執著的存在，對於偽飾的名教中人實在是一種太大的刺激。他之為司馬氏所不容，乃是必然是事。

歷代論者，差不多都看到了這一點。《顏氏家訓・養生篇》說：

> 嵇康著《養生》之論，而以傲物受刑。

同書《勉學篇》說：

> 稽叔夜排俗取禍，豈和光同塵之流也。

《竹林七賢論》謂：

> 嵇康非湯、武，薄周、孔，所以迕世。（《太平御覽》卷一三七引）

《世說新語・雅量篇》註引張騭《文士傳》，有鍾會廷論嵇康的一段話：

今皇道開明，四海風靡，邊鄙無詭隨之民，街巷無異口之議，而康上不臣天子，下不事王侯，輕時傲世，不為物用，無益於今，有敗於俗。昔太公誅華士，孔子誅少正卯，以其負才亂群惑衆也。今不誅康，無以清潔王道。

《名士傳》這段話是否為鍾會所說，頗可懷疑，而其反映的一種心緒，卻頗為符合其時之歷史真實。康之被殺，要在迕俗、亂群惑衆。特別是這「亂群惑衆」，於行名敎之朝廷實大有妨礙，是非殺不可的了。

後來的士人，在這一點上比嵇康要聰明得多。他們不少人以高潔自恃，卻不迕俗，不過於認真，而採取一種無可無不可的態度。王維論嵇康，有一段非常精彩的話：

降及嵇康，亦云「頓纓狂顧」逾思長林而憶豐草。頓纓狂顧，豈與俯受維縶有异乎？長林豐草，豈與官署門闌有異乎？異見起而正性隱，色事礙而慧用微，豈等同虛空，無所不遍，光明遍照，知見獨存之旨也。（《與魏居士書》，《王右丞集箋注》卷十八）

果真泯滅有無是非之界線，則歸臥自然，自恃高潔，不惟不違俗迕世，且可獲閑適怡悅於生前，留高士美名於身後，所以王維就做得比嵇康要高明得多，既歸臥山林，又不離軒冕，像他自己說的：

跡崆峒而身拖朱綬，朝承明而暮宿青靄，故可尚也。（《暮春太師左右丞相公於韋氏逍遙谷宴集序》，《王右丞集箋注》卷十九）

嵇康的悲劇，不僅因為他迕俗，而終於導致殺身之禍，更在於他的玄學人生觀的悲劇本質。毫無疑問，嵇康以其高潔之品格，贏得了廣泛的同情與崇敬，試想他入獄之時，名士爭相入獄以求替其罪，太學生上書請以其為師；臨刑時顧示日影，從容彈一曲《廣陵散》，這是一種怎樣的瀟洒風流：清人謝啟昆有詩云：

結伴竹林形自垢，逢人柳下坐長箕。《養生論》好醇顏發，服食緣慳石髓貽。鶴在青霄羅未遠，琴彈白日影初移。三千太學傷東市，一笛山陽悵子期。（《樹經堂咏史詩・嵇康》，《國朝五家咏史詩鈔》）

嵇康的悲劇，確令千載之下為之感喟哀傷。但是這個悲劇的歷史含蘊卻未曾為人所注目。

兩漢之後，儒家的處世哲學一直成為中國士人人生觀的基本構架，或出或處，都以之為基本準則。玄學思潮出現之後，士人的生活情趣、生活方式有了很大的變化。但是，正始玄學家如何晏、王弼、夏侯玄等人，都並沒有尋找到一個反映玄學思潮的新的人生觀。就是說，玄學理論本身是在現實需要中產生的，它是個性解放之後的產物，它的特質是返歸自然。但是這些玄學家還沒能把這個返歸自然的理論變為一種人生觀。把它變為一種人生觀的，是嵇康。

四

這個人生觀的本質是把人性從禮法的束縛中解放出來，是追求個性的自由。但是，任何個性的自由都存有如何處理個人與社會的關係問題，如何處理感情欲望與理智的關係問題。人是社會的人，他既是自我，也是社會群體中的一員，不可能不受任何約束而獨立於社會群體之外。兩漢以後，禮法已經成為維繫社會的基本準則，深入到政治生活、倫理道德的一切領域，要擺脫它的約束，必須提出新的道德準則，新的人際關係的構架，而嵇康的玄學人生觀卻並未能解決這些問題。他只提出了以自制的辦法來約束個人欲望的無限膨脹，如他在《養生論》、《答難養生論》中所述的。這樣一種玄學人生觀，不可能維繫社會的存在，不會為社會所接受，因為它沒有外在的必要約束。

這樣一個玄學人生觀，作為維繫個性自由來說，它是意義重大的；但是由於它沒有解決個人對社會承擔的責任，它之注定為社會所摒棄，也就勢在必然。高尚的並不都是現實。因其高尚，而感動人心；而以其遠離現實，卻以悲劇而告終。

嵇康的人生悲劇，也可以說是玄學理論自身的悲劇：從現實需要中產生而脫離現實，最後終於為現實所拋棄。雖然玄學理論在此後一百八十餘年間還影響深遠，但是它的悲劇結局卻是一開始便注定了的。

嵇康的悲劇，還糾結著當時士人與政權的關係的種種複雜因素。嵇康的強烈的反名教的言行，作為玄學人生觀的典型代表，它顯然代表著當時崇尚玄風的激進的士人的情緒傾向。而這個情緒傾向，本來就與立於朝廷的何曾輩的勢力、與以名教僞飾的司馬氏勢力相抵觸，由於也是名士的何晏、夏侯玄等的被殺而變得與司馬氏政權處於更加對立的狀態，這只要從三千太學生上書這一行動中，就可以體味到這種情緒的存在。嵇康自身，並非以反對司馬氏之行動而被殺，但司馬氏之殺嵇康，卻實在包含有打擊名士們的對立情緒、給予警告的意味。從思想上說，嵇康的被殺是「非湯、武而薄周、孔」、「越名教而任自然」的言行為名教所不容；從政治上說，他卻是不知不覺代表著當時名士們對於司馬氏勢力的不滿情緒，他的被殺是司馬氏在權力爭奪中的需要，借一個有甚大聲望的名士的生命，以彈壓名士們的不臣服的桀驁。

嵇康的品格，如竹如松如荷之高潔，又如雪之晶瑩。但是，他終於以悲劇告終。他之所以為千古士人所崇敬者以此，為千古士人所感慨欷歔者亦以此！

（中）阮籍：苦悶的象徵

與嵇康不同，阮籍的一生，不是處於與名教完全對立的地位，不是以己之高潔，顯世俗之汚濁，不是採取一種完全超越世俗的人生態度。他的一生，始終徘徊於高潔與世俗之間，依違於政局內外，在矛盾中度日，在苦悶中尋求解脫。

阮籍，字嗣宗，生於建安十五年（二一〇年）。他是建安七子之一阮瑀的兒子，阮瑀死時，他才三歲。他十一歲的時候，曹丕演了一出漢帝禪位、他自己登上帝位的戲，正式結束了兩漢四二七年的歷史。三十三歲的時候，他曾應太尉蔣濟辟，但只做了一個很短時間的尚書郎，便以病免。三十八歲的時候，曹爽召他為參軍，他托病沒有應召，兩年後，曹爽便為司馬氏所殺。到了四十三歲的時候，他卻成了當時掌握朝廷大權的司馬師的從事郎中，兩年後，封關內侯，徙散騎常侍。這中間他做過十天的東平相。後來司馬師死，司馬昭接著掌權，他做了司馬昭的從事郎中。五十三歲那一年，求為步兵校尉。也正是這一年，嵇康被司馬昭殺了。第二年冬，阮籍病死。他死前，魏禪於晉的局面已定。他死兩年後，魏主正式禪位於晉。就是說，阮籍的一生，看到兩次鬥爭十分殘酷的「禪代」。兩次禪代中，並不像有的學者認為的那樣，阮籍同情曹魏而反對司馬氏。除了他的生命的最後時刻，終於代鄭沖寫勸進箋之外，他在曹魏和司馬氏之間，也看不出有明顯地偏於一邊的行為。他的苦悶，他的一生的痛苦，另有原因。

一

阮籍一生，對人生有著極為深沈的感慨。

他始終感慨人生的無常。在《咏懷》詩中，這是一個重要主題，其四：

> 天馬出西北，由來從東道。春秋非有托，富貴焉常保。清露被皋蘭，凝霜沾野草。朝為媚少年，夕暮成老醜，自非王子晉，誰能常美好！

此謂人事推移與物候更易，皆自然而然，不可抗拒，富貴既不能長存，生命亦不能永保，方當春露，忽焉秋霜，方當年少，忽焉白頭。此種思想，在七、三十二、五十、五十五、六十五、七十一等詩中均有反映，其七：

炎暑唯茲夏，三旬將欲移。芳樹垂綠葉，青雲自逶迤。四時更代謝，日月遞差馳。徘徊空堂上，忉怛莫我知。

此蓋嘆歲月之流逝，而已不為世人所理解。其三十二

朝日不再盛，白日忽西幽。去此若俯仰，如何似九秋。人生若塵露，天道邈悠悠。齊景升丘山，涕泗紛交流。孔聖臨長川，惜逝忽若浮。

此言時光流逝，人生短促。但有兩點值得注意，一是在體認人生短促的同時，體認道之無窮。而此一點，正是老、莊和玄學的基本觀點，道無所不在，化生天地萬物，而且無始無終。

《老子》第二十五章：

有物混成，先天地生，寂兮寥兮，獨立而不改，周行而不殆，可以為天下母。吾不知其名，字之曰道。

王弼注：「返化終始，不失其常，故曰『不改』也。」《莊子．秋水》：

萬物一齊，孰短孰長？道無終始，物有死生，不恃其成；一虛一盈，不位乎其形。年不可舉，時不可止；消息盈虛，終則有始。是所以語大義之方，論萬物之理也

道無窮盡，人生短促，成了士人超塵出世的一個認識基礎。二是嘆人生之短促，即使明君和聖人也不例外。而其時聖人有情無情問題，正是玄學思潮的熱點之一。此兩點可注意，說明阮籍對於人生無常的嘆息，明顯地帶著玄學思潮的印記。

其五十：

清露為凝霜，華草成蒿萊。誰云君子賢，明達安可能。乘雲招松喬，呼吸永矣哉！

其七十一：

木槿榮丘墓，煌煌有光色。白日頽林中，翩翩零路側。蟋蟀吟户牖，蟪蛄鳴荆棘。蜉蝣玩三朝，采采修羽翼。衣裳為誰施？俯仰自收拭。生命幾何時，慷慨各努力。

上詩從時光之流逝，人生短促，走向求仙；下詩則從時光流逝，生命短促走向悲憤。但是這兩者都解決不了問題，人生朝露的思想是那樣強大，其五十五：

人言願延年，延年欲焉之？黃鵠呼子安，千秋未可期。獨坐山岩中，惻愴懷所思。王子一何好，猗靡相攜持。悦懌猶今晨，計校在一時。置此明朝事，日夕將見欺。

「所思」者何？蓋思延年而不可得，故惻愴傷懷，㉗望仙人提攜，得以延年，而神仙亦終不足信。其六十五：

王子十五年，游衍伊洛濱。朱顏茂春華，辯慧懷清真。焉見浮丘公，舉手謝時人。輕蕩易恍惚，飄搖棄其身。飛飛鳴且翔，揮翼且酸辛。

究係仙去耶？非仙去耶？飄搖恍惚。若且神仙可信，何以「揮翼且酸辛？」其中蓋有甚為深沈的憂生之嘆，謂神仙其實也不足信。㉘其六十六：「塞門不可出，海水焉可浮」意亦同，黃侃所謂：「亦言神仙難信，富貴無常也。」

生命短促，且神仙亦無法挽回這短促生命的深深憂傷，常常彌漫於阮籍心中。這正是玄學思潮對於阮籍的影響的結果。自建安以來，個性覺醒對於生命的珍惜的思潮，發展到正始玄風時期，是更加哲理化了，也更加深化了。

阮籍心緒的另一點，是他對於其時世俗的汚穢有深深的壓惡與憤慨，這在他的詩文中都有反映，東平是他向往的地方，是他自己向司馬昭說曾遊樂東平，「樂其土風」，要求到東平去，並因此被任命為東平相的，但是他寫的《東平賦》，則極寫東平風土之惡劣：

叔氏昏族，實在其湄，背險向水，垢汚多私。是以其州閭鄙邑，莫言或非，殰情戾盧，以殖其資。其土田則原壤荒蕪，樹藝失時，疇畝不闢，荆棘不治，流潢餘溏，洋溢靡之。……由而紹俗，靡則靡觀，非夷罔式，導斯作殘。是以其唱和矜勢，背理向奸，尚氣逐利，罔畏惟愆。其居處壅翳蔽塞，窕邃弗章，倚以陵墓，帶以曲房，是以居之則心昏，言之則志哀，悖罔徙易，靡所寤懷。

《亢父賦》也寫同樣之情狀：「故人民被害嚙嗞，禽性獸情」；「故其人民狼風豺氣，蟄電無厚」；「故其人民側匿頗僻，隱蔽不公，懷私抱詐，爽慝是從，禮義不設，淳化匪同。」他對亢父民風的評價，顯然帶有借題發揮、兼及世俗的痕跡，把一肚皮對於世俗的不滿牢騷，借寫東平與亢父發泄出來。這從詩中可以得到佐証。《咏懷》之二十五：

拔劍臨白刃，安能相中傷。但畏工言子，稱我三江旁。

單帷蔽皎日，高榭隔微聲。讒邪使交疏，浮雲令晝冥。

其三十：

他把很大的不滿對著讒佞之徒，而這一點或與他的切身經歷有關。在論述嵇康的那一節裡，我們曾舉何曾在司馬昭面前譖毀阮籍的事。這事對於阮籍來說，關乎殺身之禍，震動當極大；而嵇康的被害，當進一步引起阮籍對於邪佞之徒的痛恨。當然，大家都知道，他對邪佞之徒之憤恨，集中表現在《獼猴賦》裡：

體多似而匪類，形乖殊而不純。外察惠而內無度兮，故人面而獸身。性褊淺而干進兮，似韓非之囚秦，揚眉額而驟呻兮，似巧言之偽真。藩從後之繁衆兮，猶伐樹而喪鄰。整衣冠而偉服兮，懷項王之思歸。耽嗜欲而眄視兮，有長卿之妍姿。舉頭吻而作態兮，動可憎而自新。沐蘭湯而滋穢兮，匪宋朝之媚人。終蚩弄而處紲兮，雖近習而不親。多才伎其何為兮，固受垢而貌侵。姿便捷而好技兮，超超騰躍乎岩岑。

這是阮籍的一篇非常成功的賦，把詠物賦寫成譏諷文字，而且寫得如此成功，阮籍是第一人。同時人鍾毓寫有《果然賦》，從片斷看，只是實寫；傅玄寫有《獼猴賦》，是寫猴戲，從存留的片斷看，也是實寫。二賦均未見借猿猴以諷諫。而阮籍寫來，顯然激憤滿懷，全是借獼猴以對於干進的邪佞之徒加以嘲笑。有人認為此賦有所實指，或為譏諷曹爽而作。其實不必坐實，把它看作對世態的一種描述似更近於阮籍的本意。此賦所表現的基本思想，與《亢父賦》是相似的，只不過是說法不同而已。

而阮籍對於世態的這種壓惡與憤激之情，又與他對名教的態度有關。《咏懷》六十七：

鴻生資制度，被服正有常。尊卑設次序，事物齊紀綱。容飾整顏色，磬折執圭璋。堂上置玄酒，室中盛稻粱。外厲貞素談，户內滅芬芳。放口從衷出，復說道義方。委曲周旋儀，姿態愁我腸。

這使人想起嵇康所說的「七不堪」來，字裡行間，流露著他對於禮法之士的深深壓惡。事實上，他在這詩裡所表現的對於禮法的厭惡，已經完全表現在他的日常行動裡。《世說新語・德行》注引王隱《晉書》謂：「魏末阮籍，嗜酒荒放，露頭散髮，裸袒箕踞。」王隱《晉書》又說他「鄰家女有才色，未嫁而卒，籍與無親，生不相識，徑往哭之，盡哀而去。其達而無檢，類皆此類也。」（王隱《晉書》，湯球輯，廣雅書局叢書本）《世說新語・任誕》又記一事：「阮公鄰家婦有美色，當壚酤酒。阮與王安豐常從婦飲酒，阮醉，便眠其側。夫始殊疑之，伺察，終無他意。」又記：「阮籍嫂嘗還家，籍見與之別。或譏之。（《曲禮》：『叔嫂不通問』故譏之。）籍曰：『禮豈為我輩設也。』」關於他居喪而飲酒吃肉，縱情嘯咏、下圍祺等等不守禮的行為，史亦多有記載。在阮籍的感情上，有著一道與世俗禮法之士間的鴻溝。以己為高潔，而以世俗為汚濁。這一道鴻溝，與嵇康的心態是相同的，在一個政局動蕩不定，政治生活充滿險惡風波的環境裡，自己既要時時擺脫身入局中的險惡處境，而又有人生無常、生命短促的嘆息，是很難使一個人安靜生活下去的。玄學家接受老、莊的價値觀，蔑棄名教，壓惡世俗的功名富貴與欺詐僞飾，當然處處感受到自己與世俗不能相容的感情壓力。要擺脫這種思想感情的壓力，需要找到精神的支撐點，找到一種自我解脫的途徑。阮籍的精神支撐點，比嵇康還要虛幻，他追求一個實際並不存在的逍遙世界。這在《清思賦》中有具體描述。《清思賦》在反映阮籍心態中有著十分重要的地位，而這一點，以往並未受到應有的重視。把《清思賦》和阮籍其他詩文互相印證，可以清楚看到這一點。

夫清虛寥廓，則神物來集；飄搖恍惚，則洞幽貫冥；冰心玉質，則皎潔思存；恬淡無欲，則泰志適情。伊衷慮之道好兮，又焉處而靡逞。

清虛寥廓，飄搖恍惚，冰心玉質，恬淡無欲，都是指心境。無所繫念，空靈，不執著於實有，皎潔，無欲念之繫累，此為其理想之心境，亦為其理想之人格、理想之人生境界。這種思想顯然來自莊子。《莊子・田子方》：

田子方待坐於魏文侯，數稱溪工。文侯曰：「溪工，子之師也？」子方曰：「非也」，無擇之里人也；稱道數當，故無擇稱之。」文侯曰：「然則子無師邪？」子方曰「有。」曰：「子之師誰邪？」子方曰：「東郭順子。」文侯曰：「然則夫子何故未嘗稱之？」子方曰：「其為人也真，人貌而天虛，緣而葆真，清而容物。物無道，正容以悟之，使人之意也消。無擇何足以稱之！

「虛」，心也。「人貌而天虛」，人的形貌而天之心，意謂形貌如常人而心契合天然，與自然一體，因其與自然一體，故能順應外物而保其天真；因其與自然為一體，清虛寥廓，故能容物。這是一種沒有物累，妙合於道的人生境界，所以下面魏文侯就說：

遠矣，全德之君子！始吾以聖知之言仁義之行為至矣，吾聞子方之師，吾形解而不欲動，口鉗而不欲言。吾所學直土梗耳，夫魏真為吾累耳。

莊子的這個故事，是要說明於世俗無所繫念，沒有物累，而心妙合於道的人，比聖知仁義的人要高。在《知北游》中，莊子亦描述了心與道冥的境界：

嘗相與游乎無何有之宮，同合而論，無所終窮乎！嘗相與無與為乎！澹而靜乎！漠而清乎！調而閑乎！寥已吾志，無往焉而不知其所至，去而來而不知其所止，吾已往來焉而不知其所終；彷徨乎馮閎，大知入焉而不知其所窮。

這也是說的心任自然而無為，清虛寥廓，與道冥合。阮籍追求的，正是這樣的心境，這樣的理想人格，這樣的人生境界。

這樣一個人生境界，比嵇康的理想人生境界更為飄忽，更非人間所實有，其中還雜有神仙思想的影響。他常常把它幻想成一個超脫塵寰，遠離人間，美妙絕頂而又虛無飄渺的神仙般的境界，《清虛賦》接下便寫有所警悟，幻想進入這樣一個境界：

遂招之以致氣兮，乃振動而大駭，聲颺颺以洋洋，若登崑崙而臨四海，超遙茫渺，不能究其所在。心浪浪而無所終薄兮，思悠悠而未半，鄧林殪於大澤兮，欽邳悲於瑤岸。徘徊夷由兮，猗靡廣衍。游平衢以長望兮，乘修水之華旂。長思肅以永至兮，滌平衢之大夷。循路曠以徑通兮，辟閶闔而洞闇。

神思之飛馳，彷彿登崑崙而臨西海，淚淚悠悠，無所終止，唯恐神思之馳騁，到達不了那樣一個境界。他用「鄧林殪於大澤兮，欽邳悲於瑤岸」來比喻自己對於那樣一個理想境界的不渝追求。鄧林與欽邳的故事給阮籍以甚深的印象，他多處引用這兩個典故。《咏懷》其十：

焉見王子喬，乘云游鄧林。

其二十二：

夏后乘靈輿，夸父為鄧林。存亡從變化，日月有浮沉。鳳凰鳴參差，伶倫發其音。王子好簫管，世世相追尋。誰言不可見，青鳥明我心。

其五十四：

夸談快憤懣，情慵發煩心。西北登不周，東南望鄧林。曠野彌九州，崇山抗高岑。一餐度萬世，千歲再浮沉。誰云玉石同？淚下不可禁。

此三處用「鄧林」典，都帶有對理想的追求的意味。《咏懷》其十，全詩主旨蓋反世俗之縱欲，而主淡泊以養生，謂縱欲淫佚，亦稍縱即逝，唯有淡泊可以永年。黃侃解此詩謂：「奇舞微音，世之所用解憂者也，而片刻暫歡，未足排終身之積慘。必有王喬之壽，鄧林之遊，然後至樂不乏於身，大患不嬰其慮矣。」此處之「遊鄧林」，顯與人生理想境界之追求有關。《咏懷》二十二之主旨，蓋謂己所追求之境界，非不可得而見，青鳥若有，當可知我之用心。此處用「鄧林」典，亦帶理想追求之意味，謂滄海桑田，人生短促，一切終將逝去，唯有王子晉登仙之事，為歷代所向往。以夏啟、夸父起興，示喻「我心」對此一理想追求之堅決。《咏懷》五十四，全詩主旨蓋言宇宙無窮，而人生有限，然念及玉石俱焚，不禁悲從中來耳。此處用「鄧林」典，蓋承首兩句而來：世俗汚濁，令人憤懣，夸談只是暫抒憤懣之情，若求徹底之擺脫，只有遺世遠遊，「望鄧林」者，向往於超脫塵寰之境界也。接下才嘆人生有限，宇宙無窮。此三詩之用「鄧林」典，均未離其人生追求。《與晉王薦盧播書》：「誠以鄧林、昆吾，翔鳳所栖；懸黎和肆，垂棘所集。」也說明「鄧林」典在阮籍心中是作為理想境界的喻示來使用的。《清思賦》中這一段關於神思馳向理想境界的描寫，正表現他追求的決心。繼之便進入幻境，自己彷彿飄飄仙去，而把自己的理想追求比喻為神女：

> 羨要眇之飄游兮，倚東風以揚暉。沐洧淵以淑密兮，體清潔而靡譏。厭白玉以為面兮，披丹霞以為衣，襲九英之曜精兮，珮瑤光以發微。服倏煜以繽紛兮，絹衆彩以相綏。色熠熠以流爛兮，紛錯雜以葳蕤。象朝雲之一合兮，似變化之相依。麾常儀使先好兮，命河女以胥歸。步容與而特進兮，眄兩楹而升墀；振瑤溪而鳴玉兮，播陵陽之斐斐。蹈消浪之危跡兮，躡離散之輕微。釋安朝之朱履兮，踐席假而集帷。歛斯來之在室兮，乃飄忽之所晞。馨香發而外揚兮，媚顏灼以顯姿。清言灼其如蘭兮，辭婉娩而靡違。

接下又寫神女離去，恍恍忽忽，最後發為感慨：「既不以萬物累心兮，豈一女子之足思！」在《咏懷》詩中，他也多次以佳人比喻自己所要追求的理想人生境界，如其十九：

西方有佳人，皎若白日光。被服纖羅衣，左右佩雙璜。修容耀姿美，順風振微芳。登高眺所思，舉袂當朝陽。寄顏云霄間，揮袖凌虛翔。飄搖恍忽中，流眄顧我傍。悅懌未交接，晤言用感傷。

這詩裡所寫的佳人形象，可以說是與《清思賦》中所寫的神女形象是十分相似的，結尾的感慨與《清思賦》所寫：「假精氣之清微兮，幸備宴以自私，願新燮於今夕兮，尙有訪乎是非。被芳菲之夕陽兮，將暫往而永歸，觀悅懌而未靜兮，言未究而心悲。……援間維以相示兮，臨寒門而長辭。」意思亦相近。《咏懷》之六十四，亦足以佐證《清思賦》：

朝出上東門，遙望首陽基。松柏鬱深沉，黃鸝相與飛。逍遙九曲間，徘徊欲何之。念我平居時，鬱然思佼姬。

此時前人多不得其解，或有以其實指某人某事者，然說均不可通，陳伯君謂似應與《清思賦》結尾「既不以萬物累心兮，豈一女子之足思」聯繫起來考慮，這意見是對的。但他未加詳論，似亦不甚了了。其實，「佼姬」亦《清思賦》所寫之神女也。「鬱然」，狀「思」之激烈，蓋言望首陽而思超塵出世也。

這就是阮籍對於理想人生境界的追求。這個理想人生竟界，也就是《大人先生傳》中那位「飄搖於天地之外，與造化為友，朝餐陽谷，夕飲西海，將變化遷易，與道周始「的大人先生的人生境界。不過《大人先生傳》較之於《清思賦》，寫得更為明白具體，不像《清思賦》之朦朧恍忽。

《大人先生傳》在思想上無所發明，不過雜糅老、莊而已，寫法上也繁冗雜沓，遠不如《清思賦》。他寫理想人生，是：

夫大人者，乃與造物同體，天地並生，逍遙浮世，與道俱成，變化聚散，不常其形。……是以至人不處而居，不修而治，日月為正，陰陽為期。豈希情乎世，繫累於一時？……故至人無宅，天地爲客；至人無主，天地爲所；至人無事，天地為故。無是非之別，無善惡之異，故天下被其澤，而萬物所以熾。

就是說，與道冥一，與自然一體，泯滅物我，泯滅是非。這些思想在老、莊中都可以找到。可注意的是，《大人先生傳》中也寫了幻想中的境界，與《清思賦》相類似：

佩日月以舒光兮，登徜徉而上浮，壓前進於彼逌兮，將步足乎虛舟。掃紫宮而陳席兮，坐帝室而忽會酬。萃衆音而奏樂兮，聲警渺而悠悠。……召大幽之玉女兮，接上王之美人。體雲氣之迷暢兮，服太清之淑貞。合歡情而微授兮，先豔溢其若神。華姿燁以俱發兮，采色煥其並振，傾玄鬒而垂鬟兮，曜紅顏而自新。時曖睫而將逝兮，風飄搖而振衣，雲氣解而霧離兮，靄奔散而永歸。心惝惘而遙思兮，眇回目而弗晞。

與《清思賦》一樣，這裡也寫自己飄搖於仙境之中，召神女與同遊。這可以說明，在阮籍心中，這是一個令人神往的境界。這個境界與嵇康是很不相同的。嵇康也追求超塵脫俗，擺脫名教的束縛，但嵇康追求的是一個人間實有的境界，在那裡有精神的自由，又有必要的物質生活條件，有淳僕的親情，而無世俗的汚濁與繫累。嵇康已經把莊子物我一體、心與道冥人間化了，詩化了。而阮籍追求的，卻仍然是莊子的境界，它與現實人生還隔著一層，它還是一種幻境，它是莊子的翱翔於太空的大鵬，它是莊子的神遊於無何有之鄉。阮籍追求的，就是這樣一個純精神的自由的境界。他在《答伏義書》中，回答伏義對他的批評與勸說時，對伏義的儒家入世的人生觀取一種不屑一顧的態度，以為「鸞鳳淩云漢以舞翼，鳩鴳悅蓬林以翱翔；螭浮八濱以濯鱗，鱉娛行潦以群逝。」他說：「然則弘修淵邈者，非近力所能究矣；靈變神化者，非局器所能察矣。」他顯然很輕視儒家入世的人生觀，這種人生觀伏義在《與阮籍書》中說得很清楚，而阮籍則視之為「瞽夫」，譏之為「瑣蟲」。他覺得自己的人格與抱負要高尚得多，非流俗所可比。《咏懷》四十三說：

鴻鵠相隨飛，飛飛適荒裔。雙翮凌長風，須臾萬里逝。朝餐琅玕實，夕宿丹山際。抗身青雲中，網羅孰能制？豈與鄉曲士，攜手共言誓。

他的抱負是舒網以籠世，開模以範俗，而不是受世俗的約束。如果做不到，那便超塵出世。《與伏義書》說：

若良運未協，神機無準，則騰精抗志，邈世高超，蕩精舉於玄區之表，攄妙節於九垓之外而翱翔之，乘景曜踸踔凌忽慌，從容與道化同逌，逍遙與日月並流，交名虛以齊變，及英祇以等化，上乎無上，下乎無下，居乎無室，出乎無門，齊萬物之去留，隨六氣之虛盈，總玄綱於太極，撫天一於寥廓，飄埃不能揚其波，飛塵不能垢其潔，徒寄形軀於斯域，何精神之可察。

這仍然是《清思賦》、《大人先生傳》中所描述的那個精神自由遨遊於無何有之鄉、與道一體的境界。

這就是阮籍一生向往的無法實現的理想人生。

二

無疑阮籍是非常自傲的。他早年亦有壯志，這從《咏懷》之三十八、三十九中可以得到說明。三十八似為抒寫早年情懷之作：

炎光延萬里，洪川蕩湍瀨。彎弓挂扶桑，長劍倚天外。泰山成砥礪，黃河為裳帶。視彼莊周子，榮枯何足賴。捐身棄中野，烏鳶作患害，豈若雄傑士，功名從此大。

此詩與阮籍其他咏懷詩在感情基調與表達方式上都有很大不同。感情基調是慷慨昂揚的，表述則明快質實，不像其他咏懷之作的隱約朦朧。其三十九，或為贊揚正始五年曹爽征蜀而作：㉙

壯士何慷慨，志欲威八荒。驅車遠行役，受命念自忘。良弓挾烏號，明甲有精光。臨難不顧生，身死魂飛揚。豈為全軀士，效命爭疆場。忠為百世榮，義使令名彰。垂聲謝後世，氣節故有常。

這也是一首向往建功立業的詩。在阮籍內心深處，並不是完全沒有入世的思想，這點是與嵇康很不相同的。他之所以登廣武古戰場，觀楚漢戰爭處，而嘆：「時無英雄，使豎子成名乎！」㉚就說明內心潛藏著而平時並沒有表現出來的入世思想。《歷代名賢確論》引蘇軾論此事，謂「嗣宗雖放蕩，本有意於世，以魏晉間多事，所以放於酒耳。」（卷五十八）明人楊維楨論此事，亦稱其「蓋以英雄自命，不在劉項之下，慨然有濟世之志者也。」（《竹林七賢畫記》，《東維子文集》卷十八）蘇軾和楊維楨，都看到了阮籍內心深處的這種抱負，但是，阮籍並未找到實現自己抱負的條件，他處處逃避著自己抱負的實現。

正始初他入仕，本非自願，是在鄉人勸說下才去的，中間又以疾歸里，後來雖做了司馬氏的官，但都並不認真，日以縱酒為事，與其抱負大異。這裡有幾個事件可以注意。一件是「禪讓」問題。這是魏晉政治生活中的一個重要事件。曹魏與司馬氏在爭奪政權的鬥爭中都用了奸詐權術，魏迫漢禪與晉迫魏禪，都行著一樣的手段。這類事件對於阮籍的影響當是很大的。漢禪於魏時，阮籍才十一歲，而晉受魏禪，阮籍代鄭沖寫勸進箋時，已經五十四歲，寫完《勸進箋》不久，他便離開了人世。因此，政局中禪讓事件，可以說貫穿於他的一生。而他對於集中反映出政權爭奪中的卑劣黑暗的「禪讓」問題，有著極為深切的體察與深沉的感慨。這種感慨，隱約曲折地反映在《咏懷》之二十中㉛。他用「揖讓長離別，飄搖難與期，」表示了他對一再演出的奸詐醜惡的「禪讓」事件的失望與反感。對於政局如何發展，他又感到彷徨，詩的一開頭「楊朱泣路歧，墨子悲素絲，」反映了這種彷徨失望的心緒，不論是對曹氏還是對司馬氏，他都是失望的。他都感到現實政治沒有出路。《晉書》本傳說他：「時率意獨駕，不由徑路，車跡所窮，輒痛哭而返。」這些行為，正說明了他內心無所適從，苦悶彷徨的心情。但是，他又無可奈何地捲進「禪讓」事件之中，詩末「嗟嗟途上士，何用自保持？」就是這種無可奈何的慨嘆。此詩顯然是寫《勸進箋》後所寫，聯想魏迫漢禪而著落到自己被捲進晉迫魏禪事件時的痛苦心情上。由這一事件，我們可以窺測出阮籍內心對於其時當權者的一種鄙薄心理。

又一個可注意的事件，便是司馬氏的殺曹爽。司馬氏殺曹爽，繼而殺夏侯玄，是奪取曹魏政權的兩個關鍵步驟，也正是在殺曹爽與夏侯玄這兩件事上，非常生動地表現出司馬氏父子的奸詐、老謀深算與殘酷無情。而且，殺曹爽與夏侯玄，不僅事涉政界，且亦涉大批名士。這兩件事的處理，對士人的影響是很大的。殺曹爽時，同時殺了何晏、鄧颺、丁謐、畢軌、李勝、桓范等人，史稱天下名士去其半。這件事在阮籍心中引起了強烈的反響，這反映在《咏懷》之六、十一、四十二中。之六：

昔聞東陵瓜，近在青門外。連畛距阡陌，子母相鉤帶。五色曜朝日，嘉賓四面會。膏火自煎熬，多財為禍害。布衣可終身，寵辱豈足賴。

之十一：

湛湛長江水，上有楓樹林。皋蘭被徑路，青驪逝駸駸。遠望令人悲，春氣感我心。二楚多秀士，朝雲進荒淫。朱華振芬芳，高蔡相追尋。一為黃雀哀，涕下誰能禁。

之四十二：

王業須良輔，建功俟英雄。元凱康哉美，多士頌聲隆，陰陽有舛錯，日月不常融。天時有否泰，人事多盈沖。園綺遁南岳，伯陽隱西戎。保身念道真，寵耀焉足崇。人誰不善始，鮮能克厥終。休哉上世士，萬載垂清風。

之四十二大約作於曹爽網羅名士，正掌握大權時。阮籍已經看到政局錯綜複雜，危機隱伏的種種跡象。對於曹爽網羅的這一大批名士，他是給了肯定的評價的，詩的首四句正是寫的這件事。但是他已經預感到曹爽未能成功，故接以「陰陽有舛錯，日月不常融；天時有否泰，人事多盈沖。」一切都難以預料，善始未必能善終，隱遁才是保身的唯一途徑。這種認識或者正是他以疾辭曹爽參軍的原因。之六和之十一，大約均作於曹爽、何宴等被殺之後，其中帶有感慨與悲哀。膏火自煎，山木自寇，爽等之敗，招禍者正是榮名寵祿；而一旦失敗，則已無可挽回，徒令千古為之悲嘆而已。從這三首詩，可以看到何晏等被殺，阮籍是受到很大震動的。這對於他後來在司馬氏那裡做官口不論時事當有甚大關係。

《世說新語・德行》注引《魏書》：

州刺史王昶請與相見，終日不得與言。昶愧嘆之，自以不能測也。口不論事，自然高邁。

王昶為兗州刺史在魏文帝黃初年間，時阮籍乃一十餘歲之少年，與叔父往見昶，口不論事，乃其天賦所致。有此資質，加上政局中種種險惡事實的教訓，他之口不論時事，便成了立身最特出之一準則。

《德行》注引李秉《家誡》：

昔嘗侍坐於先帝，時有三長史俱見，臨辭出，上曰：「為官長當清、當慎、當勤，修此三者，何患不治乎？」並受詔。上顧謂吾等曰：「必不得已而去，於斯三者何先？」或對曰：「清固為本。」復問吾，吾對曰：「清慎之道，相須而成，必不得已，慎乃為大。」

上曰：「辯言得之矣，可舉近世能慎者誰乎？」吾乃舉故太尉荀景倩、尚書董仲達、僕射王公仲。上曰：「此諸人者，溫公朝夕，執事有恪，亦各其慎也。然天下之至慎者，其唯阮嗣宗乎！每與之言，言及玄遠，而未嘗評論時事，臧否人物，可謂至慎乎！」

司馬昭之所以認為天下之至慎者唯阮嗣宗，蓋就其不評論時事與不評論時人而言，並非指其處事之謹慎。對於司馬昭來說，這一點是非常重要的。他之以阮籍為至慎之典範，意正在於示臣下以不應評論時政。他對於阮籍的最重要的希望，也就是他不要議論時政。阮籍在當時是影響很大的一位士人，伏義《與阮籍書》說：

驟聽論者洋溢之聲，雖未傾蓋，其情如舊。……或謂吾子英才秀發，邈與世玄，而經緯之氣有蹇缺矣；或謂吾子智不出凡，器無隈奧，而陶變以眩流俗。……行來之議，又傳吾子雅性博古，篤意文學，積書盈房，無不燭覽，目厭義藻，口飽道潤，俯咏仰嘆，術可純儒；然開闔之節不制於禮，動靜之度不羈於俗。……然衆論云擾，僉稱大異，疑夫鬱氣之下必有秘伏，重奧之內必有積寶，雖無顏氏之妙，思睹恍惚之跡，雖無鍾子之達，樂聞山水之音，想也不隱才穎於肝膈而不揚之於清觀，任賢智於骨氣而不播之於高聽。

伏義這封信顯係寫於阮籍入仕之前，其時嗣宗聲名已遠播儒林。《三國志・王粲傳》注引孫盛《魏氏春秋》謂：「後朝論以其名高，欲顯崇之，籍以世多故，祿仕而已。」這是說他入仕以後，朝廷對於他的盛名亦甚看重。阮籍在其時士林中之地位，顯然為一代名士之代表人物。司馬氏殺何晏、夏侯玄、嵇康，而沒有殺阮籍，原因固甚複雜，但最重要的一點，便在政治利益上。何晏、夏侯玄直接捲入政爭，非殺不可；嵇康持一種與名教直接對抗、誓不兩立的態度，於當權者有礙，也非殺不可。而阮籍的行為雖有悖於名教，任誕不羈，但那只是停留在生活方式上，對政治上的是非無所議論，對當時的人物無所臧否，他對於政權實無害處。名聲甚大而於政權並無妨礙，殺了既於當政者無所裨益，且蒙殘害名士之惡名。從這裡我們或者可以窺見司馬昭保護阮籍的用心所在。

在中國歷史上，士與政權的關係是政治格局中一個非常重要的問題。這個問題牽涉的面極廣，非本書所擬理論。這裡只就阮籍與司馬氏的關係談士與政權關係中的一個問題：政權與士的相互依存問題。大多數的政權，總想得到士的支持，這不僅因為政權的維護與鞏固需要它的智囊，而且政權的正義性需要借助社會輿論。東漢末年黨錮事件之後，整個士階層可以說已經處於與宦官外戚勢力完全對立的地位，整個社會輿論對於腐敗勢力是極為不利的。這時，宦官曹節便上書漢靈帝，建議收買韋著，以減輕社會輿論的壓力。《後漢書・韋著傳》：

靈帝即位，中常侍曹節以陳蕃、竇氏既誅，海內多怨，欲借寵時賢以為名，白帝就家拜著東海相。

韋著是隱士，名聲很大，數征辟不就，但是這一次他竟赴任。赴任之後，大概是遵循「亂世用嚴刑」的原則行事，結果為受罰者所奏，竟輸作左校之後罷歸，鬧得聲名狼藉。不過從這件事，可以看見士與政權的關係的一個側面。在阮籍之後，晉元康中越王倫殺張華、裴頠，這是當時兩位很著名的士人。

劉頌對張華甚表同情，越王倫的黨羽張林大怒，將害劉頌，孫秀勸阻，理由也是時論傾向的問題，他說：

誅張、裴已傷時望，不可復誅頌。（《晉書‧劉頌傳》）

阮籍與司馬氏的關係，其中也包含有這一點。殺何晏、夏侯玄、諸葛誕等，使司馬氏已經處於與名士群體對立的地位；在司馬氏周圍的，是名教之士如何曾輩。但是其時名士在社會上實有甚大之影響，它是玄學思潮的代表者，而作為東漢末年經學衰落之後代之而起的新思潮，玄學代表人物在士人中的影響遠勝於名教中人物，如果司馬氏把名士群體完全排斥於這個政權之外，把它當作敵對力量加以消滅，這不僅在當時是做不到的，而且對政權鞏固極為不利。阮籍作為名士群體的重要代表人物，受到特別的保護，也就是可以理解的了。

在名士群體中，除山濤因特別的關係在司馬氏政權中占有重要的地位之外，就算阮籍地位特殊了。山濤的問題，我們下面還將論及。阮籍受到的待遇，卻是非常特別的。司馬昭不僅保護了阮籍，而且為其子司馬炎（就是後來的晉武帝）求婚阮籍女，其中當然也不排除政治上的考慮。阮籍為此一醉六十日而婉拒之，司馬昭不僅不加怪罪，而且以後對之仍極為寬容，他要求任東平的地方官，司馬昭便任他為東平相。《世說新語‧任誕》注引《文士傳》：

晉文帝親愛籍，恆與談戲，任其所欲，不道以職事。

《世說新語‧傲簡》：

晉文王功德盛大，坐席嚴敬，擬於王者。唯阮籍在座，箕踞嘯歌，酣放自若。

這除了從政治上的考慮加以解釋外，似無別種解釋。阮籍既非其智囊，亦非實任重職事者，於其政權實無事功可言；而司馬氏亦非名士，非出於與阮籍之共同愛好而祖護之。阮籍之所以獲得如此之特殊待遇，只有一種解釋，那便是社會輿論問題，通過阮籍，影響名士群體，使他們不與司馬氏政權為敵。

應該說，阮籍是明白司馬氏政權的用意的。這從他的行為中可以得到說明。他在生活上任誕不羈，縱酒，不拘禮法，但是在政治上卻極為謹慎小心，對政治上的是非得失，從不加以議論。《晉書》本傳說：「鍾會數以時事問之，欲因其可否而致之罪，皆以酣醉獲免。」在一個錯綜複雜的政局中，居心險惡者是可以從任何一個角度加人罪名，置人死地的。阮籍對此非常清醒。他知道對於時事表示可與否都免不了獲罪，唯一的辦法便是借酣醉加以迴避。他終生對於政治都採取了這一態度：不置可否。不僅不置可否，而且處處避免引起誤會。他為東平相，「至，皆壞府舍諸壁障，使內外相望。」這樣做目的甚為明顯，意在表明自己並無陰謀行為。從這件事可以看出他日子過得是何等吃力！一方面，任誕不拘禮法；一方面，是處處小心謹慎，生怕在政治上出差錯。要在這兩者之間求得平衡，實在是非常不容易的。這就涉及到他內心深刻的矛盾的問題了。

阮籍內心是非常孤獨，非常苦悶的。《咏懷》之十七：

獨坐空堂上，誰可與歡者！出門臨永路，不見行車馬。登高望九州，悠悠分曠野。孤鳥西北飛，離獸東南下。日暮思親友，晤言用自寫。

沒有理解自己的人，內心是極度的寂寞與孤獨。獨坐空堂，寂寞孤獨；出門，寂寞孤獨；登高，亦寂寞孤獨，所見唯孤鳥與離獸，心緒亦如孤鳥與離獸。他的心情始終是抑鬱的。他很喜歡寫黃昏。黃昏與他的心境，有一種情思的共鳴。《首陽山賦》：「時將暮而無儔兮，慮淒愴而感心。振沙衣而出門兮，纓委絕而靡尋；步徙倚以遙思兮，喟嘆息而微吟。」《咏懷》之八：「灼灼西頹日，餘光照我衣。迴風吹四壁，寒鳥相因依，周周尙銜羽，蛩蛩亦念飢。」之二十四：「殷憂令志結，怵惕常若驚。逍遙未終宴，朱暉忽西傾。蟋蟀在戶牖，蟪蛄號中庭。心腸未相好，誰云亮我情。」有時他寫夜，《咏懷》之一：「夜中不能寢，起坐彈鳴琴。薄帷鑑明月，清風吹我襟。孤鴻號外野，翔鳥鳴北林。徘徊將何見，憂思獨傷心。」有時他直接用黃昏來比喻人生，如《咏懷》之八十、八十一。阮籍內心的寂寞與孤獨，是感到世上無可與語者。《咏懷》之十四：「感物懷殷憂，悄悄令心悲。多言焉所告，繁辭將訴誰！」無可與語固然有志向操守方面不易找到知音的原因，但主要的是政治考慮。因為竹林之遊的朋友，是與語了的；非政治問題，也是與語了的，他與司馬氏在一起時不是不說話，而是「言及玄遠。」無可與言，是不能說出自己的政治見解與臧否人物，「損益生怨毒，咄咄復何言。」（《咏懷》之六十九）一發表見解就會招惹災禍。這就造成了矛盾與痛苦。對於政治上的是非，他不是毫無反應；對人物的善惡好壞，他也並不能做到「齊是非」，但是這一切又沒有地方可說，沒有人可說，不是不想說，而是不敢說。他時時刻刻都處在一種自我壓抑的心緒中。這種心緒，他在《咏懷》三十三表現得十分明白：

終身履薄冰，誰知我心焦！

他確實終生帶著一種壓抑的、苦悶不堪的、臨深履薄的心情。這怎麼能夠真正放達得起來呢？他的縱酒，與嵇康是很不相同的。嵇康是瀟灑一杯，風流縱逸；阮籍卻是排遣鬱悶，不得不喝。

他不願介入當時的政爭，連時事時人的是非得失也不敢理論褒貶。本來他完全可以像嵇康那樣，視世俗為齷齪，視官場如仇敵，但是他沒有那樣做，他採取了一種依違於可否之間的態度，與官場若即若離。伏義說他：

而況吾子志非遁世，世無所適，麟驥苟修，天云可據，動則不能龍攄虎超，同機伊霍，靜則不能珠潛璧匿，連跡巢光，言無定端，行不純軌，虛盡年時，以自疑外。

這雖然說的是阮籍入仕以前的情形，但其實可以看作他一生行為的特點。仕既不願同流合汙，多所迴避；隱又不能斂跡韜光，了卻塵念。與其說他是耽於仕祿，毋寧說他是懼禍。他之依附於司馬氏，以至最後代鄭沖寫《勸進箋》，主要因由恐怕都是這「懼禍」二字。余嘉錫對阮籍有一段非常精采的論述：

嗣宗陽狂玩世，志求苟免，知囊括之無咎，故縱酒以自全。然不免草勸進之文詞，為司馬昭之狎客，智雖足多，行固無取。（《世說新語箋疏》頁五三七）

他主要不是真放，而是佯狂，不是抗志高潔，而是玩世，而一切都是為了自全。

這並不是說阮籍心態背離玄學人生態度，而是說玄學的人生態度在阮籍身上有一種特殊的表現。他既有一個幻想精神翺翔於無何有之鄉的莊子式的人生境界，又面對那樣險惡的一個政治環境，加之他的懼禍心理，這就決定了他走浮誕玩世一途。

三

嵇康任自然，是認真的，如上所說，他已經把莊子化為一首純真生活的詩，是要付之實行的，並且以其認真的實行來徹底擺脫名教的束縛，終於為當政者所不容，導致殺身之禍。阮籍的人生境界卻始終是一種夢幻，它是無法實行的，它只是作為心理平衡的力量存在著。當他面對現實人生的苦悶時，他就用這樣一個人生境界來支撐自己，求得心理的平衡。這樣一個理想境界，以其高遠與虛幻，因之於現實政治也就無害。司馬昭正是因阮籍「言及玄遠」，才容忍他的存在的。對於司馬昭來說，他離現實越遠越好。

因有這一個虛幻的人生理想存在著，就使阮籍常常得到自我解脫。因其高遠，難以實現，因之當生活於平庸中時，心裡也能得到安慰。自己原本是嚮往逍遙遊的，逍遙遊不可能，做燕雀也就可以無愧於心。他就是這樣矛盾的存在著，當自視極高時，傲視一切，高自標持；而當自己事實上也處於一籌莫展的平庸境況時，便把那抱負變作一聲自憂自憐的嘆息。我們在阮籍的作品中找到這種心態。《詠懷》四十六：

鸒鳩飛桑榆，海鳥運天池。豈不識宏大，羽翼不相宜。招搖安可翔，不若棲樹枝。下集蓬艾間，上遊園圃籬。但爾亦自足，用子為追隨。

黃侃評此詩，謂「用子追隨，阮公所以自安於退屈也。」黃侃解阮籍詩，往往比他人更為明快而且實在，少附會成份，更能得阮籍之本意。阮籍意謂非不慕大鵬之逍遙遊，蓋乏逍遙遊之條件，不若學燕雀之棲於一枝。以此種心態視《咏懷》二十一、五十八所表現的心態，不啻天壤之別。《咏懷》四十六這種心態，也反映在四十七中：

生命辰安在，憂戚涕沾襟。高鳥翔山崗，燕雀棲下林。青雲蔽前庭，素琴淒我心。崇山有鳴鶴，豈可相追尋。

《咏懷》之八，也有「寧與燕雀翔，不隨黃鵠飛。黃鵠遊四海，中路將安歸！」退屈自安是自我解脫的方法，當然也是無可奈何的方法。

另一種自我解脫的辦法便是任其自然。窮達有數，非可強求得之，不若任其自然，使心情得到平靜。《咏懷》二十八：

嚴達自有常，得失又何求？豈效路上童，攜手共遨遊。陰陽有變化，誰云沉不浮？……豈若遺耳目，升遐去殷憂。

《咏懷》之四十五：「竟知憂無益，豈若歸太清。」二十六：「鸞鷖時棲宿，性命有自然。建木誰能近，射干復禪娟。不見林中葛，延蔓相勾連。」都是這種心情的表現。

四

顯然，阮籍所受玄學的影響，沒有嵇康徹底，嵇康是越名任心，阮籍卻仍然是依違避就，結果嵇康為社會所不容，阮籍卻得以善終。為社會所不容的，留下了一腔悲憤，最後還有那一曲蕩人心魄的《廣陵散》，留下了一齣讓後人同情、惆悵、而且景仰的悲劇。得以善終的，又以苦悶伴隨一生。誰得誰失，殊難判斷。

阮籍之所以幻想逍遙遊而終於依違避就，根本的原因，就在於他內心深處終究還有儒家的思想根基。他早年的入世壯志（參見《咏懷》三十八、三十九）固是一表現，更重要的表現，是在《樂論》中。《樂論》中充滿《禮記‧樂記》的基本觀點，雖然有學者認為《樂論》乃嗣宗為高貴鄉公講《禮記》而作，然亦並無確實之證據，即令為講授《禮記》而作，亦不能否定其中儒家的禮樂觀為阮籍之一思想認識。正是因為有了這一個儒家思想的基礎，阮籍才未能像嵇康那樣，採取一種徹底的越名任心的態度。

不過阮籍倒是給以後的士人的處世態度以很多方面的影響。

首先，就是余嘉錫所說的，為後來慕浮誕者之宗主。其實，和阮籍同時的王戎、阮咸、劉伶，也都是可以作為浮誕者的代表，他們的功業，便是以浮誕反名教。這其實是玄風反映在生活方式上的一種扭曲的表現，而這一類表現，後來卻發展成為玄風生活方式的主流。應該說，嵇康是玄風生活方式的正統的一路，而這一路，因嵇康被殺，宣告此路不通，便沒有發展下去。

其次，就是阮籍從逍遙遊中尋找到的解脫人生苦惱的方式，為後來士人所普遍運用，莊子思想對於士人的影響，阮籍之前主要是任自然，任由情性自由發洩。到了阮籍，才被用來作為解脫人生苦惱的精神力量。後來蘇軾把這一點發展至相當成熟。當他受到挫折的時候，他便從莊子是非齊一、物我兩忘的思想裡得到解脫，「聚散細思都是夢，身名漸覺兩非親」；「生前富貴，死後文章，百年瞬息萬世忙，夷齊盜跖俱亡羊，不如眼前一醉，是非憂樂都兩忘」；「古今如夢，何嘗夢覺，但有舊歡新怨」；「回首向來瀟瑟處，歸去，也無風雨也無晴」。㉝他就是用這種看透一切的態度，走向曠達。無怪蘇軾給了阮籍以很高的評價，說是「千古風流阮步兵，……空留風韻照人清。」在以莊子思想解脫人生苦悶上，阮籍是蘇軾的先導。

（下）入世的名士：何晏、山濤及其他

正始玄風中的一部分重要名士，他們在論述玄學命題時，發揮著老、莊思想，但他們的人生態度中，卻很少老、莊的影子。他們對待人生，持一種積極入世的態度，他們的處世心態，亦非超然玄遠。何晏、王弼、夏侯玄、山濤等人，就都是這類名士的代表。

何晏是玄學的創始者之一，他卻是一個熱心於事功的人。他是曹爽的主要謀士，在曹爽與司馬氏的權力爭奪中，處於很重要的地位。曹爽與司馬懿並受魏明帝遺詔，輔助少主齊王芳。本來，他於司馬懿是晚輩，並不敢專斷獨行。但是齊王即位之後，曹爽都督中外諸軍事，一門兄弟數人皆以列侯侍

從，貴寵莫比，一時聲勢威赫。何晏、鄧颺、李勝、丁謐、畢軌等人，也在這時為曹爽所薦用。何晏、鄧颺、丁謐並為尚書，何晏典選舉。他們這些人，依附於曹爽之後，便成為曹爽的智囊，為曹爽在政爭中出主意。《三國志・曹爽傳》說：「丁謐畫策，使爽白天子，發詔轉宣王為太傅，外以名號尊之，內欲令尚書奏事，先來由己，得制其輕重也。」在施政方面，他們也為曹爽積極謀劃。《資治通鑑・魏紀》正始八年：

時尚書何晏等朋附曹爽，好變改法度。太尉蔣濟上疏曰：「昔大舜佐治，戒在比周；周公輔政，慎於其朋。夫為國法度，惟命世大才，乃能張其綱維以垂於後，豈中下之吏所宜改易哉！終無益於治，適足傷民。宜於文武之臣，各守其職，率以清平，則和氣祥瑞可感而致也。」

蔣濟以為只有命世之才才能改變國家法度，而何晏等人並不具備這個條件，他並不是反對改變法度本身，而是反對何晏等人。關於改法度的事，後來王廣也提到。《三國志・王凌傳》注引《漢晉春秋》說：曹爽、何晏等人被殺之後，太尉王凌與其甥令狐愚於嘉平三年曾謀討司馬懿，迎立楚王曹彪，使人告知王廣，王廣說：

凡舉大事，應本人情。今曹爽以驕奢失民，何平叔虛而不治，丁、畢、桓、鄧雖並有宿望皆專競於世。加變易朝典，政令數改，所存雖高而事不下接，民習於舊，衆莫之從。故雖勢傾四海，聲震天下，同日斬戮，名士減半，而百姓安之，莫或之哀，失民故也。今懿情雖難量，事未有逆，而擢用賢能，廣樹勝己，修先朝之政令，副衆心之所求。爽之所以為惡者，彼莫不必改，夙夜匪懈，以恤民為先。父子兄弟，並握兵要，未易亡也。

從王廣的話中，可以看出來曹爽被殺之後，改易的制度便又改了回去，法度的變易只在一個短期之內，並無多大影響，因之史亦缺載。但無論如何，可以說明何晏是積極參預政治的。他入政，基本持一種儒家的觀點。早在太和六年（二三二年）他作《景福殿賦》時，就讚頌魏明帝「孜孜靡忒，求天下之所以自悟，招中正之士，開公直之路，想周公之昔戒，慕咎繇之典謨，除無用之官，省生事之故，絕流遁之繁禮，反民情於太素。」明帝重儒術，何晏所言，亦頗從儒術著眼。正始八年，他上書勸齊王芳，亦以儒術為規戒：「是故為人民者，所與遊必擇正人，所觀察必察正象，放鄭聲而弗聽，遠佞人而弗邇，然後邪心不生而正直可弘也。」（《三國志・三少帝紀》）何晏似乎還是一位注意錢財積聚的人物，《三國志・曹爽傳》說：

晏等專政，共分割洛陽、野王典農部桑田數百頃，及壞湯沐地以為產業，承勢竊取官物，因緣求欲州郡。有司望風，莫敢忤旨。

何晏的這些行為，與阮籍和嵇康都是很不相同的。他在心態上並沒有與名教對立的地方，也沒有與世俗的對抗心理。只是在他的抱負裡，似藏有逍遙遊的思想，但那只是一種與他的口談玄虛相應的志向，並未成為他處世的基本態度，當他體認政局中的險阻憂慮時，這些志向才會出現。這在他的《言志詩》中表現了出來：

鴻鵠比翼遊，群飛戲太清。常恐失網羅，憂禍一旦並。豈若集五湖，順流唼浮萍。逍遙放志意，何為怵惕驚！

轉蓬去其根，流飄從風移，茫茫四海塗，悠悠焉可彌。願為浮萍草，託身寄清池。且以樂今日，其後非所知。

他捲入政爭之中，是時時都感受到風險的，這時他便想設若能擺脫世網的羈縛，如鴻鵠作逍遙之遊，便也無須如臨深履薄了。但是既已參預，則無復後退，如浮萍之任隨風吹水送，隨時世之變幻而已。從何晏的一生看，這「且以樂今日，其後非所知，」實在是他基本心態的概括。

山濤在政治傾向上與何晏不同，他是受到司馬氏信任的人。但是他積極入世的心態，卻與何晏一致。《晉書》本傳說他未仕時曾對他的妻子韓氏說：「忍飢寒，我後當作三公，但不知卿堪作公夫人不耳？」孫綽論山濤，說：

山濤吾所不解，吏非吏，隱非隱，若以元禮門為龍津，則當點額暴鱗矣。（《晉書・孫綽傳》）

今人余嘉錫論山濤，說：「然實身入局中，未嘗心存事外也。」這都可以說是深知山濤之言。

山濤是竹林七賢中最年長的一位，生於建安十年（二〇五年）。他也是七賢中享年最長的一位，太康四年（二八三年）卒時年七十九。他正始五年（二四四年）四十歲為郡主簿之前，已結識嵇康、阮籍情意甚篤，然志趣其實並不相同，這從他舉嵇康自代以至引出嵇康與之絕交一事，即可說明。他走的是另一條入仕的道路。

山濤的積極入仕，與何晏不同。何晏似乎有些輕躁，急於用事，在短期間內希望得到權力的迅速發展，所以他一再為曹爽出謀議。山濤則謹慎小心地接近權力，用顧愷之的話來說，是「淳深淵默」。他是一個很有見識的人，不看準政治形勢，是不會採取行動的。他本來是司馬氏的很近的姻親。山濤的從祖母是司馬懿的岳母，他是完全可以通過這條途徑入仕的。但是，他並沒有很快地去找司馬氏父子。當他正始五年任郡主簿的時候，曹氏與司馬氏權力爭奪的局面勝負並未明朗化。正始八年，鬥爭到了關鍵時刻，表面上曹爽權力達到頂峰，而其實政治上的實力卻是有利於司馬氏父子一方，他們採取以退為進的策略，暗地裡進行謀劃，積聚力量，司馬師陰養死士三千，而司馬懿則於這年五月裝病在家，用以痲痺曹爽。有見識的士人對於政局將要發生的變化已經有了預感，不久以前阮籍謝絕了曹爽征辟的參軍。司馬懿一裝病，山濤就看出來事變在即，《晉書》本傳說他因看到這種情勢而隱退：

與石鑒共宿，濤夜起蹴鑒曰：「今為何等時而眠也！知太傅臥何意？」鑒曰：「宰相三不朝，與尺一令歸第，卿何慮也！」濤曰：「咄！石生無事馬蹄閒邪！」投傳而去。未二年，果有曹爽之事，遂隱身不交世務。

他做的是曹爽的官，而曹爽將敗，故隱退避嫌。但當大局已定，司馬氏掌權的局面已經形成時，他便出來，靠了與司馬氏的關係，去見司馬師。司馬師知道他的用意與抱負，便對他說：「呂望欲仕邪？」於是，「命司隸舉秀才，除郎中，轉驃騎將軍王昶從事郎中。久之，拜趙相，遷尚書吏部郎。」（本傳）開始作的當然都是小官，到了任尚書吏部郎的時候，才真算是步入權力中心的開始。尚書吏部郎的擬命，大概是在甘露四年（二五九年），但不知因何種原因，一直拖了兩年沒有定下來，到了景元二年（二六一年），才正式任命，從此，山濤的仕途便一帆風順了。

他後來得到了司馬氏的很大賞識與信任，有兩件事可以說明這一點。咸熙元年正月，司馬昭挾魏天子率兵西征在蜀叛變的鍾會，當時曹魏諸王都在鄴，而司馬氏的一個很有勢力的親信賈充正督諸軍據漢中，鄴城中司馬氏的力量單薄。為了防止曹魏諸王作難，司馬昭便給了山濤五百親兵，讓他以本官行軍司馬鎮鄴，對他說：「西偏吾自了之，後事深以委卿。」（本傳）如果山濤是曹氏的人，那麼司馬昭的這一行為無異引狼入室。他之所以委派山濤鎮鄴，只有一種解釋：他已經了解了山濤在這場政爭中的基本態度。其實，當司馬師說「呂望欲仕邪」的時候，司馬家便已經明白行事謹慎的山濤知道大局已定，投靠來了，自那時起，便把他當作了自己的人。另一件事，關係比這件更為重大，那便是晉王立世子的問題。這事發生在同一年的十月。司馬師無子，司馬昭便將第二個兒子繼嗣司馬師，這便是齊王攸。咸熙元年十月司馬昭要立齊王攸為世子。這時魏禪於晉的局面已定，只差一個儀式而已，立世子，其實就是立晉國的太子的大事。攸雖然也是司馬昭的兒子，但已過嗣司馬師，立他為世子，是表示天下是司馬師打下的，理應由其子嗣位。司馬昭對其臣下說：「此景王之天下也，吾何與焉？」（《晉書・武帝紀》）但是他的這個意見，遭到了臣下何曾、裴秀和山濤的反對。這反對的背後，實是一場權力的激烈爭奪，司馬炎是司馬昭的長子，也即是攸的哥哥。他事先買通了裴秀，裴秀便到司馬昭面前為他當說客，勸司馬昭說：「中撫軍（炎）人望既茂，天表如此，固非人臣之相也。」（《晉書・裴秀傳》）就是說，既得人心，又有天生的儀表，帝王非他莫屬。司馬昭拿不定主意，去問何曾，何曾也說著同樣的話：「中撫軍聰明神武，有超世之才。髮委地，手過膝，此非人臣之相也。」（《晉書・武帝紀》）從這相同的話語，可推測也是司馬炎作了運動的。司馬昭又問山濤，山濤回答說：「廢長立少，違禮不祥。國之安危，恆必由之。」世子位於是乃定。七個月後，即次年的五月，世子司馬炎為太子。年底，司馬炎便正式受禪，為晉武帝了。在這場帝位爭奪中，山濤顯然於武帝有甚大之功勞。他之與司馬氏有密切的關係，得到司馬氏的信任，亦於此可見。

從這兩件事看，他確是身入局中了。

在處世態度上，山濤也與嵇、阮輩有很大不同。《晉書》本傳說：「（濤）又與鍾會、裴秀並申款昵。以二人居勢爭權，濤心處中，各得其所，而懼無恨焉。」對於他的這一點，余嘉錫評論說：「夫鍾會之為人，嵇康所不齒，而濤與之款昵，又處會與裴秀交哄之際，能並得其歡心，豈非以會爲司馬氏之子房，而秀亦參謀略，皆昭之寵臣，故曲意交結，相與比周，以希詭遇之獲歟！」（《世說新語箋疏》頁六八一）余嘉錫的評論頗為尖刻，也頗為偏激。從山濤後來的行事看，他雖身入局中，然亦非勢利之輩。他之交好鍾、裴，蓋緣於處事謹慎，不欲樹敵。其時濤已有甚高之地位，獲司馬炎之充分信任，正無須乎討好鍾、裴而冀有所獲也。不過從這件事，也可看出山濤並不像嵇康之是非分明，也不像嵇康的剛直峻急。他較為圓滑，而且較為深沉。

他之加入竹林名士，是以其風神氣度。王戎對他的評論是：「如璞玉渾金，人皆欽其寶，莫知名其器。」（《晉書・王戎傳》）就是說，他給人一種質素深廣的印象。而大器度，正是其時名士之一種風度。他也飲酒，但有一定限度，至八斗而止，與其他人的狂飲至大醉不同。他性好老、莊，然與好玄遠之言者又有不同。《世說新語・賞譽》：

人問王夷甫：「山巨源義理如何？是誰輩？」王曰：「此人初不肯以談自居，然不讀老、莊，時聞其咏，往往與其旨合。」

他並不反禮教，史稱其居喪過禮，與越名教而任自然者極不同；然而他不像何曾輩之華奢。他生活儉約，為時論所崇仰。他在嵇康被殺後二十年，薦舉康子紹為秘書丞，對紹說：「為君思之久矣，天地四時，猶有消息，而況人乎！」（《世說新語・政事》）可見他二十年未忘舊友。這些都可以說明，他立身清正，而又行不違俗。他是竹林七賢之一，而行事與心態，其實與嵇康、二阮、劉伶等人並不相同。他的主要心態，是積極入世，謹慎處事，儉約自守，並未沾染縱誕之風。

在這一點上，夏侯玄與之相近。不過夏侯玄身上玄風的影響更為明顯些，他不僅談玄，而且著論論述玄學命題，而其瀟灑風神，有類嵇康。《世說新語・雅量》稱其：「嘗倚柱作書，時大雨，霹靂破所倚柱，衣服焦然，神色無變，書亦如舊。」《世說・方正》謂其被殺時，臨刑東市，顏色不異。袁宏作《三國名臣頌》，贊玄：「邈哉太初，宇量高雅，器範自然，標準無假。……君親自然，非由名教。」（《晉書・袁宏傳》）他在名士中有很高威望。他無疑也是既有名士風標，又持入世態度的士人的代表人物。

正始玄學對於士人的心態的影響是複雜的。同樣接受玄學影響，而處世態度各異。就其特質而言，嵇康的心態似較典型地體現了玄學品格。但是嵇康的被殺證明，這種更具玄學品格的人生觀不可能為世俗所接受，這樣的人生道路行不通。因之嵇康被殺，向秀失圖，遂應本郡計入洛，對司馬昭說出了一些違心的奉承的話，而後又寫出了那樣悲涼的一篇《思舊賦》。向秀悲涼入洛，意味著士人跟嵇康式的玄學獨立人格的告別。

【注　釋】

①莊萬壽先生在引了陳寅恪先生的前引一段話之後說：「頗有新解，惟東漢名士的集團如三君、八俊、八顧、八及、八廚與魏時名士四聰、八達，都是當這些人活著時的稱號，竹林七賢恐怕在正始前後已有此名。魏時士人尚未信佛，故此說還有問題。」他還引孫盛《晉陽秋》的一段話為證：「孫盛的《晉陽秋》說『於時風譽，扇於海內，至於今咏之。』孫盛是西、東晉之交的人，他說『於時』是指七賢在世時，極可能七賢是當時社會如太學者流對他們尊稱，一如四聰八達一樣都不是後來才取的。」按，孫盛與謝安同時，又焉知「竹林」之說，不來自謝安與袁宏之談論：東漢以來，名士標榜用詞之慣例，稱「七賢」則可，「七賢」之前，又加「竹林」，則未見其可，蓋未見先例也。孫盛所謂「於時云云」，並未明說「於時」已稱「竹林七賢」，以之為據，似亦未可。莊萬壽先生又引郭緣生《述征記》材料，以說明「竹林」確有其地（莊萬壽所說，均見其《嵇康年譜》）按，郭緣生更在謝安之後。中國人好附會名人逸事，山水勝

地，名人事跡所在多有，而其中屬於附會者實不在少數，《述征記》所言，似亦未足以論定。向秀《思舊賦》講他經過嵇康故居時情形，《序》稱：「余逝將西邁，經其舊廬，於時日薄虞淵，寒冰淒然。」《賦》稱：「經山陽之舊居。瞻曠野之蕭條兮，息余駕乎城隅，踐二子之遺跡兮，歷窮巷之空廬。」這也是向秀與嵇康交遊之處，物是人非之感，愴然傷懷，設若當年遊在竹林，往事感愴，或當於賦中有所發抒，而賦只言及寒冰淒然，窮巷空廬而已。

②莊萬壽先生提出嵇康《聲無哀樂論》作於正始七年（《嵇康年譜》），可參考。嵇康《養生論》作於入洛時，當亦在正始年間。向秀《難養生論》當亦作於是時。

③《三國志・魏志、武帝紀》注引張璠《漢紀》：「孔公緒能清談高論，噓枯吹生。」《魏志・臧洪傳》注引《九州春秋》謂焦和「入見清談干云，出則混亂，命不可知。州逡蕭條，悉為丘墟也。」此兩例，似指高談闊論而言。「清談干云」「清談高論」，均言高談闊論，不切實事。與此二例近似的用法，是「雅談」之意，應璩《與侍郎曹長思書》：「悲風起於閨闥，紅塵蔽於機榻，幸有袁生，時步玉趾，樵蘇不爨，清談而已。」《管輅別傳》言趙孔耀至冀州，薦管輅於裴使君，「裴使君聞言悅慨，曰：『如此便相為取之。』即檄召輅為文學從事，一相見，清論終日，不覺罷倦。」此處「清論」，也指雅談。「清談」也用來指人物品評，與「題目」、「品題」、「談論」義近，如《三國志、蜀書・許靖傳》：「靖雖年逾七十，愛樂人物，誘納後進，清談不倦。」這裡說的「清談不倦」的內容，就是「愛樂人物，誘納後進」。就是人物品鑑。後來，清談甚至被當作清議來使用，如《晉書・鄭默傳》：「文帝與袞書曰：『小兒得側賢子之流，愧有竊賢之累。』及武帝出祀南郊，召使默驂乘，因謂默曰：『卿知何以得驂乘乎？昔州里舉卿相輩，常愧有累清談。』」「有累清談」，意為有累於清議。當然，在清談的全盛期，清談是指談玄而言的。可見，清談一詞在

當時原就是義界不確定，依使用者在何種意義使用它而異的。

④「清議」也有多種用法，除指人才選拔中的鄉里公論外，又泛化而指一般公論，如《文選・晉紀總論》注引干寶《晉紀》：「以傅玄、皇甫陶為諫官。傅玄上書曰：『昔魏氏虛無放誕之論盈於朝野，使天下無復清議，而亡秦之病，復發於今。』」此處「清議」，是相對於「虛無放誕之論」的符合於儒家思想的社會輿論，非專指人才選拔而言。又如《三國志・管寧傳》注引《傅子》「邪原性剛直，清議以格物。」此處「清議」，指公正的議論。

⑤《世說新語・黜免》「邴竟陵免官後赴山陵」條劉注引《郭林宗別傳》：「巨鹿孟敏，字叔達，敦朴質直。客居太原，雜處凡俗，未有所名。嘗於市賣甑，荷擔墮地壞之，徑去不顧。適遇林宗，見而異之，因問曰：『壞甑可惜，何以不顧？』客曰：『甑既已壞，視之何益？』林宗賞其介決，因以知其德性，謂必為美士，勸令讀書。」

⑥「五質」，指五種氣質，所以他說，弘毅是仁之質；文理是禮之本；貞固是信之基；勇決是義之質，決是決斷，有善決斷之氣質，才會有義；通微是智之質。有了這五種氣質，才會有相應的五常。「五德」是指五種品格，它與「五質」的區別，在於內與外，「五質」是指蘊於內的氣質，「五德」指形於外的品格，內為弘毅，形於外的聲色情味則為溫直而擾毅，等等。

⑦《管輅別傳》引孔曜薦管輅於裴徽的話：「平原管輅字公明，年三十六，雅性寬大，與世無忌，可謂士雄。」據《三國志・管輅傳》，輅死於甘露元年（二六五年），年四十八，則薦管輅於裴徽當在正始五年（二四四年）。

⑧卷七。湯球輯，廣雅叢書本。

⑨從他華林園賦詩的內容可看出這一點，參見《晉書》本傳所引。

⑩《晉書・王戎傳》載王戎卒於永興二年（《通鑑》言卒於是年六月），享年七十二，是則正始五年，戎年十一，非十五，疑《晉書》戎傳所言戎享年有誤。

⑪嵇康入洛，可能和他的婚娶曹操的兒子曹林的一個女兒長樂亭主有關。嘉平元年正月，司馬懿族誅曹爽、何晏等八族，政權實際已落入司馬氏手中，在這樣的政治環境中，無論嵇康如何超脫，與曹氏家族結合的可能性都是很小的。他娶長樂亭主，只能在正始年間。

⑫王葆玹在他的專著《正始玄學》（齊魯書社，一九八七年）中說：「正始玄學家除年輕後進的王弼等人外，一般都兼有政治家的身份，如夏侯玄是政治改革方案的主要制定者，並且是曹爽輔政下的主要軍事台柱；何晏、鄧颺等人都是當時政務的主持者和改制的發起者，並且是曹爽的謀主。……這些玄學家的改制運動乃是正始期間與玄學對應的主要政治事件，在玄學政治背景當中應處核心的位置，甚至可說是玄學政治理論的實施，也可說是玄學天人新義的政治基礎，對它是不能不多加研究的。」

⑬《禮記・禮運》：「故人情者，聖王之田也，修禮以耕之，陳義以種之，講學以耨之，本仁以聚之，播樂以安之。」

⑭《論語・八佾》：「子曰：《關雎》樂而不淫，哀而不傷。」何晏引孔安國疏：「樂而不至淫，哀而不至傷，言其和也。」《述而》：「子食於有喪者之側，未嘗飽也。子於是日哭，則不歌。」何晏注：「喪者哀戚，飽食於其側，是無惻隱之心也。」「惻隱之心」是仁，是道德準則，在重感情的場合，必須以道德準則行事。這是《論語集解》中少數幾處何晏自注之一。同章「子曰：飯蔬食，飲水，曲肱而枕之，樂亦在其中矣。」何晏引孔安國疏：「孔子以此為樂也。」何以以此為樂，蓋言其合於義也。《顏淵》：「司馬牛問君子。子曰：君子不憂不懼。曰：不憂不懼，斯可謂君

子矣乎？曰：內省不疚，夫何憂何懼！這是說，自省道德上無過錯，則憂懼之情不生。《憲問》：「仁者不憂，知者不惑，勇者不懼。」《季氏》所論三樂三損均同此。《論語》中只有一處記孔子動了感情而未加節制。《先進》：「顏淵死，子曰：噫，天喪予！」何晏注：「天喪予者，若喪己也。再言之者，痛惜之甚也。」「顏淵死，子哭之慟。從者曰：子慟矣。子曰：有慟乎？」何晏引孔安國疏：「不自知己之悲哀之過也。」可見，何晏是知道孔子有喜怒哀樂之情的，只是除極個別的時候之外，他的喜怒哀樂之情，均在禮的節制之下，失其自然狀態而已。而這極個別的時候，是在他不自知的情況下出現的。《論語》中凡涉及喜怒哀樂之情者，均已畢見於此，以此證何晏「聖人無喜怒哀樂」之情論的原意，說當可通。

⑮張萱《疑耀》卷六，叢書集成初編本。

⑯姚振宗《隋書經籍志考證》。

⑰《晉書・嵇含傳》：「時弘農王粹貴公子尚主，館宇甚盛，圖莊周於室，廣集朝士，使含為之贊。含援筆為吊文，文不加點。其序曰：『帝婿王弘遠華池豐屋，廣延賢彥，圖莊周垂綸之象，記先達辭聘之事，畫真人於刻椳之室，載退士於進取之堂，可謂托非其所，可吊不可贊也。』」含，嵇康從孫。

⑱王士禎《古於夫亭雜錄》卷二論及「手揮五弦，目送歸鴻」時，說：「嵇語妙在象外。」

⑲錢鍾書先生論嵇康《聲無哀樂論》，謂：「蓋嵇體物研幾，衡珠剖粒，思之慎而辨之明，前載得未曾有。」（《管錐編》）第三冊一〇八七頁）

⑳嵇康把老、莊思想詩化的提法，見於王韜同志的碩士學位論文《嵇康的詩歌美學思想》（待刊，原作存南開大學圖書

館）。王文謂：「嵇康不同於哲學思辨派和放浪派的關鍵之處，就在於嵇康使老莊思想詩化、藝術了；老莊第一次步入了文學藝術的殿堂，使中國的文學藝術放射出奪目的光輝。」他認為嵇康人生的藝術化，表現在「排除功利目的的考慮，」「擺脫了功名利祿的束縛與放縱情欲的誘惑，」「充滿了返歸自然，物我為一的精神。這是老莊的真精神。這種精神，以其虛靜為懷，進入一種空靈之美的境界，實質上正是一種藝術的精神。」我以為王君的這一觀點是對於嵇康精神的一種發現，是對的，我從中受到啟發，更引而論之，而稍有不同。

說嵇康第一個把莊子詩化，可從歷史的考察中得到證實。隱士早有。然隱之為義，要在不事王候，高尚其事。《後漢書•逸民列傳序》論逸民，謂「長往之軌未殊，而感致之數匪一。或隱居以求其志，或回避以全其道，或靜己以鎮其躁，或去危以圖其安，或垢俗以動其概，或疵物以激其清。然觀其甘心畎畝之中，憔悴江海之上，豈必親魚鳥樂林草哉，亦云性分所至而已。」大抵說來，或在逃政，或在全己，都並未把一種任自然的生活作為理想人生的境界去自覺追求，更並非因為追求自然之美而隱逸。以《逸民列傳》所收逸民而論，逢萌、李子雲、王君公皆懷德避世；周黨、譚賢、殷謨守節不仕；梁鴻、高鳳，皆仁義遜讓，隱居避患；台佟、龐公為全生，韓康為避名。他們之隱逸，與其說是一種感情的選擇，不如說是一種道德的選擇。唯嚴光與戴良，似帶有穠穠之感情色彩，然二人並未有如嵇康所表現之對於一種如詩如畫素朴生活之追求，並無明顯之審美情趣在。他們之與嵇康不同，恐怕就在這裡。嵇康對於生活實有一種執著的熱情，而他們更多的卻是理智的驅使，無怪范泰要說：古者隱逸，其風尚矣。穎陽洗耳，恥聞禪讓；孤竹長飢，羞食周粟。或高棲以違行，或疾物以矯情，雖軌跡異區，其去就一也。若伊人者，志淩青雲之上，身晦汚泥之下，心名且猶不顯，況怨累之為哉！與夫委體淵沙，鳴弦揆日者，不其遠乎！」（《後漢書•逸民傳序》引）他看到了這些隱士與屈原嵇康的不同，可說是很有見地的。

嵇康之前有追求山水情趣者，如郭泰、李膺、仲長統諸人。泰自謂「岩岫頤神，娛心彭老，優哉遊哉，聊以卒歲。」（《抱朴子外編・正郭篇》引）然泰之所以頤神岩岫，亦因「天之所廢，不可支也。」（《後漢書・郭泰傳》引泰語）有末世避亂之意，且泰亦意在求名。李膺之悅山樂水，緣於不容於時。仲長統之流水高山，亦如錢鍾書先生所云，「異於飯蔬飲水枕肱者」，蓋其為富貴逸樂之人，非岩居穴處之士。錢先生說：「又可窺山水之好，初不盡出於逸興野趣，遠致閑情，而為不得已之慰藉。達官失意，窮士失職，乃倡幽尋勝賞，聊用亂思遺老，遂開風氣耳。」（《管錐編》第三冊一〇三六頁）此諸人者，皆未若嵇康之返歸自然純出於自適也。且康原未岩棲隱遁。駐足人間，而求返歸自然以自適，於生活情趣與理想人生，均有明確之追尋，處處有莊子之精神，而處處未離實人生，故曰：嵇康乃詩化莊子之第一人。

㉑莊萬壽《嵇康年譜》一六七頁，台灣三民書居一九八一年版。

㉒李善注：「稱，謂，說其情不願仕也。愜其素志，故謂知言也。」

㉓徐高阮《山濤論》（《中央研究院歷史語言所集刊》第四十本第一分對山濤所處政局之種種矛盾有甚為精細之分析，但其中亦頗多推測之詞，如對嵇康《與山巨源絕交書》的分析即一例。他認為：「吏部郎的任命，加上山濤的提議以嵇康自代，大概可以推想是兩派政治力量之間的一種協商。山濤用行動使人明白，沒有個人的就範或交易。」而嵇康的《絕交書》，則是「假借了一個沒有實在意義的謝絕推引的題目針對眼前時勢而發的一份反抗宣言」。

㉔《莊子・漁父》：「子路問曰：『今漁父仗挐逆立，而夫子曲腰磬折，言拜而應，無得太甚乎？』」《外物》：「老萊子之弟子出薪，遇仲尼，反以告曰：『有人於彼，修上而趨下，末僂而後耳，視若營四海，不知其誰氏之子？』老萊

子曰：『是丘也。』」

㉕《三國志・王粲傳》注引《魏氏春秋》：「康與東平呂昭子巽，及巽弟安親善，會巽淫安妻徐氏，而誣安不孝，囚之。安引康為證，康義不負心，保明其事。」

㉖阮籍《咏懷》，解者多以香草美人之傳統附會之，每每於詩句中索求深意。此詩「天馬」二句，即解者紛紛。張琦謂：「喻司馬有必興之勢。」陳沆謂：「馬出四極，途非不遙，孰召使來？則由東道生人引之。猶司馬氏本人臣，而致使有禪代之勢，非在上者致之有漸乎？」陳伯君以為蓋指魏明帝青龍三年以馬往吳易寶事，「言天馬本出西北而向東道，今馬亦由西北而東。繼諷諭魏明帝，謂春秋非可憑依，夕暮即成醜老，何必媚於此玩好之物哉！」（見《阮籍集校注》卷下）如從是說，則「由來」不可解，以馬往吳易珠寶，非「由來」如此。「由來」者，蓋取天馬之東以起興，言事有固然，如春秋代序，非有所依憑，自然而然耳。接下嘆青春不能長保，順理成章，實無須曲為說也。

㉗此詩蔣師瀹與陳沆均認為係寫高貴鄉公謀討司馬師之事，陳伯君在《阮籍集校注》中已經指出此種附會之錯誤，蓋高貴鄉公召王沈、王經、王業共密議討司馬昭，何等機密，阮籍不得而知，何能言之於詩。黃侃對此詩之解釋較為近理。黃侃謂：「神仙之事，千載難期，縱復延來，終難自保。晨朝相悅，夕便見欺，方知預計明朝，猶為圖遠而忽近也。」

㉘此詩黃節引朱嘉徵說，以為吊嵇康之作，引何焯說，以其為魏明帝不能辨司馬懿之奸而作，引蔣師瀹說，以其為傷常道鄉公而作，黃節自己以為是傷高貴鄉公而作。蔣、何二說，黃節已辨其不合史實之誤。黃節以為朱說可備一說，其實朱說亦無據。《咏懷》中可看出明顯是悼念嵇康之作有二，即其六十二，其七十九。六十二：「平晝整衣冠，思見客與賓。賓客者誰子？倏忽若飛塵。裳衣佩雲氣，言語究尋神。須臾相背棄，何時見斯人。」黃侃謂此詩「眼中之人，忽為塵土。雖復裳衣華美，言語通神，而重見之因竟失。阮公其有悲於叔夜，泰初之事乎？」其七十九：「林中有奇

鳥，自言是鳳凰。清朝飲醴泉，日夕棲山岡。高鳴徹九州，延頸望八荒。適逢商風起，羽翼自摧殘。一去崑崙西，何時復回翔！……」此首蔣師瀹謂係為山濤而作，實擬於不倫。陳伯君引張琦謂「似係叔夜之辭。」是。以鳳凰擬嵇康，與時人對嵇康之評論一致。《嵇康別傳》謂其「龍章鳳姿」。嵇康自己也把自己比喻為神鳳，《述志詩》：「斥鷃擅蒿林，仰笑神鳳飛。」阮籍上述兩詩，均對嵇康之被殺表現出深沉的悲哀與思念，絲毫也沒有擬之為王子晉的意味。以此兩詩與《咏懷》六十五相比，則《咏懷》六十五似非為嵇康而發。黃節以為悼高貴鄉公，理由是高貴鄉公死時年二十，在位六年，則其即位時正年十五，而史稱其「才慧夙成」，正與詩意合。按，此說於詩意實不可通。詩明言其年十五。遊戲洛濱而見浮丘公，舉手謝時人，非言其年二十仙去。還是黃侃對此詩之解釋較為平實：「神仙竟無可信，子晉緱嶺之遊，人傳仙去；然飄搖恍忽，竟與死去何殊！觀於此詩，而阮公憂生之情，大可見矣。」

㉙從陳伯君說，見其《阮籍集校注》三一三至三一四頁。

㉚《三國志・王粲傳》注引孫盛《魏氏春秋》。

㉛周勛初先生對此詩有精闢之解釋，見其《阮籍〈咏懷〉其二十新解》，載其《文史探微》，上海古籍出版社，一九八七年版。

㉜此詩解者紛紛，此從陳伯君說。

㉝依次為：「至濟南，李公擇以詩相迎，次其韻二首之二》、《薄薄酒二首之二》、《永遇樂・登燕子樓作》、《定風波・沙湖道中遇雨》、《定風波・送元素》。

㉞裴松之以為「如此言之類，皆前史所不載，而猶出習氏。且制言法體不似於昔，疑悉鑿齒所自造者也。」按，就其傾向而言，顯係為司馬氏辯說。然稱何晏等「變易朝典，政令數改」之事，與蔣濟奏疏悉相符合，並非造作之言。

第三章　西晉士人心態的變化與玄學新義

嵇康和阮籍死后兩年，即魏咸熙二年（二六五）十一月，司馬炎終於迫著魏元帝曹奐正式演出了一幕禪讓的戲劇，自立為帝，改國號晉。從這時起到五胡亂起、洛陽長安陷落，永嘉南渡，終於導致西晉政權結束的建興四年（三一六年），共五十二年，是我們所要研究的又一個時期。這個時期的政治環境、社會思潮和士人心態與正始時期相比，都有了十分明顯的不同，玄風正在不知不覺變化，玄學義理也有了新的發展；而最重要的，是士人心態有了一個大的轉變。在這個時期裡，我們找不到象嵇康那樣執著認真的「越名教而任自然」的士人，同樣也找不到象阮籍那樣在名教與自然的矛盾的狹縫中依違避就，因而內心極端苦悶、在抑鬱苦悶中終其一生的士人。這時的士人群體，已經為自己找到一種全新的人生境界。他們在名教與自然之間，在出世與入世之間，找到了一條既出世又入世、最省事、最實用而且也最安全的通道，走向大歡喜的人生，當然最後也走向了亂亡。

第一節　政失準的與士無特操

一

嵇康被殺，向秀失圖。此乃其時士人心態轉變之一轉折點，欲窺測西晉士人之心態，與西晉玄風之轉變，於此不得不有所認識。

嵇中散既被誅，向子期舉郡計入洛，文王引進，問曰：「聞君有箕山之志，何以在此？」對曰：「巢許狷介之士，不足多慕。」王大咨嗟。

《世說新語·言語》

劉孝標注引《向秀別傳》所記同一事而略異：

後康被誅，秀遂失圖，乃應歲舉到京師，詣大將軍司馬文王。文王問曰：「聞君有箕山之志，何能自屈？」秀曰：「嘗謂彼人不達堯意，本非所慕也。」一坐皆悅。隨次轉至黃門侍郎、散騎常侍。

《晉書·向秀傳》採用《世說新語》的說法。其實《別傳》所記，當為《世說》之所本，而其不同處，正在《別傳》中的「一坐皆悅」，到《世說》中被改為「王大咨嗟」，《晉書》中被改為「王大悅。」這些改動，都沒有《別傳》中「一坐皆悅」的記載更能反映其時的真實情形。司馬氏之殺嵇康，對於認真執行「越名教而任自然」的士人來說，實是巨大之打擊。從當政者的角度考慮問題，越名任心實於政權大有妨礙，此一點已如前章所論。從士人之角度考慮問題，嵇康的歸宿無異於被告知：「越名教而任自然」是有限度的，如果過於認真，過於執著，處處以己之高潔，顯朝廷之污濁，處處採取一種與朝廷不合作的態度，下場當如嵇康。此一事件之在越名任心的士人中引起巨大普遍之反響，當無疑義。司馬昭之所以引見向秀並且問他何以應郡計入洛，意正在於窺知殺嵇康一事在其時名士中引起之反應。他的問話，對於越名教而任自然的名士來說，實在是非常刻薄的：你不是要超塵出世，不與朝廷合作嗎？為什麼還低三下四來找官做呢？這一個問話，如果落在嵇康身上，那回答將是難以想像的。對於向秀來說，無疑也有著極大的刺激，好比一個打了敗仗的俘虜，在得勝者的洋洋得意的嘲弄中蒙受恥辱。司馬昭的這一尖銳發問，如果遭到向秀的頂撞，那場面將很難收拾，廷臣們的緊張可想而知。不料向秀的回答同樣出人意外，不惟毫無頂撞之意，且違心阿諛，把司馬昭比喻為堯，明確表示自己在堯的領導下，不再取巢許的不合作態度了。向秀的這一回答，明白告訴了司馬昭對於名士的政策的成功，意味著司馬昭要借一個有甚大名聲的名士的生命，使桀驁的名士們臣服的策略的成功，司馬昭的喜悅可想而知。向秀的回答既然意味著名士們的臣服，事關司馬氏奪取政權的思想輿論障礙的最後掃除，廷臣們當然也就皆大歡喜，「一坐皆悅」了。

向秀的入洛，當然有其思想上之基礎。他在理論上，本來就主張重情欲，以為失去情欲的滿足，人生便沒有意義，要他完全捨棄實人生的種種誘惑以避世，他實在做不到。完全放棄任自然，而遵名教，他也做不到。這才有懼禍而入洛這一行為。這且不說。這裡要說的是，向秀在對著司馬昭說這話的時候，其實內心隱藏著甚深的悲哀。這只要讀讀他後來寫的《思舊賦》就可以了解。陳寅恪先生曾說過：「可知向秀在嵇康被殺後，完全改節失圖，棄老莊之自然，遵周孔之名教。」①其實向秀的改節，乃是一種無可選擇的選擇，他也並非完全棄老莊之自然，而遵周孔之名教。《思舊賦》的整個感情基調是很淒涼的，一種對於故友的深沉思念，一種對於一去不返的與故友共同度過的自然任心的歲月的眷戀，交錯著鬱憤與悲哀，彌漫在這短短的欲言又止的賦裡。一個與過去心態與行為自願的完全決裂的人，是不可能在懷舊中表現出如此深沉的悲哀來的。

《思舊賦》的《序》說：

余逝將西邁，經其舊廬。於時日薄虞淵，寒冰淒然，鄰人有吹笛者，發聲寥亮，追思曩昔遊宴之好，感音而嘆，故作賦云。

在這《序》裡我們可以窺見他這時的心境。在這樣一個淒涼氛圍裡。他完全沉浸在一種難以自已的感傷裡。他是為尋故友踪跡舊遊之地專門停下車來的，原本就在一種懷舊的思緒左右之下。在這賦的本文裡，他寫道：

濟黃河以泛舟兮，經山陽之舊居。瞻曠野之蕭條兮，息余駕乎城隅。踐二子之遺跡兮，歷窮巷之空廬。嘆《黍離》之愍周兮，悲《麥秀》於殷墟。惟古昔以懷人兮，心徘徊以躊躇。

棟宇存而勿毀兮，形神逝其焉如。

分明是一種對過去無法割捨的悲哀。薄暮時分，凝寒淒然，以一種脈脈之情尋訪舊遊之地，但見人去廬空，棟宇雖存而故人之神采已杳然空踪，於是生《黍離》《麥秀》之嘆息。這《黍離》《麥秀》之嘆息，乃是此時潛藏於子期心中最深層的意識的泄露。《毛詩序》說：「《黍離》，閔宗周也。周大夫行役至於宗周，過舊宗廟，宗室盡為禾黍。閔周室之顚覆，彷徨不忍去而作是詩也，」悲《黍離》，是悲故國。《尚書大傳》說殷商的微子朝見周天子，過殷墟，見殷墟為田，乃歌曰：「麥秀蔪蔪兮禾黍油油，彼狡童兮不我好仇。」《麥秀》之歌，顯然也是悲故國，從現存關於向秀的史料記載中，找不出他忠於曹魏的證據，但如果我們從他在曹魏時期與入晉之後的行為看，我們卻就可以找到這種悲故國心態的真實意蘊。在曹魏時期，向秀和嵇康一樣，是追求適性任情的名士，雖然他的玄學的基本觀點與嵇康不同，但是在行為上取自適以為樂，不受世務的羈縛，不捲人政局的是非則一。《太平御覽》卷四百〇九引《向秀別傳》：

秀字子期，少為同郡山濤所知，又與譙國嵇康、樂平呂安友善，其趨捨進止，無不必同，造事營生，業亦不異。常與康偶鍛於洛邑，與呂安灌園於山陽，收其餘利，以供酒食之費。或率爾相攜，觀原野，極遊浪之勢，亦不計遠近，或經日乃歸，復修常業。

《晉書》本傳說他好《莊子》，「乃為之隱解，發明奇趣，振起玄風，讀之者超然心悟，莫不自足一時也，」《世說新語・文學》：「初，注《莊子》者數十家，莫能究其旨要。向秀於舊注外為解義，妙析奇致，大暢玄風。」劉注引《竹林七賢論》：

秀為此義，讀之者無不超然，若已出塵埃而窺絕冥，始了視聽之表。有神德玄哲，能遺天下，外萬物，雖復使動竟之人顧觀所徇，皆悵然自有振拔之情矣。

向秀與嵇康一樣，在人生旨趣上是崇自然的。他曾經在那樣的生活裡領受過體認自我價值的人生樂趣，試想其鍛鐵洛邑，灌園山陽，於原野山林間了無繫累遊樂之時，是一種怎樣的自由的心境，而重過舊遊地，那樣的心境已經仿如隔世了。他已向司馬昭低頭臣服，無可奈何向以往的自由生活告別了。這怎麼能不觸目傷情，「追思曩昔遊宴之好」呢？傷故國，故國之悲，並不是傷曹魏政權的覆滅，而是傷以往生活的無可奈何的逝去。《黍離》、《麥秀》的嘆息，是對於曾經有過而現在已經不可能再有的不受羈縛的生活的眷戀悲悼。故國之悲的真實意蘊就在這裡。他正是在這樣的潛藏於內心深處的意識的支配下，來尋訪舊日行跡的。就在這淒涼的景色與淒涼的心境中，他聽到了嘹亮的笛聲：

聽鳴笛之慷慨兮，妙聲絕而復尋。

這嘹亮慷慨的笛聲，把他從眼前的悲涼心境引向往日的回憶，也引起了對於嵇康的琴聲的聯想。在這《思舊賦》裡，他兩次寫到嵇康臨刑彈琴的事。《序》說：

嵇博綜技藝，於絲竹特妙。臨當就命，顧視日影，索琴而彈之。

《賦》說：

昔李斯之受罪兮，嘆黃犬而長吟；悼嵇生之永辭兮，顧日影而彈琴。托運遇於領會兮，寄餘命於寸陰。

對於嵇康臨刑彈琴的回憶，不惟有甚深的悲哀，且亦隱含著抑鬱與悲慨，或者這抑鬱與悲慨，就融化在那慷慨的笛聲裡，這就涉及到向秀改節的問題來了。向秀之所以改節，正是嵇康的死。嵇康臨刑的這一幕，時時在他的心裡纏繞不去。他不是自願的舉郡計人洛，而是懼禍，是死的威脅與自全的欲望迫使他改節的。子期在這裡引用李斯的故事，彥和曾謂擬於不倫②。彥和僅從擬嵇康之被殺於李斯之被殺著眼，而謂其不倫，而不知子期用李斯典，意實不在此，而在其對於生之眷戀與死之悲哀，如陸機臨刑前之嘆「華亭鶴唳，豈可復聞乎！」謂死之將至方覺生之彌足珍惜。這就是伴隨著深沉的悲哀一同存在於這個《思舊賦》裡的對於死的恐懼。《思舊賦》提供給我們的向秀心態的這一訊息，明白無誤地告訴我們：向秀的改節，實在是一種無可選擇的選擇。

西晉士人，正是從這點，走向一個新的精神天地。

西晉士人入世太深，不僅名教之士如此，玄學名士亦如此。考察西晉士風，就可以發現，士人普遍地身入局中，不管以何種面貌出現，他們都沒有走莊子式的真正超塵脫俗的道路，他們和政局有著極為密切的關係，正因為如此，所以西晉一代的政風對於士風有著極廣泛的影響。

二

西晉一朝似乎有過一個全盛期，那就是它在太康元年（二八〇年）滅吳統一全國的時候。從東漢末年的軍閥割據到統一全國，經歷了近百年的戰亂總算結束了。按理說，這應該是一個恢復元氣的時期。但是，統一全國之後才十年，八王之亂又起，最終導致了永嘉南渡，偏安江左。在中國的歷史上，統一全國而又很快敗亡的，除隋朝外，就是西晉了，隋朝的建立，在經濟上曾有過短期的迅速恢復與發展；西晉始建時，似亦有一點新的氣象。唐太宗為《晉書‧武帝紀》寫論，說武帝司馬炎雅好直言，寬而得衆，所以建國初期「民和俗靜，家給人足」。但是事實上，唐太宗所說這些在西晉的整個政局都是混亂的，最基本的一點，就是這個朝廷的建立，借助於不義的、殘忍的手段；建立之後，又因為它立身不正，沒有一個有力的維持朝綱的思想原則。這就造成了政局中許多尷尬局面。在許多問題上，這個政權的占有者處於一種道義的尷尬境地，失去了凝聚力。他只能依違兩可，準的無依。這就是西晉政風的基本特點。這樣的政風，很自然地導致政局的混亂，也影響著士人的價值取向，導致士無特操。

首先的一個問題，便是在君臣綱紀上西晉的立國者處於一種兩難的境地之中。在這個問題上的選擇只可能有一種，那就是採取一種含混的態度。

要維持一個一統的政權，需要有一些行之有效的思想準則，作為這個政權的凝聚力。一般說，封建王朝是以忠義作為它的思想上的凝聚力的。司馬氏也一樣，他們標榜儒家名教，他的佐命之臣也都是名教之士。司馬炎剛即帝位，傅玄便上疏請崇儒教以選賢人。他是很明確提到晉之立國，應在思想準則上不同於曹魏的：

臣聞先王之臨天下也，明其大教，長其義節，道化隆於上，清議行於下，上下相奉，人懷義心。亡秦蕩滅先王之制，以法術相御，而義心亡矣。近者魏武好法術，而天下貴刑名；魏文慕通達而天下賤守節。其後綱維不攝，而虛無放誕之論盈於朝野，使天下無復清議，而亡秦之病復發於今。

他反對任自然的玄學風氣，而且也已經看到了司馬氏與曹魏的不同，說：

陛下聖德，龍興受禪，弘堯舜之化，開正直之路，體夏禹之至儉，綜殷周之典文，臣咏嘆而已，將又奚言！

接著他便提出應以崇尚儒學的標準來選拔人才：

夫儒學者，王教之首也。尊其道，貴其業，重其選，猶恐化之不崇；忽而不以為急，臣懼日有陵遲而不覺也。（《晉書·傅玄傳》）

傅玄的上疏得到了司馬炎的贊許。泰始四年（二六八年）六月，司馬炎下詔，要郡國守相做到：

敦喻五教，勸務農功，勉勵學者，思勤正典，無為百家庸末，致遠必泥。士庶有好學篤道，孝悌忠信，清白異行者，舉而進之；有不孝敬於父母，不長悌於族黨，悖禮棄常，不率法令者，糾而罪之。（《晉書·武帝記》）

泰始初年，他為樂安王司馬鑒、燕王司馬機選拔師友時，也明確說要選儒學之士，為此下詔：

樂安王鑒、燕王機並已長大，宜得輔導師友，取明經儒學，有行義節儉，使足嚴憚。（《

晉書・樂安王鑒傳》）

泰始中，以陳邵為給事中詔：

燕王師陳邵清貞潔靜，行著邦族，篤志好古，博通六籍，耽悅典誥，老而不倦，宜在左右以篤儒教。（《晉書・儒林傳・陳邵傳》）

咸熙四年，徵朱沖為太子右庶子，亦以其「履道至行，敦悅典籍。」（《晉書・隱逸傳》）

無疑，司馬炎即位之初，想以儒家名教作為他的立國之本。但是，較之歷代的其他開國之君，他之提倡儒家名教，便顯出來隱隱約約，含含混混，似有難言之隱藏於其中。因為他在道義上實在處於一種頗為特別的位置上，他本身是違背儒家名教的基本準則搶奪政權的，在這樣的位置上，不提倡名教，沒有嚴格的君臣綱紀的約束力，他人同樣可以如法炮製搶奪他的政權；提倡名教，又立身不正。這就需要一種彈性，一種有選擇的引導。我們可以來分析幾個事件，說明這一點。

殺高貴鄉公曹髦，是違悖名教的最為典型的事例。這在當時無疑是一個朝野震動極大的事件，雖然司馬氏前此已經剪除盡異己，曹魏一邊，已經沒有任何反抗的力量，高貴鄉公的不得已而率官僮以攻相府，正是這種無力反抗的極好說明。這時的曹魏政權，不過是司馬氏手中一個可以隨時抹去的傀儡。雖然如此，但是道義上禪讓的一幕還沒有正式舉行，君臣名份還存在著。在整個激烈凶殘的奪權鬥爭中，每次剪除異己，都以維護君權為名義出現，這一次卻是公開的弑君。敢於走到這一步，在士人心理上的衝擊可想而知。如何來處理這樣一個事涉將要建立的晉政權在道義是否合理、能不能得到士人支持的問題，實在是非常棘手的。在這一事件中，我們可以看到司馬氏的兩難處境和它所選擇的出路。

高貴鄉公被殺的經過。《三國志‧三少帝紀》裴注引《漢晉春秋》、《魏氏春秋》、《晉書‧文帝紀》、《晉書‧賈充傳》、《資治通鑑》均有詳細記載，而以《資治通鑑》所記最為詳盡：

帝（曹髦）見威權日去，不勝其忿。五月己丑，召侍中王沈、尚書王經、散騎常侍王業，謂曰：「司馬昭之心，路人所知也。吾不能坐受廢辱，今日當與卿自出討之。」王經曰：「昔魯昭公不忍季氏，敗走失國，為天下笑，今權在其門，為日久矣，朝廷四方皆為之致死，不顧逆順之理，非一日也。且宿衛空闕，兵甲寡弱，陛下何所資用；而一旦如此，無乃欲除疾而更深之邪！禍殆不測，宜見重詳。」帝乃出懷中黃素詔投地，曰：「行之決矣！正使死何懼，況不必死邪！」於是入白太后。沈、業奔走告昭，呼經欲與俱，經不從。帝遂拔劍升輦，率殿中宿衛蒼頭官僮鼓譟而出。昭弟屯騎校尉伷遇帝於東止車門。左右呵之，伷衆奔走。中護軍賈充自外入，逆與帝戰於南闕下，帝自用劍，衆欲退，騎督成倅弟太子舍人濟問充曰：「事急矣，當云何？」充曰：「司馬公畜養汝等，正為今日，今日之事，無所問也！」濟即抽戈前刺帝，殞於車下，昭聞之，大驚，自投於地，太傅孚奔往，枕帝股而哭甚哀，曰：「殺陛下者，臣之罪也。」

昭入殿中，召群臣會議。尚書左仆射陳泰不至，昭使其舅尚書荀顗召之。……子弟內外咸共逼之，乃入，見昭，悲慟。昭亦對之泣曰：玄伯，卿何以處我？」泰曰：「獨有斬賈充，少可以謝天下耳。」昭久之曰：「卿更思其次。」泰曰：「泰言惟有進於此，不知其次。」昭乃不復更言。……

戊申，昭上言：「成濟兄弟大逆不道，夷三族。」（卷七十七）

這裡之所以不憚煩地引述，是因為這事是司馬昭處理名教問題的典型的例子，必須作一些分析。誰是弒君的主犯？無疑是司馬昭自己。王沈和王業賣主告密之後，司馬昭顯然已經作了周密的安排，賈充的一切行為，當是根據司馬昭的佈置，他只是一個執行者而已。《晉書・文帝紀》在記述此事時說：「沈、業馳告於帝，帝召護軍賈充等為之備。」唐人修《晉書》，特別點出了這個關鍵，因為這正是這件事的實質所在。為之備，不在司馬昭的相府，而在宮廷，賈充奉司馬昭之命入宮弒君，當無疑義。弒君之後怎麽辦？如果承認弒君，以後的司馬氏政權在道義上便處於受審判者的地位。於是，司馬昭便演出了一齣弒君者譴責弒君的戲，先是自投於地，繼之對廷臣哭泣，以表明罪不在己。罪在誰呢？與此事毫無干係的司馬孚說罪在自己。司馬孚是遵崇名教的。他之所以歸罪於己，是說身為臣子，而未能使君主免於罹難；而且其中也隱含有代司馬昭認罪的用意。他是司馬懿的弟弟，昭的叔父，但又是忠於曹魏、曾經輔助曹丕登帝位的人。他從不參預司馬氏逼魏禪讓的謀議，而且直到死，還臨終遺令稱自己為「有魏貞士」，說自己「不伊不周，不夷不惠，立身行道，始終如一。」（《晉書・安平獻王孚傳》）他顯然不滿意於司馬昭的弒君行為，而又無可奈何。另一位歸罪於己的是王祥。《晉書・

王祥傳》說：「及高貴鄉公之弒也，朝臣舉哀，祥號哭曰：『老臣無狀』，涕淚交流，衆有愧色。」王祥是有名的孝子，是司馬昭倚以為朝廷重望的人物。他也是從名教出發，來看待這場弒君的悲劇的。高貴鄉公即位，他有定策之功。他還曾以師道自居，為高貴鄉公講聖帝君臣政化之要。高貴鄉公被弒，他感到自己身為重臣，而未能維護名教，痛哭流涕而謂「老臣無狀」者以此。但他也沒有勇氣指出弒君的主犯。指出弒君主犯的，是陳泰，陳泰是曹魏名臣陳群的兒子，是武將，也是名臣，又是司馬師、司馬昭的好友。司馬昭把他請來，意在借重他的名望，代他處理好這件極難處理的事。昭問他：「卿何以處我？」內含的意思是如何為我解圍。不料陳泰的回答卻是斬賈充以謝天下。斬賈充以謝天下，實在是給司馬昭下台的最好方法，但賈充是司馬氏的心腹，若斬賈充，誰還肯繼續為司馬氏出力呢？司馬昭只好沉默良久，並且有「卿更思其次」的又一問。沒料到這一問，陳泰的回答卻把司馬昭逼到了盡頭：「泰言惟有達於此，不知其次。」這句話是什麼意思呢？胡三省注曰：「言當以弒君之罪罪昭。」《晉書‧文帝記》陳泰這一回答作「但見其上，不見其次。」這是在群臣面前說的，全無退路！陳泰是在這件事發生之後不久便死了的。怎麼死的？孫盛《魏氏春秋》說是在這件事發生的當時「遂嘔血薨」。裴松之已論此說之不足信。習鑿齒《漢晉春秋》說是「歸而自殺」，或較為可信。究竟怎麼死的，大概這也屬於「宮廷事秘，外人不得而知」一類的千古之謎了。反正陳泰的回答使這件事當時議不下去，也使司馬昭在殺君之罪面前全無退路，當然也就導致了陳泰自己必死的結局。

但是不久，司馬昭還是找到了出路。他在兩難的境地中作了依違兩可的選擇。他殺了成濟，並夷其三族，拿成濟作為替罪羊來開脫自己的弒君之罪。在給太后的殺成濟的奏章裡，他說：「臣聞人臣之節，有死無貳，事上之義，不敢逃難。……臣忝當元輔，義在安國，即駱驛申敕，不得迫近輿輦。而濟妄入陣間，以致大變，哀怛痛恨，五內摧裂，濟干國亂紀，罪不容誅。」（《晉書・文帝紀》）他還要在表面上維護君臣綱紀，不這樣做以後司馬氏的政權便無法維繫。為此，他給王祥升官，這年十二月，王祥自司隸校尉拜司空（《資治通鑑》卷七十七），司馬孚後來也進封長樂公，以慰藉他們作為忠臣的感情。但同時，他又給賈主告密、從名教的角度說實屬大逆不道而從司馬氏的角度說乃大功臣的王沈以獎勵，封沈為安平侯；賈充也因此而進封安陽鄉侯，加散騎常侍。（見《晉書・王沈傳》、《賈充傳》）既安撫忠君之臣又獎勵弒君之人，這樣做，從君臣綱紀來說是自相矛盾的。但是司馬昭除了這樣在君臣綱紀上依違兩可的選擇之外，實在沒有其他辦法。而這樣做的最根本的目的，是要表明：君臣綱紀還是要的，但主要的是忠於司馬氏。

最能說明在君臣綱紀問題上司馬昭的兩難心境的，是對王經的處理。王經因為沒有跟王沈、王業告密，表現出了對於魏室的忠心，司馬昭便把他殺了。《漢晉春秋》說：

> 經被收，辭母。母顏色不變，笑而應曰：「人誰不死？往所以不止汝者，恐不得其所也。以此並命，何恨之有哉！」④。

經母之所以慰勉他，顯然是從忠於王室的角度說的。及至王經被殺，「故吏向雄哭之，哀動一市。」⑤殺王經而民知經忠，向雄哭尸而民知雄義，忠義既入民心，於司馬氏實大不利。於是四年後的泰始元年，司馬炎便下詔：

故尚書王經，雖身陷法辟，然守志可嘉。門戶堙沒，意常愍之，其賜經孫郎中。⑥

殺王經，是讓王朝臣們看看不跟司馬氏走有什麼結果，因為其時雖已政歸司馬氏，然尚未正式登位。而獎勵王經的志守忠節，是晉國已建，需要提倡忠節了，君臣綱紀問題，對於司馬氏來說，實在是無法持一種一以貫之、鮮明堅決、毫不含糊的態度的。在這個問題上需要一種彈性，一種可以作各種理解、從各個角度都可以說得通的選擇。

對於弒君這件事的處理，至此還沒有結束，悖理的事無論以何種口實掩飾，都是很難使人心服的。《晉書・王沈傳》說：「沈既不忠於主，甚為衆論所非。」直到這件事發生之後十年的泰始八年（二七二年），還被提了出來，並因此而在朝廷中引起了一場爭論。

泰始八年冬，賈充宴朝士，庾純後到，兩人相識，於是引起爭吵，純便把弒君的事又提出來。《晉書・庾純傳》：

充自以位隆望重，意殊不平。及純行酒，充不時飲。純曰：「長者為壽，何敢爾乎？」充曰：「父老不歸供養，將何言也！」純因發怒，曰：「賈充，天下凶凶，由爾一人！」充曰：「充輔助二世，蕩平巴蜀，有何罪而天下為之凶凶？」純曰：「高貴鄉公安在？」從坐因罷。充左右欲執純，中護軍羊琇、侍中王濟佑之，因得出。

這實在是一件非同小可的事，在弒君之後十年，在司馬氏正式登帝位之後八年，在衆多朝臣面前，又把弒君的問題提了出來，這無疑於指責司馬氏的違紀悖論；而且提出來之後，居然還有人敢出面保護庾純。這件事的背後，實在有著史書缺載的更為豐富的含蘊。這件事至少說明，司馬氏弒君篡位，在士人心中引起的不平長期沒有平復。庾純對賈充的指責，是不平鬱積於心的一次爆發。更有意思的是對這事的處理所反映出來的司馬炎的兩難境地。

賈充倚仗其權勢，以解職相脅迫。庾純畏懼，上表自劾，說是酒醉越禮，居下犯上，自請免官，御史中丞孔恂也劾純，於是司馬炎遂下詔免純官。

但這樣的處理引起了朝臣們的爭論，奏疏紛紛。爭論是從「孝」上著眼的，賈充說庾純的罪名是不孝，父老不歸供養，石苞上疏，持相同的觀點，認為庾純榮官忘親，宜除名削爵土。而司徒西曹劉斌、河南功曹史龐札卻以為，庾純有弟在家，孝養不廢，並不違禮。司馬炎於是又下詔，復以純為國子祭酒，加散騎常侍。有意思的是前後兩詔的內容，免庾純官詔：

先王崇尊卑之禮，明貴賤之序，著溫克之德，記沈酗之禍，所以光宣道化，示人軌儀也。昔廣漢陵慢宰相，獲犯上之刑；灌夫托醉肆忿，致誅斃之罪。純以凡才，備位卿尹，不惟謙敬之節，不忌覆車之戒，陵上無禮，悖言自口，宜加顯黜，以肅朝論。

復庾純官詔：

自中世以來，多為貴重順意，賤者生情，故令釋之，定國得揚名於前世。今議責庾純，不惟溫克，醉酒沈湎，此責人齊聖也。疑賈公亦醉，若其不醉，終不於百客之中責以不去官供養也。大晉依聖人典禮，制臣子出處之宜，若有八十，皆當歸養，亦不獨純也。古人云：「由醉之言，俾出童羖。」明不責醉，恐失度也。所以免純官者，當為將來之醉戒耳。齊王、劉掾議當矣。

兩詔的立意完全相反。其實，免庾純官的要害，在於他又把司馬氏最忌諱的弒君問題提了出來，孝與不孝，只是一個藉口。免官詔的核心，是說庾純托醉肆忿，悖言自口；而復官詔卻說是禮不責醉，並且把賈充也責備了一番。一件事的處理過程如此前後殊異，不可能有別種解釋，只能說明這一事件本身於當政者有難言之苦衷。其中似有一種明顯之訊息，就是對於弒君之士人多存腹非，罷庾純官，容易失去部分朝臣的心。罷官詔出自真意，而復官詔卻是不得以而為之。更有意思的是復官詔下後，後將軍荀眅又上奏章，以為庾純實不宜升進，而荀眅竟因此遭免官。從庾純重提弒君問題到處理結束，又一次地說明司馬氏政權在君臣綱紀問題上的處境。在這個問題上，他既不能理直氣壯地提倡忠，又不能不提倡忠，而且對於忠與不忠，也都不能理直氣壯的處理，只能依違兩可之間，視其需要而均加撫慰，或均加責罰。

在名教問題上重孝不重忠，乃現實政治之需要使然。此一點學者多有論述，大意謂自晉以後，門閥制度的確立，促使孝道的實踐在社會上具有更大的經濟上政治上的作用，因此親先於君，孝先於忠的觀念得以形成⑦。其實，這只是一個方面的原因。而另一個方面的原因，是司馬氏欲提倡忠而不可能。從司馬氏的思想根基說，是服膺儒教的，（參見《晉書·宣帝紀》）君臣綱紀是儒家倫常關係的核心，從維護政權的角度說，也需要提倡忠。這個道理非常簡單，這只要看晉室後來對嵇紹的態度就可以了然。嵇康死於非罪，司馬氏於嵇紹有殺父之仇，按理說，嵇紹應義不仕晉。與他類似的王裒，就採取了與嵇紹完全不同的態度，裒父王儀，無罪而為司馬昭所殺，他便終生未曾西向而坐，示不臣於晉朝，隱居教授，三徵七辟皆不就。（《晉書・孝友傳》）諸葛靚也採取與嵇紹完全不同的態度。他是諸葛誕的兒子。諸葛誕忠於曹魏，舉兵反對司馬氏，兵敗被殺，靚逃於吳，吳平，逃入山中。後來，司馬炎要見他，他便逃於廁中，詔他為侍中，他固辭不就，逃歸鄉里，也是終生不朝向朝廷坐的。（《晉書・諸葛恢傳》）但是嵇紹卻仕晉室而為忠臣，蕩陰之役，身殉惠帝，血濺御衣。他是真心忠於晉室的，行前有人勸他選用快馬。他回答說：「若使皇輿失守，臣節有在，駿馬何為？」可見他身殉晉室，實出自至誠。晉室對他也就感念甚深。惠帝一直保存了那件血衣，左右要洗衣，他說：「此嵇侍中血，勿去。」直到後來晉成帝時，還追念嵇紹之忠，給了他後代以官職；到了孝武帝時，還下詔說：「（紹）貞潔之風，義著千載。每念其事，愴然傷懷。忠貞之胤，蒸嘗宜遠，所以大明至節，崇獎名教。可訪其宗族，襲爵主祀。」這都足以說明，晉室對臣下忠於它持一種什麼樣的態度。它之無法如前此或後此的大一統政權那樣大力提倡忠節，非不為，乃不能。

司馬氏政權在君臣綱紀問題上的兩難境地與無可選擇的選擇，造成了一種道德環境，多數的士人不以忠節為念。對於名士群體來說，他們本來在內心深處就沒有忠於晉室的感情；而對於信奉名教的士人群體來說，他們對忠節事實上也並未認真奉行。最典型的例子是何曾。何曾是晉朝廷中以維護名教為標榜的人物，也是司馬氏政權的重要支柱，但是他對於晉室的生死存亡，實存三心二意。《晉書・何曾傳》：

初，曾侍武帝宴，退而告遵等曰：「國家應天受禪，創業垂統。吾每宴見，未曾聞經國遠圖，惟說平生常事，非貽厥孫謀之兆也，及身而已，後嗣其殆乎！此子孫之憂也。汝等猶可獲沒。」指諸孫曰：「此等必遇亂亡也。」

同一事又見於《晉書・五行志》。何曾分明已經看出來晉國初建已孕含敗亂之機兆，且此種認識已甚充分，確信而無疑。若據儒家所規範的臣道，則聞君過而不諫，非忠臣之所為：

君有過失者，危亡之萌也。見君之過失而不諫，是輕君之危亡也。夫輕君之危亡者，忠臣不忍為也⑧。

但是他從未向武帝諫諍過。從這裡我們可以窺測出他的內心並沒有一種堅定不移的忠貞觀念。他事君之道，主實用而善偽飾。實用，就是於己有利則為之；偽飾，就是於君實存二心，而不外露。何曾只是一個例子，不以忠節為念，是當時士人的一種普遍心態。這種心態，在八王之亂中有著充分的表現，史例甚夥，為人所共知，無待贅引。

三

西晉政失準的的政風的又一點，便是對於奢靡的認可與放縱。

在中國歷史上，差不多所有的立國之君都提倡節儉。從周文王起，便如此：

文王疾，召太子發，曰：「吾栝柱茅茨，蓋為民愛費也。」

君臣奢靡，則朝無清廉之官，民有飢困之苦，國亦以是而敗亂。於是誡奢便常常是立國之君的必行的施政措施。晉武帝也不例外。史稱其「承魏氏奢侈刻弊之後，百姓思古之遺風，乃厲以恭儉，敦以寡欲。有司嘗奏御牛青絲紖斷，詔以青麻代之。」（《晉書・武帝紀》）他登位之後，重實用，求儉約，屢下詔書。泰始元年，下詔正旦撤樂：

朕遭憫凶，奉承洪業，追慕罔極。正日雖當受朝，其伎樂一切勿有所設；又，殿前反宇及文武帳織成幕之屬，皆不須施。（《太平御覽》卷二十九引劉道薈《晉起居注》）

泰始八年，「禁雕文綺組非法之物。」（《晉書・武帝紀》）咸寧四年十一月，太醫司馬程據獻雉頭裘，武帝以奇巧異服典禮所禁。焚之於殿前，並且下詔敢有再犯者將予以治罪。同年，又下了禁立碑詔：「此後石獸碑表，既私褒美，興長虛偽，傷財害人，莫大於此。一禁斷之。其犯者雖會赦令，皆當毀壞。」（《宋書・禮志二》）從司馬炎的本意說，他是希望制奢俗以返儉約的，因為這對於他的政權的存在至關重要。但是，他事實上做不到，無論從他所面對的政治勢力的格局還是他本人的行動，都不可能做到這一點。他所面對的政治勢力的格局制約著他，使他無法下決心制止奢靡之風；他本人的欲望左右著他，決定了他無法成為儉約克己之君。後來陸雲諫吳王司馬晏，提到武帝誡奢的情形，頗可玩味。他說：

臣竊見世祖武皇帝臨朝拱默，訓世以儉，即位二十有六載，宮室台榭無所新營，屢發明詔，厚誡豐奢。國家纂承，務在遵奉，而世俗凌遲，家竟盈溢，漸漬波蕩，遂以成風。雖嚴詔屢宣，而侈俗滋廣。每觀詔書，衆庶嘆息（《晉書·陸雲傳》）

陸云看到了司馬炎登基後的一再提倡節儉，也看到了他的提倡沒有能夠實行，雖屢下詔而奢靡之風滋廣。對於這種現象，他歸之於世風的無法抑制。陸雲所說的，正是晉武帝一朝的事實，但是，他沒有能夠認識到，奢靡之風之所以無法抑制，實與朝廷的態度有關。因為在誡奢問題上，晉室當權者也深陷於兩難境地而無法擺脫。

武帝一朝最豪奢的人，多是武帝的重臣。何曾的豪奢我們在前文已有引例。何曾的兒子何劭的奢侈超過了他的父親，史稱其「驕奢簡貴，亦有父風。衣裘服玩，新舊巨積。食必盡四方珍異，一日之供以錢二萬為限。時論以為太官御膳，無以加之。」（《晉書·何劭傳》）太官御膳尚不能與之相比的情形，何曾時已如此。曾《傳》說：「每宴見，不食太官所設，帝輒命取其食。」這裡甚可注意的一點，是武帝屢下明詔倡儉約，而何曾竟敢於宴見之時公然自備廚膳，武帝不加責備，且命取其食。這在朝廷之上，無異於贊賞其豪奢，無異於是對提倡儉約的自我否定。曾《傳》又說：「劉毅等數劾奏曾侈汰無度，帝以其重臣，一無所問。」這個劉毅，就是那位忠於魏室，方正亮直的劉仲雄。入晉以後，武帝因其「忠蹇正直，使掌諫官。」（《晉書、劉毅傳》）有一次，武帝問他：「卿以朕方漢何帝也？他回答說：「可方桓、靈。」武帝說：「吾雖德不及古人，猶克己為政。又平吳會，混一天下。方之桓、靈，其已甚乎！」我們應當注意的一點，是武帝這裡提到的自己的兩件功業，除結束三國鼎立，統一中國這樣一個歷史大功績之外，便是為政克己。所謂「克己」，當然包括自奉甚薄、節儉的意思。他是把這一點當作自己的一大政績來誇耀的。但是劉毅怎麼回答他呢？劉毅說：「桓、靈賣官，錢入官庫。陛下賣官，錢入私門。以此言之，殆不如也。」毅是要說明，武帝為政並不克己。我們且將賣官的事放在一邊。也就是在這次對話中，武帝進一步解釋他為政克己的具體表現：「我平天下而不封禪；焚雉頭裘；行布衣禮。」（均見《晉書‧劉毅傳》）他把焚雉頭裘當作一件事，從這裡可以看出，咸寧四年的殿前焚雉頭裘，是當作倡導儉約的大事來辦的。在朝廷之上焚雉頭裘以明示君臣在衣食上均不得奢侈，奢侈者將受罪罰。但又在朝廷上，贊賞何曾的錦衣玉食。這樣的矛盾，實在是不可思議的。這不可思議，我們從「帝以其重臣，一無所問」中得到了答案。何曾是司馬氏政權的主要依靠力量的代表人物，不僅因其為武帝登基的勸進者，為武帝之主要謀士，且亦以其為提倡名教的豪門世族的主要代表。如果在奢侈這個問題上責罰何曾，那就意味著失去自己的基礎勢力。這一點我們可以從何曾死時博士秦秀的謚議中得到證明：

> 曾受寵二代，顯赫累世。……身兼三公之位，食大國之租，荷保傅之貴，執司徒之均。二子皆金貂卿校，列於帝側。方之古人，責深負重，雖舉門盡死，猶不稱位。而乃驕奢過度，名被九域，行不履道，而享位非常。……穢皇代之美，壞人倫之教，生天下之醜，示後生之傲，莫大於此。自近世以來，宰臣輔相，未有受垢辱之聲，被有司之劾，父子塵累而蒙

恩貸若曾者也。(《晉書·秦秀傳》)

為此，秦秀認為應該諡曰：「繆醜」。秦秀議何曾諡，和他後來議賈充諡，其中或者含有更為複雜的原因，借以議何曾之奢侈，賈充之不孝，而實意不在此。蓋其時名士群體與司馬氏親信名教之士矛盾甚為激烈。《晉書·任愷傳》說：「庾純、張華、溫顒、向秀、和嶠之徒皆與愷善，楊珧、王恂、華廙等充所親敬，於是朋黨紛然。」庾純之責罵賈充，是公開的反抗，秦秀的諡議，則是一種借題發揮。當然武帝沒有同意秦秀所建議的諡號。武帝之所以沒有同意，就是因為何曾與賈充，乃是他倚以為腹心的代表人物。何氏父子的滿朝知曉的極度的豪奢，武帝不惟不責問，且加贊許，則於其他大臣的奢靡，也就難以抑止。《晉書、任愷傳》說：「初，何劭以公子奢侈，每食必盡四方珍饌，愷乃逾之，一食萬錢，猶云無可下箸處。」任愷是魏明帝曹睿的女婿，是在朝的名士群體的重要人物。他的豪奢，武帝也一無所問。為什麼不過問呢？這從武帝對於任愷與賈充的矛盾的處理中可得到其中消息。《愷傳》謂：朋黨紛然，「帝知之，召充、愷宴於式乾殿，而謂充等曰：「朝廷宜一，大臣宜和」，充愷各拜謝而罷。既而充、愷等以帝已知之而不責，結怨愈深，外相崇重，內甚不平。」任愷代表的是入仕晉室的名士群體，這一部分人之仕晉，與何曾賈充輩實大不同，他們對於司馬氏政權的支持，原非出於至誠，我們在分析向秀入仕時已作了說明。這一點武帝也甚為清楚，但是他不能失去這一部分人的支持，他需要他們，以便獲得道義上的力量。這就決定了他立國之後在政治上所採取的基本手段就是平衡，平衡親信的名教之士與名士群體這兩大勢力。史稱司馬氏初期為政寬鬆，按其目的，乃在於爭取士人之擁護。晉立國之前，司馬昭已慮及此。《宋書・五行志三》說：「自高貴弒死之後，晉文王深樹恩德，事崇優緩。」有學者已注意到這一點，指出此種做法，「都是避免刺激的措施」，「目的都在減低士大夫方面的阻力，以利禪代的進行。」⑨晉立國之後，司馬炎對部分士人給予特別的注意，用意也在於此。因之對任愷的奢侈，晉武帝如同對何曾的態度一樣，也是不聞不問。同是名士的夏侯湛，也以豪華名世，《晉書》本傳謂其「族為盛門，性頗豪奢，侯服玉食，窮滋極珍。」武帝容忍這批名士的豪奢，容忍他們違背他的儉約的詔令，顯然也是出於政治上的考慮。

不論是名教之士還是名士的豪奢，武帝都無法加以禁止。這其中並不是因為他不明白他們的行為於他提倡儉約、與他禁雕綺文繡的詔令，與他的殿前焚雉頭裘的行為相違背，而是因為一種錯綜複雜的政治力量的格局促使他只能容忍這種違背的存在。他不得不容忍。與奢侈有關的貪贓枉法，凡是事涉複雜的政治力量的格局，他也不得不容忍。《晉書・裴秀傳》說都騎尉劉尙為裴秀占官田，司隸校尉李熹上書，要求治裴秀的罪，而武帝卻下詔，以裴秀有勛績於王室，不予過問。裴秀是司馬炎繼承王位的主要支持者，又是他即帝位的主要勸進者，他只好用「不可以小疵掩大德」為理由，掩蓋在處理事涉錯綜複雜的政治力量的格局時自己的困境。《晉・李熹傳》又引李熹的另一上疏：

> 故立進令劉友、前尚書山濤、中山王睦、故尚書僕射武陔各占官三更稻田，請免濤、睦官。陔已亡，請貶諡。

武帝卻下詔云：

法者，天下取正，不避親貴，然後行耳。吾豈將枉縱其間哉！然案此事皆是友所作，侵剝百姓，以繆惑朝士。奸吏乃敢作此，其考竟友以懲邪佞。濤等不貳其過者，皆勿有所問。

說「皆友所作」，就否定濤等有占官田之事；說「濤等不貳其過者」，又肯定濤等確有占官田之事，同一詔書內矛盾如此，其實是曲為濤等回護，明知濤等確曾侵占官田，而由於特殊的原因不予處罰。宋人司馬光評論此事，有一段非常精采的話：

政之大本，在於刑賞，刑賞不明，政何以成！晉武帝赦山濤而褒李熹，其於刑賞兩失之。使熹所言為是，則濤不可赦；所言為非，則熹不可褒。褒之使言，言而不用，結怨於下，威玩於上，將安用之！且四臣同罪，劉友伏誅而濤等不問，避貴施賤，可謂政乎！創業之初而政本不立，將以垂統後世，不亦難乎！（《資治通鑑》卷七十九）

「創業之初而政本不立」，說得好極了。司馬炎在許多問題上，受制約於錯綜複雜的政治勢力，不得不搞平衡，有所忌諱，下不了手，依違兩可，以至於政失準的，使許多有利於鞏固政權的措施無法實行下去，戒奢靡與反貪贓之所以無法實行，即是一例。在這個問題上，如果重臣不問，給予例外，則聲勢再厲，亦必以失敗告終，歷代如此。「政本不立」，蓋事出有因。

當然，如果司馬炎是一位雄才大略的有為之君，那麼即使面臨錯綜複雜的政治力量的格局，他也有可能把他的制奢俗以返儉約的方針堅持下去。但是他不是。他自己本來就是一位情欲物欲非常強烈的人，當他考慮到政權的時候，他認識到應該節儉；而當他受情欲物欲左右的時候，他自己就違背自己的決定，放縱起來。劉毅說他賣官而錢入私家，史無更多的記載，大約也是史家為君者諱的緣故吧！但看他並未反駁劉毅的指責，可見確是事實。《晉書・武元楊皇后傳》說：

泰始九年，博選良家以備後宮，先下書禁天下嫁娶，使宦者乘使車，給騶騎，馳傳州郡，召充選者使后揀擇。

《后妃傳・胡貴嬪傳》：

泰始九年，帝多簡良家子女以充內職，自擇其美者以絳紗繫臂。……時帝多內寵，平吳之後復納孫皓宮人數千，自此掖庭殆將萬人。而並寵者甚衆，帝莫知所適，常乘羊車，姿其所之，至便宴寢。宮人乃取竹葉插戶，以鹽汁灑地，而引帝車。

《宋書・五行志二》：

（泰始九年）採擇卿校諸葛沖等女，是春五十餘人入殿簡選，又取小將吏女數十人，母子號哭於宮中，聲聞於外，行人悲酸。

武帝之好色縱欲，實與他的提倡節儉克己完全相悖。他本人的這種氣質，就決定了他在晉國始建之後渴望要有一番作為的心願完全落空。劉頌曾上疏，說：「陛下每精事始，而略於考終。」（《晉書・劉頌傳》）在制奢俗以返儉約上，他也是這樣，有始無終。這除了上面說的他受制於錯綜複雜的政治勢力格局、不得不作出讓步之外，他自身的不正也是一個很重要的原因。事實上，他後來不惟不再倡儉約，且給奢侈的風氣以推波助瀾。

《世說新語・汰侈》

石崇與王愷爭豪，並窮綺麗，以飾輿服。武帝，愷之甥也，每助愷。曾以一珊瑚樹，高二尺許，賜愷，枝柯扶疏，世罕其比。愷以示崇。崇視訖，以鐵如意擊之，應手而碎。愷既惋惜，又以為疾己之寶，聲色甚厲。崇曰：「不足恨，今還卿。」乃命左右悉取珊瑚樹，有三尺四尺，條幹絕世，光彩溢目者六七枚，如愷許比甚衆，愷惘然自失。

王愷是王肅的兒子，他的姊姊文明皇后是司馬炎的母親。《晉書・外戚傳》說他「既世族國戚，性復豪奢，用赤石脂塗壁。石崇與愷將為鴆毒之事，司隸校尉傅祗劾之，有司皆論正重罪，詔特原之。由是衆人僉畏愷，故敢肆其意，所欲之事無所顧憚焉。」王愷和石崇，是歷史上甚為有名的極盡豪奢之能事的人物，《汰侈》說：

王君夫以粮澳釜，石季倫用臘燭作炊。君夫作紫絲布步障碧綾裡四十里，石崇作錦步障五十里以敵之。石以椒為泥，王以赤石臘泥壁。

石崇為客作豆粥，咄嗟便辦。恆冬天得韭蓱虀。又牛形狀氣力不勝王愷牛，而與愷出遊，極晚發，爭入洛城，崇牛數十步後，迅若飛禽，愷牛絕走不能及。每以此三事為扼腕。乃密貨崇帳下都督及御車人，問所以。都督曰：「豆至難煮，唯豫作熟末，客至，作白粥以投之。韭蓱虀是搗韭根，雜以麥苗耳。」復問馭人牛所以駛。馭人云：「牛本不遲由將車人不及制之爾。急時聽偏轅，則駛矣。」愷悉從之，遂爭長。石崇後聞，皆殺告者。

石崇是石苞的兒子，苞雖出身寒門而為司馬昭所重用，在諷魏禪晉中有功，已躋身於司馬氏的豪族集團中。《晉書・石崇傳》謂：「武帝以崇功臣子，有幹局，深器重之。」正因為有這種身份，所以他敢於與王愷鬥富。崇傳又謂其「財產豐積，室宇宏麗。後房百數，皆曳紈繡，珥金翠。絲竹盡當時之選，庖膳窮水陸之珍。」在他與王愷鬥富中，武帝幫助王愷這件事，意義在於它無疑煽起奢靡之風。這件事意味著，他已經首肯臣下們的這種極其放縱、窮極奢侈的生活，倡儉約以制奢侈的打算完全放棄了。王愷與石崇鬥富也說明，在朝士心中，絲毫也沒有了武帝倡儉約的詔令的影響。武帝曾經鄭重提到的焚雉頭裘以杜絕奇技異服的舉動，在朝士的心中，彷彿從未曾有過。在他們看來，競為豪奢是一種榮譽，連皇帝都參預了。而且事實上，武帝不惟參預了，而且在競豪奢上還時不時產生自己落伍了的感覺。《世說新語・汰侈》說：

> 武帝嘗降王武子家，武子供饌，並用琉璃器。婢子百餘人，皆綾羅絝襹，以手擎飲食。蒸豚肥美，異於常味。帝怪而問之，答曰：「以人乳飲豚。」帝甚不平，食未畢，便去。王、石所未知作。

王武子是王濟，又一位窮奢極欲的人物。他尚常山公主，是駙馬，以貴戚之尊，又為巨富，故揮霍無所忌憚。《晉書》本傳說：「時洛京地甚貴，濟買地為馬埒，編錢滿之。時人謂為『金溝』。」他是名士群體中人，但已進入司馬氏的權力中心，且已與司馬氏聯姻，故甚得司馬炎的眷愛。本傳記他當面譏刺武帝的事：

帝嘗謂和嶠曰：「我將罵濟而厚官爵之，何如？」嶠曰：「濟俊爽，恐不可屈。」帝因召濟，切讓之，既而曰：「知愧不？」濟答曰：「尺布斗粟之謠，常為陛下恥之。他人能令親疏，臣不能使親親，以此愧陛下耳。」帝默然。

引「尺布斗粟」之謠，是直指武帝不能容他弟弟齊王攸的事。⑩這正是武帝的一塊心病，當時王濟曾因攸的事被降官，事隔多年之後，他還敢於當面把這件事又提出來，而且提出來之後，武帝「默然」。非有極密切的關係，是不可能做到這一點的。用人乳餵豬而使其肉肥厚，這種作法在晉載籍中僅此一例。⑪連給駕牛的蹄角加以磨飾的王愷和在廁所列麗服藻飾的待婢十數的石崇都想不出來，無怪武帝聽後感到不平，終於吃不下去。這「甚不平」的心態是很有意思的，貴爲帝王，居然在臣下面前感到寒磣了。我們如果把他的這種心態與他屢下詔令倡儉約時的心態相比，就會感到判若天地。依他焚雉頭裘時的心態，這人乳餵豬，無疑也屬於奇技異服一類，應在禁止之列，是理應當時便加怒斥甚至責罰的，然而他的反應只是「甚不平」，只是食未畢而離去。他的這種心態，顯然是參加到競為奢侈的風氣中來了。

朝廷上下的奢侈之風，有晉一代是日甚一日的，成了不可遏止之勢。《晉書・五行志》說，何劭的奢侈過其父，王愷又超過何劭，而石崇之侈，又兼王、何，而儷人主。羊琇、賈謐、賈模都是有名的競為豪奢的人物。奢侈之風，演成有晉一代士風之重要標誌。

與奢靡有關的一點是結黨與士無特操。

四

西晉始建之際，朝廷基本上是兩派勢力，前引《晉書・任愷傳》提到賈充、楊珧、王恂、華廙為一黨，庾純、張華、溫顒、向秀、和嶠、任愷為一黨。其實，其時朋黨所涉及的人數還更為廣泛些。大體說來，親司馬氏一派，還包括在司馬氏奪取政權與有力焉的何曾、王沈、裴秀、羊琇、荀顗、傅玄、荀勖、馮紞等人，其中尤以賈充、裴秀、王沈最重要。時人曾為之謠曰：「賈、裴、王，亂紀綱；王、裴、賈濟天下。」意謂亡魏者此三人，成晉者此三人也。王沈與賈充，都是弒高貴鄉公，為司馬炎登基掃清最後一個障礙的功臣，不惟參預勸進，且先在司馬炎嗣王位這件事上有功，其為司馬氏之心腹，固不待言。裴秀原是名士，《世說新語・賞譽》引「諺」曰：「後進領袖有裴秀」。劉注引虞預《晉書》：「秀有風操，八歲能著文。叔父徽，有聲名。秀年十餘歲，有賓客詣徽，出則過秀。時人為之語曰：後進領袖有裴秀」。裴秀死於泰始七年，年四十八，則其十餘歲，當在魏明帝景初至曹芳正始初之間，大概也在此後不久，毌丘儉薦之於曹爽，說他「生而岐嶷，長蹈自然，玄靜守真，性入道奧。」（《晉書・裴秀傳》）曹爽辟他為掾，年二十五，遷黃門侍郎（虞預《晉書》）。年二十五，也就是在正始九年，即曹爽被司馬氏剪除之前一年。這就是說，前此裴秀是名士群體中人，且親近曹魏。他何時、何種原因投向司馬氏，史無明文。《晉書》本傳說爽誅，秀以舊吏免官，但不久便被任為廷尉。他之受到司馬昭的信任，可能從參預討諸葛誕開始；而成為司馬炎的心腹，則可能是在昭立世子這件事上。昭要立次子攸為世子，而秀事先受到了炎的拉攏，歸心於炎，在昭面前說：「中撫軍（炎）聰明神武，有超世之才，人望既茂，天表如此，固非人臣之相也。」昭於是立炎為世子。這是炎得以登極的最為關鍵的一件事，他無疑是感念秀的功勞的。而秀也因此而成為炎的心腹。他在此後的行為中，再沒有原來名士的趣味。

羊琇是景獻羊皇后的從父弟，本傳說他「少與武帝通門，甚相親狎，每接筵同席，……初，帝未立為太子，而聲論不及弟攸。文帝素意重攸，恆有代宗之議。琇密為武帝畫策，甚有匡救。又觀察文帝為政損益，揆度應所顧問之事，皆令武帝默而記之。其後文帝與武帝論當世之務及人間可否，武帝答無不允，由是儲位遂定。」他也是武帝得以嗣位的重要謀士，他之成為武帝心腹，除了他是外戚之外，主要也是因為這一點。由於琇性豪侈縱恣，又在齊王攸出藩問題上切諫忤旨，他後來是被武帝疏遠了的，但是在那以前，他一直典禁兵、豫機密，完全地忠於武帝。

荀顗與司馬氏姻通（顗之姪荀霬妻司馬師之妹⑫）。他之親近司馬氏一黨，遠在正始時期。顗《傳》謂：「時曹爽專權，何晏等欲害太常傅嘏，嘏營救得免。」傅嘏是司馬氏一起反對曹爽新政的有力者，他參預司馬師平定毌丘儉的起兵。在那次戰爭中，司馬師病死軍中，傅嘏與司馬昭率軍徑還洛陽；司馬昭遂得以輔政。⑬從這一點我們可以看到，顗靠近司馬氏一黨的情形。咸熙元年，司馬昭進爵為王，顗便進一步靠近司馬氏。習鑿齒《漢晉春秋》載顗阿承晉王事：

晉公既進爵為王，太尉王祥、司徒何曾、司空荀顗並詣王。顗曰：「相王尊重，何侯與一朝之臣皆已盡敬，今日便當相率而拜，無所疑也。」祥曰：「相國位勢誠為尊貴，然要是魏之宰相，吾等魏之三公，公王相去一階而已，班列大同。安有天子三公可輒拜人者？損魏朝之望，虧晉王之德。君子愛人以禮，吾不為也。」及入，顗遂拜而王長揖。

由是可見，晉國始建之前，顗已經自覺與司馬氏站在一起了。

但是，最為重要的，使司馬昭確信顗可為心腹，是高貴鄉公初即位而顗即向昭進謀議的行為。《晉書》本傳謂：「及高貴鄉公立，顗言於景帝曰：『今上踐阼，權道非常，宜速遣使宣德四方，且察外志。』毌丘儉、文欽果不服，舉兵反。顗預討儉有功，進爵萬歲亭侯。」高貴卿公曹髦是一位立志有所作爲的少主，顗看出來這一點，為昭謀慮防范，這無疑使昭感到親近。他以後的行爲說明，他之忠於司馬氏是無可懷疑的。後來武帝即位，在進顗為司徒的詔書裡說：「侍中、司空顗，明允篤誠，思心通遠，翼亮先王，遂輔朕躬，實有佐命弼導之勛。」

至此我們可以看出，司馬氏的腹心，從何曾、王沈、裴秀、賈充到羊琇、荀顗，他們結成一體的共同一點，便是在幫助司馬氏奪取政權的過程中都發揮過重要作用。他們都是晉室始建的功臣。而另一勢力主要人物，則屬於名士群體而由於各種原因入仕晉室的人物。他們大都有甚高的聲望。例如和嶠、裴楷、山濤，泰始間並稱一時盛德。關於山濤，我們在上一章已論及，他雖屬於竹林七賢之一，而入晉以後實受到司馬氏的極端的信任，他事實上已不屬於名士群體的這一派，和嶠和裴楷，則確可作為這一派的主要代表。

嶠為夏侯玄之甥，立身行事，以夏侯玄為楷模。《三國志・魏書・和洽傳》裴注引《晉諸公贊》：

> 嶠常慕其舅夏侯玄之為人，厚自封植，嶷然不群。

和嶠在其時甚被崇重，潘岳在《閑居賦序》裡，就以曾被和嶠評論過而引以為榮⑭。和嶠名望之崇重，直至東晉也不衰。《晉書・王舒傳》說王導勸舒之子允就義興太守時說：「和長輿海內名士，不免作中書令。」蓋其時允以父喪而辭義興太守，導以嶠為例，謂名士如嶠者，父喪猶作中書令，允也不應因父喪而辭義興太守，導之言語，足茲說明嶠之行事仍為東晉人之風範⑮。

與和嶠同樣有著名士聲望的裴楷，是裴秀的從弟，說來也是很有意思的事，裴秀之父裴潛，子裴頠，都是崇尚實有的名士；而裴楷之父裴徽，子綽、從子遐，卻都是善談玄虛的名士。徽為潛之弟，兩門之差別如是，此中似頗有可研究者。楷年少時已有聲望，《晉書》本傳謂其「明悟有識量，弱冠知名，尤精《老》、《易》，少與王戎齊名。」他與和嶠一樣，都是王渾的女婿。王渾曾經稱他性不競於物，安於恬退。他之受到司馬昭的重視，據說是鍾會在司馬昭面前對他有高的評論，會說：「裴楷精通，王戎簡要。」（《世說新語・德行》注引《晉諸公贊》）他有知人鑑識，在他對人的評論中，可看出來他對夏侯玄的崇敬。《世說新語・賞譽》說：「裴令公目夏侯太初，肅肅如入廊廟中，不修敬而人自敬。」他受到了普遍的贊賞。他之在朝，顯然是作為名士的代表人物而受到器重，並非作為司馬氏政權的心腹而受到重用的。

任愷和庾純，都以剛直立朝而知名，史稱純「博學有才，為世儒宗。」（本傳）而純之行事，於世人眼中，似更具名士風采。《晉書・桓彝傳》附《石秀傳》：

石秀，幼有令名，風韻秀徹，博涉群書，尤善《老》、《莊》。常獨處一室，簡於接應，時人方之庾純。

石秀為東晉名士，性放曠，常弋釣林澤，不以榮爵為心。東晉人拿他比方庾純，除了他博涉群書這一點與庾純相同外，似還指其品格與純有相似處。可見，在東晉人眼中，純實為一名士之形象。

當然，作為名士的代表人物，最重要的是張華。華少孤貧，曾自牧羊，然好學博識，曾受到阮籍的贊賞，因之而獲譽。他是由郡守的薦舉而受到司馬昭所用的，與曹魏或司馬氏集團均無關係。他之獲致盛名，與受到晉室的器重，乃因其學識。《晉書》本傳謂其「強記默識，四海之內，若指諸掌。武帝曾問漢宮室制度及建章千門萬戶，華應對如流，聽者忘倦，畫地成圖，左右屬目。帝甚異之，時人比之子產。」又謂：「華名重一世，衆所推服，晉史及儀禮憲章，並屬於華，多所損益，當時詔誥皆所草定，聲譽益盛，有台輔之望焉。」又稱：「華性好人物。誘進不倦，至於窮賤侯門之士有一個之善者，便咨嗟稱咏，為之延譽，雅愛書籍，身死之日，家無餘財，惟有文史溢於機篋。嘗徙居，載書三十乘。秘書監摯虞撰定官書，皆資華之本以取正焉。天下奇秘，世所希有者，悉在華所。由是博物洽聞，世無與比。」顯然，張華是以著名學者的身份立身於朝的。南渡之後，荀崧上疏，還提這一點。崧謂：

世祖武皇應運登禪，崇儒興學，……九州之中，學士如林，猶選張華、劉寔以居太常之官，以重儒教。（《晉書・荀崧傳》）

但是在張華的著作裡，我們卻可以看到，他其實受到老莊思想的深刻影響，他的思想傾向，有許多與當時的玄學名士是相同的。《歸田賦》說：

用天道以取資，行藥物以為娛。時逍遙於洛濱，聊相佯以縱意。目白沙與積礫，玩衆卉之同異；揚素波以濯足，溯清瀾以蕩思；低徊住留，棲遲庵藹，存神忽微，游精域外；藉纖草以為茵，援垂陰以為蓋；瞻高鳥之陵風，臨鰷魚於清瀨；眇萬物而遠觀，修自然之通會，以退足於一壑，故處否而忘泰。（《藝文類聚》卷三十六）

這賦裡說他是服藥的，而且娛心於自然。《鷦鷯賦》則全用莊子思想以認識人生，《序》說，鷦鷯色淺體陋，不為人用，故物莫之害；而鷲鶚鵾鴻，孔雀翡翠，有用於人，故皆負矰嬰繳。《賦》說：鷦鷯「委命順理，與物無患。伊茲禽之無知，何處身之似智，不懷寶以賈害，不飾表以招累。靜守約而不矜，動因循以簡易。任自然以為資，無誘慕於世偽。」（《文選》卷十三）在《贈摯仲恰詩》裡，也表現了老莊思想：

君子有逸志，棲遲於一丘，仰蔭高茂林，俯臨淥水流。恬淡養玄虛，沈精研聖猷。（《全晉詩》卷三）

在《勵志詩》中，也表現出對於返歸自然、無所雕飾的嚮往：「雖有淑姿，放心縱逸。出盤於遊，居多暇日，如彼梓材，弗勤丹漆。雖榮朴斫，終負素質」。「安心恬蕩，棲志浮雲。體之以質，彪之以文。」（《全晉詩》卷三）他常常表現出對於職事煩冗的厭倦心理，而嚮往於不受約束，「乘馬佚於野，澤雉苦於樊。役心以嬰物，豈云我自然！」（《全晉詩》卷三）《莊子·大宗師》托子輿之口說：「浸假而化予之尻以為輪，以神以馬，予因以乘之，豈更駕哉？且夫得者時也，失者順也，安時而處順，哀樂不能入也。此古之所謂縣解也。」莊子想用這個故事，來說明萬物一體，死生一貫。張華暗用這個典故，來表述自己返歸自然，泯心於自然的願望；用「澤雉」典，意亦同此。從心態上看，張華與和嶠、裴楷諸人有相似處。

和嶠、裴楷、張華、庾純、任愷等人的共同特點，是以自身聲望為世所重，立身也較為清正。比較晉國始建之初這兩大勢力，我們就會發現，何曾、王沈、裴秀一系，他們的勢力主要來源於司馬氏的信任，他們都是晉逼魏禪的功臣，是司馬氏的心腹；而和嶠、裴楷、張華、庾純、任愷一系，他們的勢力則主要來自於名士群體，他們代表著相當一部分士人的願望與意向。這部分士人，對於司馬氏的禪代存有腹非，雖入仕晉室，而仍心存介蒂。但是更主要的，是這部分士人鄙薄王沈、賈充輩的行為。他們視自身為高潔清正，而視王沈、賈充輩為奸詐汚濁。他們與賈充輩的矛盾，主要的便在這一點上。從現存史料看，並未發現他們有反對司馬氏的行為。有學者以為，晉建國之後，朝廷中存有一個代表曹魏利益的勢力。⑯這是不確的。名士群體的代表人物雖對司馬氏的禪代心存介蒂，但他們並不在於反對司馬氏。好像是一種既成局面使他們不得不面對現實。而且，他們其實也並不是個緊密的團體，並無政治上的利益一致性。他們的親近，主要是立身之道相近，與其說是政治上的一致性使他們形成朋黨，無寧說是道德上的一致性使他們形成朋黨。這一點是很重要的。這一點決定了晉國始建之後朝廷上的政爭並非根源於曹魏與司馬氏兩派的利益，而是既成局面中名士群體與司馬氏心腹的矛盾。為了鞏固政權，司馬氏無疑要依靠他的心腹；而為了得到士人的普遍支持，使這個政權獲得道義上的力量，他又不得不依靠名士群體。這就是我們在前面提到的他不得不採用平衡手段的最主要的原因。如果名士群體代表的是曹魏勢力，是在向司馬氏奪取政權，那麼司馬氏就不是採取平衡，而是採取反對態度的問題了。

兩派勢力在武帝時期有幾次大的較量。泰始七年秋七月，武帝問裴楷：「朕應天順時，海內更始，天下風聲，何得何失？」炎的意思，是想從裴楷了解名士們對於朝政得失的看法，不料楷的回答大出意外，他竟把目標完全對著賈充：

> 陛下受命，四海承風，所以未比德於堯舜者，但以賈充之徒尚在朝耳。方宜引天下賢人，與弘正道，不宜示人以私。（《晉書・裴楷傳》）

楷的回答有兩點值得注意，一是他把朝廷的過失歸之於「賈充之徒」，不僅是賈充一人，而是賈充一幫；另一是他把炎對於「賈充之徒」的信任說成是「示人以私」。示人以「私」指什麼？充女為武帝之弟齊王司馬攸之妃，「私」或指此一點姻親關係而言。然既言「之徒」，則所謂「私」者，當也指賈充一幫在武帝繼位與晉逼魏禪中作為武帝心腹而言。此兩點可注意，說明楷的回答是對著武帝心腹的賈充一黨來的，明確要求他們離開朝廷。而楷的回答又很快得到庾純和任愷的協助。純的說辭不得而知，愷的說辭則見於《晉書・任愷傳》：

會秦、雍寇擾，天子以為憂。愷因曰：「秦、涼覆敗，關右騷動，此誠國家之所深慮。宜速鎮撫，使人心有庇。自非威望重臣辭計略者，無以康西土也。」帝曰：「誰可任者？」愷曰：「賈充其人也。」中書令庾純亦言之，於是召充西鎮長安。

愷的說辭是很巧妙的，他利用了上一年夏天和這一年四月出現的秦，雍形勢，和武帝的憂慮心理，以薦賢的名義行排充的目的。楷與純、愷配合如此密切，是否事先謀划，無確鑿證據。然愷《傳》謂在此之前「愷惡賈充之為人也，不欲令久執朝政，每裁抑焉。充病之，不知所為。」愷利用了泰始初武帝對他的信任。泰始初何曾、鄭沖、王祥等以老疾歸第，愷其時為侍中，受武帝之委派，就此數人家中以咨詢當世大政。他之裁抑賈充，大概就是借這樣接近武帝的機會。而充亦承間排擠愷。他所用的辦法與愷一樣，都是以薦賢的名義行排擠之實。他對武帝說，愷忠貞局正，宜在東宮使護太子。但是充的目的沒有達到，愷被任命爲太子少傅，卻仍然保存著侍中的職位。⑰雙方這樣多次的小動作，都沒有達到目的，自然也便醞釀著更大的動作。從種種跡象看，事先似有謀划。充《傳》說庾純與任愷之疾賈充也，又以充女為齊王妃，懼其權勢日益隆盛，故思有以抑之。是則對於充之種種行為，固已有認真之分析判斷。而從裴楷的回答看，這個大動作亦應理解為事先得到了協調。蓋楷之回答屬隨機性質。武帝之發問為政之得失，範圍極廣，且冀望回答者為對於朝政得失之評價。此類問題是否提出，何時提出？楷事先當然並未想到。而在並未想到的情況下，回答竟是直指賈充。設若事先沒有協調，沒有做準備，則此種隨機性回答似不可能。只有在事先醞釀，準備一旦時機到來便發難的情況下，才會有如此自然之應變。且庾純與任愷，得以迅速配合。楷的回答是第一層次，意在造成這樣一種印象：朝廷之過失，罪在賈充。使武帝從感情上疏遠賈充，而並未明確提出對充的處理辦法。任愷的建議是第二層次，意在乘武帝心理上有所準備之後，巧妙地提出安排賈充離開朝廷。從表面上看，楷與愷的回答似無聯系，而實為一個計划之巧妙展開。武帝不知是由於感情上確已疏遠充，還是由於並未覺察其中用意，終於同意愷的建議，任命充都督秦、涼二州諸軍事。這顯然是朝中名士們的一個不小的勝利。這個勝利在當時似乎有過一個短暫的大歡喜的局面，《晉書·賈充傳》說：「朝之賢良欲進忠規獻替者，皆幸充此舉，望隆維新之化。」這一處理對於賈充一黨來說，似出意外，大有惘然失措之感，充傳謂充「自以為失職，深銜任愷，計無從出。」但是這事並沒有結束，充準備了一次更為有力的反擊。在朝臣們於夕陽亭為他送行時，荀勖為他出了一個極為高明大膽而且又是極為卑劣的主意，說只有將女兒嫁給太子，才有可能避免秦、涼之行。讀史者都知道荀勖是一位品格極惡劣的小人，只有他能想出如此齷齪的主意。由於他的人品低劣，所以和嶠曾經以與他同車為恥。他給賈充出了這樣一個主意之後，又主動表示願意出面去說這樁婚事。充《傳》謂：

俄而侍宴，論太子婚姻事，勖因言充女才質令淑，宜配儲宮，而楊皇后及荀顗亦並稱之。帝納其言。

事實上此事也經過了一番周密佈置，荀勖先說馮紞，而充妻郭槐則賄賂楊皇后左右，使楊皇后說帝納充女，形成一種多方面勸說武帝的局面。勖說紞云：

賈公遠出，吾等失勢。太子婚尚未定，若使充女得為妃，則不留而自停矣。（《晉書・荀勖傳》）

從勖之說辭，可看出來賈充的外任對其黨羽震動之大，彼等傾全力以使充得以繼續留在朝廷之內，乃一極自然之趨勢。而欲達此目的，則唯一之可能，在使充聯姻於天子家。

武帝本欲為太子娶衛瓘女，而楊皇后納賈、郭親黨之說，勸帝為太子娶賈充女。《晉書・惠賈皇后傳》云：

帝云：「衛公女有五可，賈公女有五不可。衛家種賢而多子，美而長白；賈家種妒而少子，醜而短黑。」元后固請，荀顗、荀勖並稱充女之賢，乃定婚。

《荀勖傳》云：

勖與紞伺帝間並稱充女才色絕世，若納東宮，必能輔助君子，有《關雎》后妃之德。

這是一件很奇怪的事，武帝既已知充女妒而且醜，何以勖，紞等說充女絕美而且賢（《荀顗傳》也說，顗上言賈充女姿德淑茂。）而武帝便即認可。這其實是絕不可能的事，所謂「五不可」，顯然事先已認真了解過，有其事實之依據，絕非他人再加說辭所能改變。之所以又認可，當是另有原因。蓋賈充之外任，已觸動充黨之根本利益，若不給予一定撫慰，則晉室所賴以建立的最基本的支撐力量勢將減弱。充《傳》又謂羊祜曾密啟留充。羊祜為當時朝廷中甚有影響之重臣，彼密啟留充，原因何在，不得而詳。按祜非充黨，其所言行，用意當有異於勖、顗、紞輩，非為黨充而留充。其中或有一種訊息：充之外任，於充黨觸動至大，若不有所改變，於朝政之穩定不利。凡此種種，都可以說明，炎的認可，實是一種讓步，一種撫慰，一種不得已而為之的行動。

結果果如荀勖之所預料，太子定婚之後，賈充秦、涼之行遂寢。充《傳》謂：「會京師大雪，平地二尺，軍不得發。既而皇儲當婚，遂不西行。詔充居本職。」至此，愷與充兩派勢力又維持了一次均衡，又得到了一次暫時穩定。

從這一事件的發展看，使人想起了我們在上一節中提到的關於殺高貴鄉公前前後後的處理，那是從另一個角度搞的政治平衡。那件事的最後一次爆發，即庾純責問賈充「高貴鄉公安在」那一次，是發生在這裡說的任愷等人與賈充輩圍繞賈充外任問題展開鬥爭之後一年。可見，司馬炎在晉國始建之後在政治上搞平衡是一貫的手腕。而這種政治平衡術，在後果上必然帶來的問題，是只能求得暫時的穩定，而矛盾始終存在。司馬炎是知道這一點的。《晉書・任愷傳》謂：

帝知之，召充、愷宴於式乾殿，而謂充等曰：「朝廷宜一，大臣當和。」充、愷各拜謝而罷。既而充、愷等以帝已知之而不責。結怨愈深，外相崇重，內甚不平。

雙方既已看到「帝已知之而不責」，此後便又是一系列的浸潤離間，互相排擠，圍繞太子嗣位，伐吳、齊王攸的出藩等問題，展開爭鬥，而炎則在雙方的爭鬥中依舊運用平衡的手腕。最典型的事例莫過於伐吳之役。伐吳之役，賈充極力阻撓，直至上表請斬促成此役的張華以謝天下。吳平，理應論充之罪，炎不惟不問，且同予獎賞。張華以功增邑萬戶，而充亦增邑八千戶。在一個關係國之大局的事件中，是非雙方都予以褒賞，這在歷史上也是很少有的。炎在兩種勢力中求得平衡的用心，終其在位二十五年間，從未改變。

從司馬炎的角度來看，他之所以在晉初的朋黨之爭中採取平衡策略，實有不得不如此之因由。從感情說，他親近的無疑是賈充一派，他們是他的親信，是他立國的功臣，但是他也知道他們品格低下，為朝野所鄙薄。他需要名士群體的聲望，需要他們的支持。他既不能拋開他的心腹之臣，又不能失去他的朝廷的聲望所在，在這兩難的境地中，唯一可供選擇的出路，便只有這平衡。

這平衡掩飾著有晉立國之不義，雖獲得一時之穩定，而亦導向了邪正不分，善惡一視。干寶《晉紀總論》云：

> 二祖逼禪代之期，不暇待「三分」「八百」之會也。是其創基之本，異於先代者也。又加之以朝寡純德之士，鄉乏不二之老，風俗淫僻，恥尚失所。……國之將亡，本必先顛，其此之謂乎！

干寶的論述是深刻的，立國者既非由於行德政而獲天下，立國之後又恥尚失所，求其不敗，其可致乎？

不過，我們考察晉國初期政爭之此種局面，意並不在論其為政之得失，而在認識此種局面對於士人心態之影響。政局這種恥尚失所，政失準的的局面，對於士人的影響，是失去士人心中用以行事立身的凝聚力。名士群體在入晉之後，實有一種甚為複雜之心理。殺何晏一役，天下名士去其半；殺嵇康而向秀失圖，名士群體在思想上受到甚大之震動與壓力，固無疑義。他們之立朝，在感情上與諂媚求榮之司馬氏心腹有一種對立，是很自然的事。他們以剛直正潔自恃，從這一角度出發，行事往往有益於朝政，如伐吳，太子婚娶、嗣位，齊王攸出藩等問題，他們的立場都是正確的，事實上都於晉室有益。但是他們的行為得不到支持，他們中的一些人並且因此而被疏遠。這無異於是對他們賴以立身的基本準則的否定。他們原本是以剛直正潔自恃而仕晉的，此一點既失去其價值，則凝聚力隨之亦消失。要說晉初的政爭對於名士群體的最重要的心理影響的話，應該說那便是朝廷中邪正不分，便是維持剛正的信心的消失。這正是干寶所說的政失其本的重要內容，也正是以後一系列禍亂的思想基礎。

如果說晉初的朋黨之爭主要是在名士群體與司馬氏心腹之間進行的話，那麼後來的發展這個界限便消失了。接著而來的惠帝一朝的政爭，便完全陷入私利之中，根本沒有邪正可言。干寶《晉紀總論》有一段非常精采的論述：

民不見德，唯亂是聞，朝為伊、周，夕為桀、跖，善惡陷於成敗，毀譽脅於勢利。於是輕薄干紀之士，役奸智以投之，如夜蟲之赴火。內外混淆，庶官失才，名實反錯，天網解紐。

這樣的政治環境，對於士人的價值取向有決定的意義，士無特操，成了一種普遍現象。賈謐擅權與八王之亂中，士之歸附去就，多視私利而定，全無名節可言，「役奸智以投之，如夜蟲之赴火，」是非了不在念中。即使原先以正直自許，係念朝廷安危的士人，捲入奸詐政爭之中，亦往往行權宜之計，不問是非曲直。張華原與賈充一黨不合，我們前面提到伐吳之役，賈充請斬張華以謝天下的事，賈充一派荀勖、馮紞等也屢欲害華，賈后亂朝，賈謐擅權，華亦知其禍國，而仍為謀劃，此中因由，乍看似有甚不可解者。《晉書‧裴頠傳》謂：

> 頠深慮賈后亂政，與司馬張華、侍中賈模議廢之而立謝淑妃。華、模皆曰：「帝自無廢黜之意，若吾等專行之，上心不以為是。且諸王方剛，朋黨異議，恐禍如機發，身死國危，無益社稷。」頠曰：「誠如公慮。但昏虐之人，無所忌憚，亂可立待，將如之何？」華曰：「卿二人猶且見信，然勤為左右陳禍福之戒，冀無大悖。幸天下尚安，庶可優遊卒歲。」此謀遂寢。

賈后之謀廢太子，華知其謀（華《傳》記劉卞與華言及此事時華之答詞，顯係知之而有意回避），而亦未能有所救護。而更重要的一點，是賈后以陰謀借楚王司馬瑋之手以殺汝南王司馬亮與太保衛瓘，此事本罪在賈后，而華竟為賈后出謀以殺楚王瑋。王鳴盛論張華，謂：「張華作《鷦鷯賦》，見本傳。繹其詞，有知足知止之義。乃周旋邪枉之朝，委蛇危疑之地，以殺其身，可謂能言不能行矣。」（《十七史商榷》卷四十八）

其實，張華還是比較好的。王鳴盛又提到潘岳等人，謂：

> 潘岳、石崇附賈謐，望塵而拜，不待言矣。而劉琨、陸機、亦皆附謐，在二十四友之數。越王倫之篡，樂廣號玄虛，仍奉璽綬勸進，而劉琨則為倫所信用，晉少貞臣如此！（《十

七史商榷》卷四十九）

望塵而拜，只見其卑瑣諂媚，二十四友中有比此更為不足言者。劉琨之兄劉輿，《晉書・王尼傳》謂其與王澄、胡毋輔之諸人共詣護軍門，與王尼炙羊飲酒事，可知其在當時已被目為名士，而其奸猾卑劣，則實在令讀史者咋舌。輿之妹嫁趙王倫子荂，又與倫之另一子虔相親愛，故輿附趙王倫。雖曾為倫之權臣孫秀所排擠，而於齊王冏、河間王顒、成都王穎起兵攻倫時，輿受孫秀之命，勸虔出兵以拒三王。孫秀實八王之亂最早的陰謀者，狡黠邪佞為朝野所共知，而輿雖為其所擠又為其所用，其無特操若是！不惟如此，倫敗之後，他依附於東海王司馬越與范陽王司馬虓，為越、虓之謀士，誣陷近臣，無所不至。河間王顒檄劉喬討范陽王虓，矯詔曰：

> 輿兄弟昔因趙王婚親，擅弄權勢，凶狡無道，久應誅夷，以遇赦令，得全首領。小人不忌，為惡日滋，……今遣右將軍張方為大都督，……率步騎十萬，會同許昌，以除輿兄弟。

（《晉書・劉輿傳》）

這詔書對於劉輿的描述，並無誇大之處，他實在是一位邪鄙小人。他與潘滔合謀誣陷何綏，以使東海王越殺綏。（事在《晉書、何曾傳》）他矯詔殺害成都王穎，手段是很殘忍的。他在司馬越幕下設陰謀欲害庾顗，狡詐多端。《晉書・庾顗傳》記此事，謂：

> 時劉輿見任於越，人士多為所構，惟顗縱心事外，無跡可間。後以其性儉家富，說越令就換錢千萬，冀其有吝，因此可乘。

由於庾顗的機智，輿的計謀沒有實現。在劉輿的行動裡，我們再也找不到正始名士的那種操守了。他可以依違四方，只要有利可圖，是什麼事都可以做的。二十四友中的牽秀，也是這樣一位無行的人，他先依附於長沙王乂，後又投奔成都王穎，為冠軍將軍。穎派陸機統率大軍二十萬，攻打乂，秀在部中。在攻打乂時，兵敗河橋，他便把責任完全推給了機。宦人孟玖，誣機兵敗乃謀反所致，而秀亦證成機之罪，並且奉穎之命，把機斬了。而陸機這樣一位才華卓著，在當時和後世都享譽甚高的士人，在操守上也沒有一以貫之的態度。他入洛可以不論，那是形勢使然，南北統一已是不可變易的現實，他是無法抗拒也不必抗拒的。事實上後代也沒有把他入洛看作操守問題，相反，倒是把它看作一樁風流瀟灑的故事。宋人蘇軾，把自己與弟弟入京不無羨慕與自豪地比作二陸人洛：「當時共客長安，似二陸初來俱少年。有筆頭千字，胸中萬卷，致君堯舜，此事何難！」（《東坡樂府、沁園春》）機之不能堅持自己的操守，是在趙王倫篡位時參預勸進。雖然事實上他並未撰寫九錫文與禪詔，被誣而終於得到辨白，但是他職在中書，參預其事卻是難以推脫的。倫逼惠帝出居金庸城，機與和郁、王睿本來是跟隨惠帝的，但到了金庸城下便返回了（《晉書・趙王倫》）。他之依附於趙王倫，已然是事實。後來趙王倫敗亡，他又依附於成都王穎，攻打長沙王乂。乂當時擁惠帝以據洛。機之依附於穎，實在也找不出道德上的理由，不過是一種利害關係的選擇罷了。劉宋謝晦論潘、陸，謂：「安仁諂於權門，士衡邀競無已，並不能保身，自求多福。」（《南史・謝晦傳》）所論甚確。機在二十四友中是比較正派的一位，尚且如此！

還有一位很有名的名士，就是上引王嗚盛提到的樂廣。樂廣是以口談玄虛、風流瀟灑著稱的。這點我們後面還將談到。他是夏侯玄賞識過的人。《晉書》本傳說：「王戎為荊州刺史，聞廣為夏侯玄所賞，乃舉為秀才。」裴楷、王衍皆極賞識廣，自嘆不如；衛瓘亦對其稱道備至。但是趙王倫篡位。廣奉璽綬勸進，此事見於《晉書・趙王倫傳》：

倫從兵五千人，入自端門，登太極殿，滿奮、崔隨、樂廣進璽綬於倫，乃僭即帝位，大赦，改元建始。

這件事影響甚大。樂廣為中朝最著名之名士代表人物之一。直至南渡之後，士人亦每每稱道之；然奉璽綬一事，亦成其汚點，每被提及。《世說新語・品藻》記此事，謂：

謝公與時賢共賞說，遏、胡兒並在坐。公問李弘度曰：「卿家平陽，何如樂令？」於是李潸然流涕曰：「趙王篡逆，樂令親授璽綬。亡伯雅正，恥處亂朝，遂至仰藥，恐難與相比。此自顯於事實，非私親之言。」謝公語胡兒曰：「有識者果不異人意。」

平陽，指李重，曾為平陽太守，趙王倫為相國時，重為左司馬，他看到倫將篡位，便有疾不治，遂以致卒。（事見《世說新語・賢媛》與《晉諸公贊》）弘度拿他與樂廣比，謂廣之不可取。

樂廣是把自然與名教看作一體的。但是他之為倫篡位進璽綬，卻顯然與名教完全相悖。這些都說明，操守問題，即使當時最著名的士人，也已經不在念中，蓋整個政爭邪正不分，而朝廷在對待政爭上又失去準的，造成士人操守觀念之解體所使然。

政失準的，導致士無特操，乃西晉一朝士人心態之一普遍現象。

第二節 「士當身名俱泰」：西晉士人心態之主要趨向

西晉的政局既造成一個失卻思想凝聚力的環境，它也便為士人的生活風範、理想人格、人生情趣帶來了種種的影響。西晉是以名教立國的，然有晉一代，除了孝尚未泯滅外，名教的其他內容，差不多都已經名存實亡。上一節已談到了朝廷在對待「忠」時的兩難境地；又提到奢靡之風為有晉之痼疾；提到政失準的與士無特操，這些都是為名教所不容的，而在西晉，卻是很普通很自然的事，並不受到譴責。《晉書・忠義傳序》說：「晉自元康之後，政亂朝昏，禍難荐興，艱虞孔熾，遂使奸凶放命，戎狄交侵，函夏沸騰，蒼生塗炭，干戈日用，戰爭方興。雖背恩忘義之徒不可勝載，而蹈節輕生之士無乏於時。」在忠義傳里，八王之亂以前的一個也沒有，其時朝廷於忠義一事，實未能坦然倡導，士亦依違兩可。名士群體中雖有人對司馬氏之弒君心存不滿，時亦借機發泄，而終亦未見有蹈節赴義者。更重要的是其時沒有一種提倡忠節的輿論環境。八王之亂至永嘉南渡之前，忠義傳裡記錄幾位，嵇紹的行為，實在是一個很特殊也很費解的例子，忠而不孝，連司馬光也頗有非議，於名教而言，實非典範。王育之入忠義傳，又是一不可理解之實例。育為成都王穎振武將軍，請兵破劉元海，而為劉元海所拘。元海僭即漢王位，育為侍中，替元海多所謀議，後竟至太傅（事在《晉書・劉元海傳》）。王育之入忠義傳，僅因其初入仕時，為京兆太守杜宣所賞識，而杜宣曾受辱於小吏，育執刀將殺小吏，謂：「君辱臣死，自昔而然。」以此一點，而不論其晚節不忠，列之忠義傳，亦足見其時忠義實已蕩然，史臣立傳，無可選擇之境況。了解了這一點，我們在後面將要談及的玄學新義中主自然與名教統一的真實的內容，就較易理解了。

政權既失去思想的凝聚力，名教在士人生活中的地位亦名存實亡，士之出處去就，便純然以自我之得失為中心。從西晉士人的普遍心態看，他們的注意力轉向家族的興衰，轉向自身的利益，轉向利祿名位之爭奪，而置國家於不顧。干寶《晉紀・總論》論此甚為精采：

學者以莊老為宗而黜六經，談者以虛薄為辯而賤名檢，行身者以放濁為通而狹節信，仕進者以苟得爲貴而鄙居正，當官者以望空為高而笑勤恪。是以目三公以蕭杌之稱，標上議以虛談之名。劉頌屢言治道，傅咸每糾邪正，皆謂之俗吏。其倚杖虛曠，依阿無心者，皆名重海內。若夫文王日昃不暇食，仲山甫夙夜匪懈者，蓋共嗤點以為灰塵，而相詬病矣。由是毀譽亂於善惡之實，情慝奔於貨欲之塗。選者為人擇官，官者為身擇利。而秉鈞當軸之士，身兼官以十數。大極其尊，小祿其要，機事之失，十恆八九。而世族貴戚子弟，陵邁超越，不拘資次。悠悠風塵，皆奔競之士，列官千百，無讓賢之舉。……禮法刑政，於此大壞，如室斯構，而去其鑿契；如水之積，而決其堤防；如火斯畜，而離其薪燎也。

干寶對其時之情形，作了整體審視，而其著眼點，則在於指出名教大壞於其時。「悠悠風塵，皆奔競之士」，可看作此時士人風貌之極生動之寫照。他們的心態的主要傾向，可以用石崇的話來作代表。《晉書・石崇傳》謂：

嘗與王敦入太學，見顏回、原憲之象，顧而嘆曰：「若與之同升孔堂，去人何必有間。」敦曰：「不知於人云何，子貢去卿差近。」崇正式曰：「士當身名俱泰，何至甕牖哉！」

此條材料似來自《世說新語・侈汰》，《世說》謂其「入學戲」，則似為少年時之事。「身名俱泰」，實為此時士人人生追求之一總目標，在此總目標之下，有種種之表現。求名、求利、保身、放蕩以至追求飄逸情趣等等，都可以從這「身名俱泰」的人生理想中得到合理的解釋。

一

此時士人之一種重要心態，便是嗜利如命。完全不加掩飾地醉心於錢財，表現出如此強烈的占有錢財的欲望，在中國士人的心態史上，西晉恐怕是歷史非常突出的一個時期。

最著名的守財奴，同時也是最著名的名士，如王戎、和嶠、庾敳等人，這實在是非常不可思議的事。王戎是以受阮籍的賞識而成名的。阮籍曾經給了王戎很高的評價，說他「清尙」。所謂「清尙」，也就是王隱《晉書》所說的「戎少清明曉悟」，謂其神情清朗，或者就是就其明亮的眼神而言的，《藝文類聚》卷十七引《竹林七賢論》，謂其「眸子洞徹」。《世說・容止》引裴楷的話，謂戎「眼爛爛如岩下電」。眼睛有神，因而顯出神情清朗來。不惟神情清朗，而且聰明，史料中有不少關於他自小聰明過人的記載。王戎之預竹林之遊，除以其「清尙」外，還以其有人倫鑑識，善言談，且任率放達。《晉書》本傳謂其「善發談端，賞其會要。」東晉人王濛，拿他比謝尙，說是看到謝尙從容的神情，便使人想起王戎來。劉孝標給記述這句話的《世說・任誕》作注說「戎性通任，尙類之。」可以說，戎是一個重感情的人。他性至孝，母死時，憂悲以至容貌毀悴。這一點與阮籍是一樣的。戎也是一個放任自然的人，他曾經與阮籍一起從賣酒的鄰女飲酒。在預竹林之遊時，戎是頗具名士風神的。並且，他還曾因父喪而拒收親故的賻贈，並因之而顯名當時。《世說新語・言語》謂：「王戎父渾有令名，官至涼州刺史。渾薨，所歷九郡之故，懷其德惠，相率致賻數百萬，戎悉不受。」劉注引虞預《晉書》，謂「戎由是顯名」。但是，他後來的行為卻完全是一個唯財是念的人。《書鈔》引臧榮緒《晉書》，謂其為荊州刺史時，就因為派下屬為自己修園宅而被劾奏。戎為荊州刺史，在伐吳之前。平吳之後，他便因南郡太守的行賄而聲名受到影響。南郡太守劉肇送給他細布五十匹，他雖然沒有接受，但回書厚謝，因之為時人所譏議。此後，隨著仕祿的上升，戎便越來越嗜財如命。徐廣《晉紀》載：

王戎殖財賄，家僮數百，計算金帛，有如不足，以此獲譏於時。

戎的廣治產業，是一種非常奇異的心理。石崇的廣治產業，完全是為了今世的享受，縱欲奢靡；而戎的生活卻甚是儉樸，史稱其性至吝，不能自奉養。關於戎的吝嗇的記載甚多，如，說他既富且貴，區宅僮牧，膏田水碓之屬，洛下無比，而他每與夫人以象牙籌晝夜計算家資，如有不足。又說他嫁女給裴頠，借給錢數萬，女未及時還錢，戎便不高興，女急取錢還，他才釋然。又說他的一位從子結婚，戎給了他一件單衣，後來又要了回來。這些實在都是非常不近人情的事。史又稱其常常不帶隨從，一個人出去巡視他的田園資產。在王戎後半生的仕途中，未見他在從政上有何建樹，史稱其「以王政將圮，苟媚取容。」傅咸曾經因戎在官而不勤於職事，劾奏了他，說：「戎備位台輔，兼掌選舉，不能謐靜風俗，以凝庶績，至令人心傾動，開張浮競。……請免戎等官。」（《晉書・傅咸傳》）在時人眼中，王戎顯然是一位與時浮沉、而醉心於貨財的人物，與他在晉國始建之前的名士風采已經大不相同了。

如何解釋戎的愛財？孫盛《晉陽秋》給了一種解釋：

> 戎多殖財賄，常若不足。或謂戎故以此自晦也。

「或謂」者，當是東晉時有此種議論，故孫盛又引戴逵的話以為證：

> 王戎晦默於危亂之際，獲免憂禍，既明且哲，於是在矣。

戴逵是東晉一位名望甚高的隱士，他這樣看王戎，或者代表了當時一種較為權威的看法。然從現存史料看，以「晦默」作為他廣殖財賄的行為與心態的唯一解釋，並沒有更充足的理由。苟媚取容，不嬰世務，可以解釋為一種自全心理的支配，而視財如命，則是一種強烈占有慾的表現。自全與嗜財如命，二者是可以並存的，而不能把二者作為因果關係看，前者並非後者之因，後者並非前者之果。王戎這種嗜財心態，並不是當時一種孤立現象。他的從父王祥，也是這樣的一位。王祥是以孝名天下的，在晉逼魏禪的過程中，也多少表現出了他的忠君觀念。他無疑是一位以名教為立身準則的人。但是他把愛財，看作了一種做人的基本原則。在《訓子孫遺令》中他為子孫提出了立身處世的五個基本原則：

夫言行可覆，信之至也；推美引過，德之至也；揚名顯親，孝之至也；兄弟怡怡，宗族欣欣，悌之至也；臨財莫過於讓。此五者，立身之本。（《晉書・王祥傳》）

儒家行為規範中的忠、信、孝、悌，他沒有提忠，而提了德和愛財。把愛與孝、悌連在一起，這種思想傾向是應該引起十分注意的。

這時有名的愛財的人，還有和嶠和庾敳。《晉書・和嶠傳》謂：「嶠家產豐富，擬於王者，然性至吝。以是獲譏於世。」杜預以為嶠有「錢癖」。杜預對嶠的這種評價，在當時得到了普遍的認可。《世說新語・儉嗇》劉注引《語林》，說嶠家有好李，而諸弟食之，皆以核計錢。這也是非常不近人情的事。和嶠的祖父和洽，是曹魏的侍中，曹魏承漢末之奢靡而倡儉約，洽以為不可矯枉過正。《三國志・和洽傳》引他的話說：

儉素過中，自以處身則可，以此節格物，所失或多。今朝廷之議，吏有著新衣，乘好馬者，謂之不清；長吏過營，形容不飾，衣裘弊壞者，謂之廉潔。至令士大夫故汚辱其衣，藏其輿服；朝府大吏，或自挈壺餐以入官寺。夫立教觀俗，貴處中庸，為可繼也。今崇一概難堪之行以檢殊途，勉而為之，必有勞瘁。古之大教，務在通人情而已，凡激詭之行，則容隱僞矣。

和洽是就政風說的，指出矯枉過正必生僞飾，但其基本思想，則是主張在儉約上要有個「度」，那便是合乎人情。和嶠的行為，是不近人情，如何來解釋他的這種行為？是否也是「晦默」？是否也是這種「晦默」的用心在潛意識裡起作用？

庾敳愛財，《晉書》本傳稱其「聚斂積實」，為時論所譏。他的聚斂，還曾經被溫嶠奏過，事見《晉書・溫嶠傳》。他也是一位很有名的人物。與王戎、和嶠比，他的行為與心態更超然物外些。和嶠捲入政爭之中，前已敍及；王戎雖苟媚取容，而也並非完全不嬰世務，他其實是一個機心頗重的人。趙王倫之子曾欲用戎，而博士王繇曰：「浚沖譎詐多端，安肯為少年用？」說戎「譎詐多端」，這個評論分量是很重的，在當時人眼中，他有這樣的形象，可知他機心之重，恐怕不止表現在一二件事上。他對於羊祜，也耿耿於懷，錯雖在己，而視祜如仇敵。《晉書・羊祜傳》說：步闡之役，祜以軍法將斬王戎，故戎、衍並憾之，每言論多毀祜。」《世說新語・識鑑》云：「初，羊祜以軍法欲斬王戎，夷甫又忿祜言其必敗，不相貴重。天下為之語曰：『二王當朝，世人莫敢稱羊公之有德。』」羊祜是有晉第一名臣，不僅以其在統一中國上有大功，且以其為人之正直，受到後世的久遠的紀念。而戎、衍皆因私利而對祜有所毀謗。戎之機心，由是可見。比之王戎、庾敳則要超脫得多。他是一位一切不在意的人，史稱其「頹然淵放，莫有動其聽者。」（《世說・賞譽》）」長不滿七尺，腰帶十圍，頹然自放。」（《世說・品藻》）所謂莫有動其聽者，就是悲喜憂樂均不入於心，一切無所謂，一切不過問；所謂「自放」、「淵放」，就是隨便，不在意。神情如是，外形亦然。他的特點便是心寬體胖，並且以此獲得很高聲譽。這一點正與莊子的思想相吻合。時人也特別注意他與莊子思想相吻合這一點，而給了很高贊譽。他寫了一篇《意賦》，說：

至理歸於渾一兮，榮辱固亦同貫。存亡既已均齊兮，正盡死復何嘆。物咸定於無初兮，俟時至而後驗。若四節之素代兮，豈當今之得遠？且安有壽與夭兮，或者情橫多戀。宗統竟初不別兮，大德忘其情願。蠢動皆神之為兮，痴聖唯質所建，真人都遣穢累兮。性茫蕩而無岸。縱驅於遼闊之庭兮，委體於寂寥之館。天地短於朝生兮，億代促於始旦。顧瞻宇宙微細兮，眇若毫鋒之半。飄搖玄曠之域兮，深漠暢而靡玩。兀與自然並體兮，融液忽而四散。（《晉書・庾敳傳》引）

在這《意賦》裡，他完全接受了莊子的齊萬物，齊死生的思想，把人生看作稍縱即逝的逆旅，因而羨慕真人遺世而獨立的精神境界，要使自己也進入這樣一個境界之中。「縱驅於遼闊之庭兮，委體兮寂寥之館。」就是使自己的精神進入一個無所繫念，一切茫蕩虛寂的領域，與自然融為一體。這《意賦》，可以說是他行身的依據。他是這樣的冥合於莊子，把一切視同空無。因此他姪兒庾亮讀了這《意賦》，便從中挑出了矛盾，問他：「若有意也，非賦所盡；若無意也，復何所賦？」既然一切空無，當然「意」也就不存在，賦就成了多餘。他回答說：「在有無之間耳。」所謂在有無之間，就是說若有若無，說它有就有，說它無就無。這就是他對人生的基本態度。這樣的人生態度，怎麼需要錢財、需要聚斂呢？雖然他對錢財的態度，與王戎有些差別，他在關鍵的時候，可以捨錢財以保身，但是聚斂卻是一樣的。

其時聚斂的不止王戎、和嶠和庾敳，山濤也聚斂，前面已經提到他因占官田而被劾的事。《顏氏家訓・勉學篇》論山濤，謂：「山巨源以蓄積取譏。」裴秀也占官田。石崇聚斂，則是一種公然的掠奪，他致富的一個重要途徑，便是在荊州時「刼遠使客商。」（《晉書》本傳）在名士中，王衍是被目為不愛錢的人，從來口不言錢字。他的妻子郭氏要試他的真假，便讓婢女在他床的周圍放了一圈錢。他早上起來，見錢繞床，無法行走，便喚婢女，說：「舉卻阿堵物！」連「錢」字都不願意說，似乎他確是一個不愛錢財的人。其實並非如此。他的妻子郭氏，是一位聚斂無厭的人物。郭氏是郭泰寧的女兒，與賈后是中表姐妹。《晉書・王衍傳》說她「藉宮中之勢，剛愎貪戾。」《世說新語・規箴》記述她的聚斂，連極細微的利益也不放過，真是到了令人難以置信的地步：

王平子年十四、五，見王夷甫妻郭氏貪欲，令婢路上儋糞。

這位郭氏，當然是極盡聚斂而無厭的，王衍與她比，當然要高逸得多，但是，王衍的口不言錢，並不能說他不貪財。《世說・規箴》引王隱《晉書》論及此事，甚有見識：

夷甫求富貴得富貴，資財山積，用不能消，安須問錢乎？而世以不問為高，不亦惑乎？

這時的士人，不論是愛財聚斂而揮霍縱欲，還是愛財聚斂而守財吝嗇，都同樣表現出來一種毫不掩飾的坦然心態。這是一種值得注意的現象。它說明，錢在士人心中地位十分重要，它與瀟灑風姿、與縱酒傲誕、與談玄說理，具有同等的意義。錢在其時思潮中的影響，同時人已有所論。成公綏著《錢神論》，云：

路中紛紛，行人悠悠，載馳載驅，唯錢是求。朱衣素帶，當途之士，愛我家兄，皆無能已；執我之手，托分終始；不計優劣，不論能否；賓客輻湊，門常如市。諺曰：「錢無耳，可暗使！」豈虛也哉？（《太平御覽》）卷八百三十六）

魯褒也寫有一篇《錢神論》、《晉書·隱逸傳》說：「元康之後，綱紀大壞，褒傷時之貪鄙，乃隱姓名，而著《錢神論》以刺之。」褒之《錢神論》描寫其時士人崇拜金錢之情狀：

京邑衣冠，疲勞講肆，厭聞清談，對之睡寐，見我家兄，莫不驚視。

《錢神論》又極力表現「有錢可以使鬼」的思想：

錢之所在，危可使安，死可使活，錢之所去，貴可使賤，生可使殺。是故忿爭辯訟，非錢不勝；孤弱幽滯，非錢不拔；怨仇嫌恨，非錢不解；令問笑談，非錢不發，諺曰：「錢無耳，可暗使。」豈虛也哉？又曰：「有錢可以使鬼，」而況於人乎？……錢能轉禍為福，因敗為成，危者得安，死者得生，性命長短，相祿貴賤，皆在乎錢，天何與焉？（《藝文類聚》卷六十六）

成公綏卒於泰始九年，《錢神論》當為其入晉後之作。魯褒《錢神論》，當亦作於惠帝朝⑱。他的論述，反映了這一時期金錢萬能的思想在士人中的影響，反映出士人追求金錢到了毫無節制的程度。《晉書》對於魯褒寫《錢神論》的目的解釋是可信的，蓋有感於元康以後的貪鄙之風，其中的憤世嫉時之言，正是對西晉以來聚斂無度、唯錢是求的風氣說的。

這種思想無疑與儒家、道家均極不同。儒家的傳統思想裡，聚斂、唯財是念，是有悖於君子的作人準則的。孔子說：「富與貴，是人之所欲也，不以其道得之，不處也；貧與賤，是人之所惡也，不以其道得之，不去也。」（《論語．里仁》）「不義而富且貴，於我如浮云。」（《論語．述而》）「君子喻於義，小人喻於利。」（《論語．里仁》）重義輕利，是儒家對待財產的最基本的觀點，在財產的積聚與仁義發生矛盾時，捨財產而取仁義。劉向《說苑》，把這一點說得更絕對：「凡人之性，莫不欲善其德，然而不能為善聽者，利敗之也。故君子羞言利名。言利名尚羞之，況居而求利者乎？」（《說苑疏證》卷五《貴德》）他是把求利與善德對立起來了。班彪論《史記》，謂其「序貨殖，則輕仁義而賤貧窮。」（《後漢書．班彪傳》）班固修《漢書》，也表現了相似的觀點，《貨殖列傳序》說：「於是在民上者，道之以德，齊之以禮，故民有恥而且敬，貴誼而賤利。」這些都是從儒家重義輕利的證明。言名教者，此亦一基準點。道家則從另一角度闡述輕利的觀點。老子強調無欲，莊子強調無欲之外，進而否定一切財富存在的必要性。晉人的聚斂，顯然與道家的思想原則也是相違悖的。聚斂者中既有尚老莊之名士，也有尚名教的士人，他們在這一點上並沒有什麼差別。那麼，如何理解西晉的這種聚斂風氣，如何來理解其時士人這種赤裸裸的愛財心態呢？

應該說，這種毫無顧忌，把錢財看得如此重的貪欲心態，是其時士人利己心態的一個側面，是私欲高漲的社會風氣的產物。

上一章中曾涉及到重自我的意識的覺醒。較之經學的禁錮來說，自我意識的覺醒無疑是一種進步，它打破了僵化的沉悶的空氣，思想領域恢復了百家爭鳴的局面。但是重自我的意識的覺醒，同時也意味著個人欲望的膨脹，意味著如何處理個體與群體的關係問題的尖銳出現。建安前後，敢於言利的思想相繼出現。如劉廣等人。但是個人欲望與群體利益的問題還沒有在理論上提出來。正始之後，這個問題提出來了。感情解放之後，並沒有走向任自然而一切無所繫念的自我，而是走向任自然而縱欲的自我。讓個人欲望無節制的發展，可以說，這就是漢末以來個性解放思潮的基本特點。向秀這種思潮的合理性表述為燕婉娛心，榮華悅志，乃天理自然，人之所宜。而王弼、嵇康等人，則提出來對於情欲的自我節制，即內去欲。用自我節制來解決個人欲望膨脹必然帶來的個體與群體的矛盾。但是，這條道路被證明是行不通的，嵇康被殺、向秀失圖，現實的激烈的政爭，十分生動地說明用個人欲望的自我節制使自我返歸一種寧靜的自然的人生，實際無法做到，嵇康道路，阮籍道路，全都走不通，這就給了士人社會一個明白無誤的訊息：自我節制欲望，既行不通，亦無意義。現實本身，已經給了這個自東漢末季開始的規模浩大的個性解放的思潮以明白無誤的價值導向。消除盡它的任何老莊的超然物外、忘情物我的思想痕跡，把它引向唯我是念、引向個人欲望的不受節制的追求。有晉立國以後，找不到嵇康式的人物。雖仍有隱逸之士，那只是避世。企圖以節欲而入世過一種有樸素親情的慰藉、而又不受禮法約束的生活的名士，則是再也找不到了。因為整個社會的思潮，已經轉變，任自然已經發展到情欲物欲惡性膨脹的程度。從這一點，我們便可以理解西晉名士何以嗜財如命而坦然無忌，何以把門富看作一種光榮，何以嗇吝到不近人情的地步卻可以自然地和瀟灑風流統一在一個人身上。

嗜財如命這種心態的產生，可能還與豪門世族的統治有關。作為一種社會風氣，它是由多種因素促成的。情欲與物欲的惡性膨脹與豪門世族的爭競行為相激蕩，促成了這種風氣的發展。當時求名求利、追逐權勢、欺詐爭奪的情形，王沈在《釋時論》中有描述：

百辟君子，奕世相生，公門有公，卿門有卿。指禿腐骨，不簡蚩佇。多士半於貴族，爵命不出閨庭。……心以利傾，智以情惛，姻黨相扇，毀譽交紛。當局迷於所受，聽采惑於所聞。京邑翼翼，群士千億，奔集勢門，求官買職，童僕窺其車乘，閽寺相其服飾，親客陰參於靖室，疏賓徙倚於門側。時因接見，矜厲容色，心懷內荏，外詐剛直，譚道義謂之俗生，論政刑以為鄙極。高會曲宴，惟言遷除消息，官無大小，問是誰力。（《晉書・文苑傳・王沈傳》）

這位王沈不是魏晉之際幫助司馬氏篡位的那位王沈。他字彥伯，高平人，生卒年不詳，當活動於西晉中後期。他出身寒素，為豪門世族所抑，鬱鬱不得志，對於當時的世風有甚為深切之感受。豪門世族廣占田園山澤，掠奪積聚財產，把持選舉，姻黨相扇，高官厚祿全憑閥閱可得，門閥政治本身，就是占有，就是掠奪。王沈這裡所說的情形，就是一種不受道德準則制約的肆無忌憚的爭競與占有，受害者是寒門，而得益者是豪門世族。在有晉名士中，極少有寒門出身的，也可以說明這一點。嗜財如命的心態完全可以在這樣的社會背景中得到說明。

二

此時士人的另一重要心態，是求自全。

向秀入洛所帶來的一種心理傾向，便是不嬰世務，依阿無心。如果說，在向秀這是一種心路歷程的艱苦轉變的話，那麼晉國始建之後名士群體的依阿無心以求自全，則是一種自覺的選擇。關於此時士人的不嬰世務以自全，後人多有評論，《文選・晉紀總論》注引《晉陽秋》云：「太康以來，天下共尚無為，貴談老莊，少有說事。」東晉時，應詹上疏，謂：「元康以來，賤經尚道，以玄虛宏放為夷達，以儒術清儉為鄙俗。永嘉之弊，未必不由此也。」（《晉書・應詹傳》）

王衍可以說是這種心態的典型的代表。衍字夷甫，出身於著名的琅琊世族王氏，生於魏高貴鄉公甘露元年（二五六年），他的青少年時代，是在晉國建立後度過的。他是王戎的從弟，他的弟弟王澄，也是西晉的大名士。衍妻郭氏，為賈后之親；衍一女適當時威勢喧赫的賈謐，一女為愍懷太子妃，一女適裴遐，遐為綽之子，父子均為名士。（西晉兩大望族琅琊王與聞喜裴聯姻，又如王戎女適裴頠，名士群體的這種聯姻關係，對互相標舉以顯名，實有甚大之意義。）衍官至太尉，在當時有甚高之聲望。他的少年時代，並不崇尚虛無，史稱其初始好論縱橫之術。泰始八年，詔舉奇才可以安邊者，故尚書盧欽舉衍為遼東太守，不就，從此才口不論世事，雅咏玄虛。這時衍才十七歲。

他雅咏玄虛之後，甚為推崇王弼、何晏的立論。史稱其「既有盛才美貌，明悟若神，常自比子貢。兼聲名籍甚，傾動當世。妙善玄言，唯談老莊為事。」（《晉書・本傳》）《文選・晉紀總論》注引王隱《晉書》說：「王衍不治經史，唯以老莊虛談惑世。」《晉書・樂廣傳》謂：「廣與衍俱宅心事外，名重於時，故天下言風流者，謂王、樂為稱首焉。」《晉書・阮脩傳》也提到衍為當時談宗。士人一經他品評，便名聲雀起。他與當時之著名名士王澄、王敦、庾敳、胡毋輔之甚交好，稱彼等為四友，⑲澄、敦均為其弟。這些人當時均以虛談為事，獲致令名。王衍的談論，似乎只是一種愛好，而對於道理的是非並不太認真爭辯。他與裴頠談論，裴頠駁難他，他也不反駁，而是「處之自若」。而且，他在談論時如果發現自己道理說錯了，他便隨口更改，毫無定準。時人稱他的這種談風為「口中雌黃」。在當時，他被目為清談名士中的領袖人物。

正是由於這一點，東晉人論西晉亡國之禍，往往歸罪於他。《世說新語・輕詆》謂：

桓公入洛，過淮泗，踐北境，與群僚登平乘樓，眺矚中原，慨然曰：「遂使神州陸沉，百年丘墟，王夷甫諸人，不得不任其責。」

東晉人往往有清談誤國論，如庾翼，他也是把亡國之禍的罪責歸之於王衍清談的一位。《晉書・殷浩傳》引翼貽浩書云：

王夷甫先朝風流士也，然吾薄其立名非真，而始終莫取。若以道非虞夏，自當超然獨往。而不能謀始，大合聲譽，極致名位。正當抑揚名教，以靜亂源，而乃高談莊老，說空終日，雖云談道，實長華競。及其末年，人望猶存，思安懼亂，寄命推務。而甫自申述，徇小好名，既身囚胡虜，異名非所。凡明德君子，遇會際處，寧可然乎？而世皆然之！益知名實之本定，弊風之未革也。

這信裡對於王衍的批評是十分尖銳的，直指他的非真名士的性質。翼以為，若真學莊老，則應超然於世事之外，而王衍未能做到這一點，他追求聲譽與名位，他是入世的。但既然入世，就應弘揚名教，衍卻空談終日，助長浮華之風。衍的晚年雖然意識到禍亂將臨，但他卻仍然是「寄命推務」，也就是說，仍然依阿無心，以求自全。庾翼的批評是很確切的，衍的要害在於徇小好名，而又立名非真。他以其名士風流之外貌。包藏著一種對於朝政世事毫不負責任而只求自全的心理。他的一生，幾乎可以用一句話來概括，那就是：求名與自全。

惠帝元康九年，有愍懷太子事件。惠帝長子司馬遹，永熙元年立為皇太子。其時賈謐擅權，賈后當朝。而賈后無子，遹為謝才人所出。賈氏為了長久掌握權力，必得除去遹。遹雖嬉遊荒誕，而賈氏除去遹之目的，實具無君之心。賈后害遹，手段極其卑劣。此事之是非本甚易明，而王衍在此事之進行過程中，充分地表現了自己的不以是非為念、表現了一種十分明確的求自全的心態。衍長女適賈謐，而小女惠風為遹妃。在這件事中，他於兩方均有姻親關係。這類姻親關係，在西晉的政爭中有著重要的作用，此姑置勿論。可注意者，對待此一事件中，衍可有多種選擇，或判斷是非而責難賈謐，或首鼠兩端而逃避是非，或超然事外而兩無干涉。這些可供選擇的出路衍都沒有選擇，他選擇一條最能自全的出路。賈后以誣陷之手段，廢遹為庶人。遹被廢，衍懼禍及己，上表惠帝，請求己女與遹離婚，於是惠風得以返回衍家。後來，賈后又設局誣遹謀反，把遹囚禁於許昌宮。遹至許昌，有書與惠風，詳敘受誣陷之經過，謂賈后逼令飲酒至醉，讓其照抄事先已寫好（出於潘岳之手）中有悖逆言語之文書。（參見《晉書・愍懷太子傳》、《晉書・潘岳傳》）王衍在收到遹書後，若能將遹書上奏，請勘明事實，則遹冤本可以伸。但衍得書不為伸冤，隱匿不報，而遹也終於被殺害。史稱「太子既廢非其罪，衆情憤怨。」可見此事在當時朝野間是非均甚分明。是非甚明，且又掌握著可以救之之有力材料，而終於不救，坐見其被害。衍因此得以自全，而此事亦最明白無誤說明衍的為人。

這件事發生的兩個月後，趙王司馬倫發動了一場政變，殺了賈后和賈謐等人，衍才把遹書呈送給梁王彤，因此他受到了有司的劾奏，奏詞稱：

衍與司徒梁王彤，寫呈皇太子手與妃及衍書，陳見誣之狀。彤等伏讀，辭旨懇惻。衍備位大臣，應以義責也。太子被誣得罪，衍不能死守善道，即求離婚。得太子手書，隱蔽不出。志在苟免，無忠蹇之操。宜加顯責，以厲臣節。（《晉書・王衍傳》）

胡三省注《通鑑》就此事評王衍之品格，甚為尖刻：「清談之禍，起於何晏。何晏猶與曹爽同禍福，若王衍者，又不逮何晏矣。」三省對玄談有所非議，而以衍論之，則又等而下，謂玄談者亦一代不如一代矣。

在這件事之前，有一次裴頠與王衍密謀廢賈后，由於王衍反悔而謀遂不行，（事見《晉書・后妃傳上》）衍之所以反悔，蓋亦一種自全心理所支配。

衍一向輕視趙王倫之為人，對他有所輕謾。趙王倫篡位之後，衍又懼禍，於是陽狂斫婢，以求免禍。（衍之佯狂斫婢，使人想起出於同樣的心理的王戎偽裝藥發墮廁的事。）趙王倫伏誅之後，衍官至中書令，後又拜司空司徒，地位極高，又處於禍亂已起，國命將傾之際，但是他仍然不以經國為念，將國之安危置之度外，而為己之安危深謀遠慮，他以中國已亂，必得有文武大臣鎮守四方為口實，說動當時掌握實權的東海王司馬越，並乘機薦用自己弟弟王澄為荊州刺史，族弟王敦為青州刺史。此事辦成後，他便對澄、敦說了一段令後世讀史者甚感駭異的話：

荊州有江、漢之固，青州有負海之險，卿二人在外，而吾留此，足以為三窟矣。（《晉書·王衍傳》）

為了自己安危，費盡心計安排了狡兔三窟的計策。這就是名重當時，雅尚玄遠，宅心事外的名士！現代治美學史者論晉人風流，往往視之若神仙，而其實入世之深，機心之重，亦莫過於晉人。集瀟灑風流與濃重機心於一身，這才是晉人的歷史真實的面貌。若能考慮到這一點，在論及晉人之美時，可能會有另外的更為豐富的體驗。

後來戰亂起來後，王衍仍然是逃避責任。他先是推脫，說自己少無宦情，不足以擔當起討伐的責任。兵敗之後，他與襄陽王司馬范、任城王司馬濟。西河王司馬喜、梁王司馬禧、齊王司馬超、吏部尚書劉望、太傅長史庾敳等為石勒所俘虜。石勒問他晉朝的事，他推脫說，自己少不豫事。石勒說：

「君名蓋四海，身居重任，少壯登朝，至於白首，何得言不豫世事邪！破壞天下，正是君罪。」石勒的話，可以說說中衍的要害，說得他啞口無言。這時候他仍希望苟免，便勸石勒登帝位，完全失去了應有的節操。但是他終生求自全而最終也未能自全，石勒還是把它殺了。臨死前，他才說出了自己一生的總結與慨嘆的一句話：

嗚呼，吾曹雖不如古人，向若不祖尚浮虛，戮力以匡天下，猶可不至今日！（參見《晉書》本傳，《石勒傳》）

這一生的總結，是面對事實了，但為時已晚。《世說新語．輕詆》注引《八王故事》說：「夷甫雖居台司，不以事物自嬰，當世化之。羞言名敎。自台郎以下，皆雅崇拱默，以遺事為高。四海尙寧，而識者知其將亂。」以衍當時所處之地位與所具之聲望，他的不嬰世務對於其時之士林無疑具有極大影響。當然，將晉室之亂亡，完全歸之於他的祖尙浮虛是不公的。晉之亂亡主要在晉室自身之權力爭奪與失去為政之根本，前面已論及。然不嬰世務，依阿無心以求自全，於晉室之亂亡實亦有其責任在。王衍的一生，求瀟灑風流以自適，依阿無心以自全，機心入世以為己，正是西晉名士的典型代表。

自全心態在其他士人身上都可以找到不同形式、不同程度的表現。

庾敳也是以自全為立身之本的。《世說新語．賞譽》注引《名士傳》：

敳雖居職任，未嘗以事自嬰，從容博暢，寄通而已。是時天下多故，機事屢起，有為者拔奇吐異，而禍福繼之。敳常默然，故憂喜不至也。

裴楷的兒子裴憲也是一位不嬰世務以求自全的人物，史謂其「歷官無幹績之稱，然在朝玄默，未嘗以物務經懷。」（《晉書．裴秀傳附憲傳》）他後來是做了石勒的官了的，且在石勒稱帝時，與王波同為石勒撰定朝儀。他在石勒那裡一直仕途順利，直至官為司徒。

竹林七賢入晉者，亦多有此種心態。史稱向秀入晉之後，「在官不任職，寄跡而已。」（《晉書》秀傳）劉伶泰始初對策，「盛言無為之化，時輩皆以高第得調，伶獨以無用罷。竟以壽終。」阮咸「雖處世不愛人事，惟共親知弦歌酣宴而已。」（《晉書》咸傳）他也是得以壽終的。王戎既是一位嗜財如命的人，也是一位機心甚深，善於自全的人。他當愍懷太子被廢時，在司徒任上，且與賈、郭通親，本可以有所諫爭，但他始終無一言以諫，他任吏部尚書，典選舉，而不著意於良材之選拔，史稱其「自經典選，未嘗進寒素、退虛名，但與時浮沉，戶調門選而已。」又說他「尋拜司徒，雖位總鼎司，而委事僚采。」（《晉書》戎傳）戎也是得以壽終的一位。

張華較之於王衍輩，在朝廷中是較為盡職的一位。他在愍懷太子被誣時，敢於證明其受誣。在西晉士人中，華確實是一位較有是非之心，且亦用心朝政的人。但是，即使崇實如張華，也受到了其時普遍存在的自全心態的影響，時亦不免依違於可否之間，而置是非於不問。上面提到的張華在謀廢賈后之事中的態度，即是一例，他所答覆裴頠的那些理由，都是不能成立的。他考慮問題的重心，只在於自己尚可苟全而已。

自全心態，可以說是其時士人之一種普遍心理趨向。潘尼有一篇《安身論》，曲折地反映了這種趨向。《安身論》一開頭便說：「蓋崇德莫大於安身。」他把安身放到了如此重要的地位上，是只有自全成為一種普遍的心理趨向之後才有可能提出來的。他認為，安身，最終就能保國家，處富貴，治萬物。他的所謂安身，其實就是老莊的不爭競，做到「以造化為工匠，天地為陶鈞，名位為糟粕，權勢為埃塵，治其內而不飾其外，求諸己而不假諸人，忠肅以奉上，愛敬以事親，可以御一體，可以牧萬民，可以處富貴，可以居賤貧，輕盛衰而不改，則庶几乎能安身矣。」（《晉書》尼傳引）從《安身論》看，他的觀點似與其時之既求名利又依阿無心以求自全者不同。而其實，在重自身這一點上都是相同的。正是因為這一點，所以史稱其於永興末為中書令時，「三王戰爭，皇家多故，尼職居顯要，從容而已，雖憂虞不及，而備嘗艱難。」（《晉書》尼傳）所謂「從容」、「憂虞不及」，不過是在職而不盡責，於國之安危毫不繫念的一種婉轉說法而已。

士之自全心理表現於行為上是不嬰世務，在職而不盡責，於牽涉個人安危之關鍵時刻，寧舍是非而依違兩可；而在生活上，則是求放任以自適，於瀟灑風流或縱欲放誕中享受生之樂趣。

三

此時士人心態之另一特色，便是求縱情以自適和求名。

求縱情以自適，是從放誕生活中得到感情欲望的滿足。此一時期士人任情放誕之種種行為，其實只是漢末以來類似行為的進一步發展。其中的一些人，是從正始過來的，他們的行為入晉之後並無更多變化，而在晉國始建之後成長起來的一代，其任情放誕更有甚於他們的前輩。

正始士人縱欲任情，主要表現在縱酒，不拘禮法，如居喪飲酒食肉，等等。個別人如阮籍、劉伶，至於脫衣裸形。而西晉的縱欲之風，更有甚於正始者。《晉書・五行志》上有一段有名的話：

惠帝元康中，貴遊子弟相與為散發裸身之飲，對弄婢妾，逆之者傷好，非之者負譏，希世之士恥不與焉。

這段話也引在《宋書・五行志》裡，證明著此事受到宋人沈約的重視。從裸身散發發展至「對弄婢妾」，實在是跨出了非常驚人的一步。咸寧四年阮咸借客之驢以追姑之婢，累騎而還，已為當時論者所非議（事見《世說新語・任誕》與《晉書》咸傳）⑳可見咸寧初此種風氣尚有所抑制，尚未為社會所普遍認可。而咸寧初至元康中，十年間，竟發展至「對弄婢妾」而且逆之者傷好的地步，可以說是走得夠遠的了。此種行為既然逆之者傷好，非之者負譏，說明已形成風尚，有相當大的輿論力量，至少在貴遊子弟中成一普遍、習以為常的現象。當然，關於這方面的史料，涉及到具體人物的未見，難以具體描述。

此種風氣的形成，當然是追求情欲滿足的心理發展到極端的表現。但背景似乎有更為複雜的因素在影響著。這或者與當時道教在上層社會中流行有關。道教養生之一種方式，便是房中術。曹丕在《典論》中曾提到左慈到鄴都時，從他學房中術的人很多，至有「寺人嚴峻往從受問」的事，使時人驚異不已。後來有學者說，嚴峻是奉曹操之命去學房中術的，要學的其實是曹操，不是嚴峻。左慈的房中術傳給了鄭隱，鄭隱傳給了葛洪。這是從傳授系統上說的。事實上，在建安時期，從左慈學房中術者已甚衆，房中術的流傳，在當時上層社會當是一種相當普遍的現象。天師道在北方流傳之後，西晉的不少重要人物都與天師道有關。天師道也行房中術，這可能影響到貴遊子弟。葛洪《抱朴子內篇・遐覽》著錄有房中術書多種，如《玄女經》、《素女經》、《彭祖經》、《陳赦經》、《子都經》、《張虛經》、《天門子經》、《容成經》。葛洪把服藥、行氣和房中術看作修煉神仙的三要事。內篇《釋滯》說：

雖云行炁，而行炁有數法焉；雖曰房中，而房中之術，近有百餘事焉；雖言服藥，而服藥之方，略有千條焉。

可知房中術作為一門養生的學問，在當時有著極為豐富的內容。是不是存在這種可能：道教以房中術作為養生術，這種觀念流入上層社會，與縱欲任情的風尚結合，給縱欲提供了理論根據，或者說，為縱欲提供一種借口。這就使縱欲成為可以公然行之於前的一種正當行為。葛洪提到的上面那些房中之書，多已佚失，從清人葉德輝輯存的《素女經》（《雙梅景闇叢書》）看。房中術的一切歸著點，都在養生上，「天地有開闔，陽陰有施化，人法陽陰，隨四時，今欲不交接，神氣不宣布，陽陰閉隔，何以自補？煉氣數行，去故納新，以自助也。玉莖不動則辟死其舍，所以常行以當導引也。能動而不施者，所謂還精，還精補益，生道乃著。」房中術講求多御不施，且是能在一夜之中御多女而不施者，益得養生之效。這種理論，其實是「對弄婢妾」的最好的借口。《晉書・五行志》所說，或者有著道教影響的這樣的文化背景。當然，目前還找不到具體人物的材料，但是，作為一種文化背景的考察，似應注意及此。

從整個生活情調說，其時之士人社會，確乎存在著一種尋歡作樂的濃烈氣氛。葛洪在《抱朴子外篇・疾謬》中描寫其時之情形：

> 儔類飲會，或蹲或踞，暑夏之月，露首袒體，盛務唯在摴蒲彈棋，所論極於聲色之間，舉口不逾綺襦紈褲之側，涉步不去勢利酒客之門，不聞清談論道之言，專以醜辭嘲弄為先，以如此者為高遠，以不爾者為騃野。

同篇寫其時閨房之內的情形：

> 而今俗婦女，休其蠶織之業，廢其玄枕之務，……承星舉火，不已於行，多將侍從，暐曄盈路，婢使吏卒，錯雜如命，尋道褻謔，可憎可惡，或宿於他們，或冒夜而返，遊戲佛寺。觀視漁畋，登高臨水，出境慶吊，開車褰幃，周章城邑，杯觴路酌，絲歌行奏，轉相高尚，習非成俗，生致因緣，無所不肯，誨淫之源，不急之甚。刑於寡妻，家邦乃正，願諸君子，少可禁絕，婦無外事，所以防微矣。

這裡所說的「宿於他門」，或亦暗指放誕行為而言。同篇又說：

> 入他堂室，觀人婦女，指玷修短，評論美醜，……或有不通主人，便共突前，嚴飾未辦，不復窺聽，犯門折關，逾垝穿隙，有似抄劫之至也。其或妾媵藏避不及，至搜索隱僻，就

而引曳，亦怪事也。

葛洪的這些描寫，使人想起明代中葉以後士人的生活情狀來，但是更加為所欲為，更加放縱，更加不受禮的約束。在中國的士人生活史上，重個性伴隨著生活的放蕩，這種現象是值得研究的。《抱朴子外篇》動筆於惠帝朝而成書於南渡初期，上引這些描寫，當是指西晉至南渡初期的情形。葛洪是兩晉之交的一種特異文化現象，他的思想是道教與儒家的複合物，這點我們後面還要談到。他是帶著一種批判的眼光，來看待自漢末以來的個性覺醒的思潮的。《抱朴子外篇》多處以極嚴肅的口氣，否定自郭泰、阮籍以至西晉名士的行為。他的立腳點是儒家的倫理道德準則。關於他對現實的批評，我們後面還將單獨談到。

西晉士人的另一心態，便是強烈的求名心理。

求名之一方式，便是清談。西晉清談，已與正始談玄有別。正始談玄，主要目的，在於玄學義理的探討，而西晉清談，除義理探討外，已逐漸轉向審美。主要目的在辨義理是有的，如裴頠著《崇有論》，由此而引起論難，《世說新語・文學》載：

裴成公作《崇有論》，時人攻難之，莫能折。唯王夷甫來，如小屈。時人即以王理難裴，理還復申。

這是很有名的一場談論，中心是有無之爭，而所指的是虛誕的風氣。在這場爭論中，似乎只有王衍能夠與裴頠爭論，其他人都辯不過裴。裴頠在衆人的攻難中都未被駁倒，而在王衍面前卻時或語塞，這語塞不是由於理短，而是因為王衍的聲望。同一道理，王衍說了他便語塞，他人說了，他還可以反駁。這場爭論，論及有無，雖然最終未能矯正虛誕的風氣，但終究論及義理。但是，多數的淸談，雖亦以義理為談論的中心，但主要目的，已不在義理本身，而轉向審美。這種帶著審美的淸談，既是一種人生享受，又是個人的文化素養和瀟灑風流的表現。

這時的淸談，簡直是一種藝術。《世說新語・文學》載：

裴散騎娶王太尉女，婚後三日，諸婿大會，當時名士，王、裴子弟悉集。郭子玄在坐，挑與裴談。子玄才甚豐贍，始數交未快。郭陳張甚盛，裴徐理前語，理致甚微，四坐咨嗟稱快。王亦以為奇，謂諸人曰：「君輩勿為爾，將受困寡人女婿！」

裴散騎是裴遐，裴綽之子。王太尉是王衍，第四女適裴遐。郭象是當時最重要的玄學理論家，也是有名的言家，王衍曾稱其「語議如懸河瀉水，注而不竭。」（《世說新語・賞譽》下）我們來看這次淸談的特色。這次的淸談，顯然是在名士悉集的場合，作為一種顯示才能的目的出現的，並非為了解決義理上的問題。子玄「挑」與叔道談，意在顯示己之才能學識，而「始數交未快」者，謂才學原甚豐贍，而始談之後，未得盡情發抒。陳張甚盛，是說他談論時設理廣博；徐理前語，是說遐在答辯時從容應對。他們兩人言談風格顯然不同。可注意的是四座爲之咨嗟稱快，他們談論之精采，不惟使衆人贊嘆，且亦使衆人感到妙不可言，之所以「稱快」者，是說他們的談論妙不可言而給人一種美的享受。

此時之淸談，已注意聲調之美。《世說新語・文學》注引鄧粲《晉紀》說：「遐以辯論為業，善敍名理，辭氣清暢，泠然若琴瑟。聞其言者，知與不知，無不嘆服。」所以嘆服，不在其義理，而在其聲音抑揚，泠然悅耳。所以說知與不知都如此。這是說，與談者了解不了解所談論的義理，都因其聲音之泠然悅耳而心醉。《晉書・裴秀傳附遐傳》，正是從談論的聲調抑揚之美來評論裴遐的，說遐「善言名理，音辭清暢，泠然若琴瑟。」這段話完全照抄鄧粲《晉紀》，可見其對於裴遐清談的特點理解如是。《晉書・胡毋輔之傳》謂：「（王）澄與人書曰：『彥國吐佳言如鋸木屑，霏霏不絕，誠為後進領袖也。』」此條或來自《世說・賞譽》，《賞譽》劉注謂：「言談之流，霏霏如解木屑也。」這可理解為其言談之豐贍如流，霏霏不絕，但似亦含有音調流貫悅耳的意思。

此時之清談，還十分重視簡約，即重視修辭上的省淨。樂廣是以言談的簡約獲得很高聲譽的。王衍說：「我與樂令談，未嘗不覺我言為煩。」（《世說新語・賞譽》）劉注引孫盛《晉陽秋》，說是樂廣善於以極簡約的言談使人感到滿足。他常常使跟他談論的人感到：他雖言辭簡約，但道理已說清了，而自己的談論卻言辭過於繁多。

清談而以簡約著稱的，還有阮脩。《晉書・阮籍傳附脩傳》：

> 王衍當時談宗，自以論《易》略盡，然有所未了，研之終莫悟，每云：「不知比沒當見能通之者不？」衍族子敦謂衍曰：「阮莊子可與言。」衍曰：「吾亦聞之，但未知其亹亹之處定何如耳。」及與脩談，言寡而旨暢，衍乃服焉。

阮瞻也以言約旨深享譽，《晉書・阮籍傳附瞻傳》：

（瞻）讀書不甚研求，而默識其要，遇理而辯，辭不足而旨有餘。

王承也以辭約旨豐知名，《晉書·王湛傳附承傳》：

承字安期，清虛寡欲，無所修尚。言理辯物，但明其旨要而不飾文辭，有識服其約而能通。

太尉王衍雅貴異之，比南陽樂廣焉。

庾敳也以談論的簡約著稱，《世說新語·賞譽》劉注引《名士傳》：「敳不為辯析之談，而舉其旨要。太尉王夷甫雅重之也。」這些以談論的簡約獲譽的人物，都受過王衍的贊許，這就透露出一個消息：作為「一時談宗」的王衍，在清談中是提倡言簡旨遠的。清談中注意修辭的簡約，事實上是從義理思辯逐漸轉向藝術情趣，與重聲調之美，是一樣的目的。注意修辭的例子，我們還可以從其時的談論中窺測到其大略面貌。《世說新語·言語》：

王武子、孫子荊各言其土地人物之美。王云：「其地坦而平，其水淡而清，其人廉且貞。」孫云：「其山崔巍以嵯峨，其水沖渫而揚波，其人磊砢而英多。」

從這裡我們不僅可以了解其時清談涉及的範圍已超出談玄領域，且可了解其談論時修辭之考究。清談重聲調抑揚，重旨遠，注意修辭，可以看作是西晉清談對於正始清談的一種發展，一種朝著審美方向的發展。除此之外，也已經出現「悟」的境界。樂廣在清談中即有此境界。《世說新語·文學》記有樂廣清談一則：

客問樂令「旨不至」者，樂也不復剖析文句，直以麈尾柄確几曰：「至不？」客曰：「至！」

樂因又舉麈尾曰：「若至者，那得去？」於是客乃悟服。樂辭約而旨達，皆類此。

劉孝標注此，全用莊子思想：

夫藏舟潛往，交臂恆謝，一息不留，忽焉生滅。故飛鳥之影，莫見其移；馳車之輪，曾不掩地。是以去不去矣，庸有至乎？至不至矣，庸有去乎？然則前至不異後至，至名所以生；前去不異後去，去名所以立。今天下無去矣，而去者非假哉？既為假矣，而至者豈實哉？

余嘉錫注此，更為明確：

公孫龍子有《指物論》，謂物莫非指，而指非指。《莊子•天下篇》載惠施之說曰：「指不至，至不絕。」此客蓋舉《莊子》以問樂令也。陸德明《釋文》引司馬云：「夫指之取物，不能自至，要假物，故至也。然假物由指不絕也。一云指之取火以鉗，刺鼠以錐。故假於物，指是不至也。」夫理涉玄門，貴乎妙悟，稍參跡象，便落言銓。……樂令未聞學佛，又晉時禪學未興，然此與禪家機鋒，抑何神似？蓋老、佛同源，其頓悟固有相類者也。

清談出現的這種新的特色，為它發展到東晉時釋、玄融合無間做了準備，此且後論。而「悟」本身，與旨在言外關聯，都是一種與藝術通親的思維形態。它無疑使清談進入到一種神妙的境界。

清談由義理向審美的轉移，使它具有更廣闊的發展天地，加入者更眾，且以之獲取名聲的特點也就更為突出。《晉書•潘京傳》有一則記載，可以說明許多問題。這則記載是：

京仍舉秀才，到洛。尚書令樂廣，京州人也，共談累日，深嘆其才，謂京曰：「君天才過人，恨不學耳。若學，必為一代談宗。」京感其言，遂勤學不倦。時武陵太守戴昌亦善談論，與京共談，京假借之，昌以為不如己，笑而遣之，令過其子若思，京方極其言論。昌竊聽之，乃嘆服曰：「才不可假。」遂父子俱屈焉。

此則記載說，潘京與戴昌父子善談論，他說明談論不僅需要天才，而且需要學識，這一點後來便成為公認的道理。但是最值得注意的，是這裡記述了清談可「假」而且可竊聽。潘京為了使戴昌在談論中不至於感到己不如人，便假借戴昌的義理來和他談，戴昌果然以為自己勝過潘京。待到竊聽潘京與戴若思的談論，才明白潘京的真才實學。潘京為什麼要「假借」戴昌的義理？就是因為當時之清談實關係到一個人的聲譽，彼此均甚為重視，京為顧惜昌之面子，故有以「假借」而讓之的行為。昌何以要「竊聽」？同樣是因為對此甚為看重的緣故。

清談可以獲致令譽，與任誕縱欲可以獲致美名一樣，都是西晉士人瀟灑風流的重要標志，都是他們對生活的重要追求。

四

此時士人心態的另一重要側面，便是審美情趣的雅化。

審美情趣的雅化主要表現在把怡情山水嵌入縱欲享樂的人生情趣之中，和在審美標準上崇尚秀麗。漢末個別性覺醒導致李膺的悅山怡水和仲長統的山水樂志；正始的越名教而任自然導致嵇康的從自然中體認人生的閒適情趣。把審美體驗帶入山水的鑑賞中。而西晉士人「士當身名俱泰」的人生理想，則把山水作為遊樂的對象，把大自然的美作為人間榮華富貴的一種補充。最能體現這一點的，是石崇和他的朋友們的金谷澗宴遊。《晉書・劉琨傳》說：「時征虜將軍石崇河南金谷澗中有別廬，冠絕時輩，引致賓客，日以賦詩。」石崇金谷澗別廬在洛陽城外，《水經注・谷水注》：

谷水又東，左會金谷水。水出大白原，東南流，歷金谷，謂之金水。東南流，經晉衛尉卿石崇之故居也。石季倫《金谷詩集敍》曰：「余以元康七年，從太僕出為征虜將軍，有別廬在河南界金谷澗中，有清泉茂樹，衆果竹柏，藥草蔽翳。（《水經注校》卷十六）

《大唐傳載》記崇金谷別廬謂：

洛陽金谷去城二十五里。晉石崇依金谷為園苑，高台飛閣，餘址隱嶙。獨有一皂莢樹，至今鬱茂。

可見金谷別廬在唐時仍可見其規模之宏大。《世說新語・品藻》劉注引崇《金谷詩敍》：

余以元康六年，從太僕卿出為使，持節監青、徐諸軍事、征虜將軍。有別廬在河南縣界金谷澗中，或高或下，有清泉茂林，衆果竹柏、藥草之屬莫不畢備。又有水碓、魚池、土窟，其為娛目歡心之物備矣。時征西大將軍祭酒王詡當還長安，余與衆賢共送往澗中，晝夜遊宴，屢遷其坐。或登高臨下，或列坐水濱。時琴瑟笙筑，合載車中，道路並作。及住，令與鼓吹遞奏。遂各賦詩，以敍中懷。或不能者，罰酒三斗。感性命之不永，懼凋落之無期。

故具列時人官號姓名年紀，又寫詩箸後，後之好事者，其覽之哉！凡三十人，吳王師、議郎、關中侯、始平武功蘇紹字世嗣年五十，為首。

這裡所說的崇持節監靑、徐諸軍事，在元康六年。㉑金谷別廬的情形，除《金谷詩敍》外，㉒崇在《思歸引》的序中也有記述：

余少有大志，夸邁流俗；弱冠登朝，歷位二十五年，年五十以事去官。晚節更樂放逸，篤好林藪，遂肥遁於河陽別業。其制宅也，卻阻阿堤，前臨清渠，柏木几於萬株，江水周於舍下；有觀閣池沼，多養魚鳥；家素習技，頗有秦趙之聲。出則以遊目弋釣為事，入則有琴書之娛；又好服食咽氣，志在不朽。（《晉詩》卷四）

從兩《序》可以了解到，金谷別業規模是很大的，面臨金水，在金水邊上，沿山之高下，有竹柏果木近萬株，有高台飛閣，有池沼，有田園，有藥草；別廬中還備有伎樂，有一切生活必需，既可以縱情於山水之中，享弋釣之樂，又可以詩酒宴飲，極人間之歡娛，是兩者的結合。送王詡往長安的這一次，是目前可知的人數最多的一次，三十人晝夜宴飲，遍遊金谷別業！或登高臨下，或列坐水濱。這次賦詩，編成《金谷集》，已佚，留下來的只有潘岳的一首，又殘句一，杜育的殘句一。潘岳詩中描寫到這次宴集：

何以敍離思？攜手遊郊畿。朝發晉京陽，夕次金谷眉。回溪索曲阻，峻阪路威夷。綠池泛淡淡，靑柳何依依。濫泉龍鱗瀾，激波連珠揮。前庭樹莎棠，後園植烏椑。靈囿繁石榴，

茂林列芳梨。飲至臨華池，遷坐登隆坻，玄醴染朱顏，但訴杯行遲。揚桴撫靈鼓，簫管清且悲。……（《晉詩》卷四）

岳的另一殘句為四言，由是可知當時三十人中，有的作詩還不止一首。杜育的殘句，也是四言：「慨而慨而，感此離析。」知也作於此次送王詡的金谷之集中。另有曹攄的《贈石崇》四言詩四首與五言詩一首，四言詩四首之三與五言詩所寫，似亦作於金谷別業。五言詩：

涓涓谷中泉，鬱鬱岩下林。泄泄群翟飛，咬咬春鳥吟。野次何索漠，薄暮愁人心。三軍望衡蓋，嘆息有余音。臨肴忘肉味，對酒不能斟。人言重別離，斯情效於今。（《藝文類聚》卷三十一）

此詩似為曹攄任洛陽令時所作，所寫殆亦金谷別業之景色，是否為金谷宴集的這一次，則難以斷定。不過從「三軍望衡蓋，嘆息有余音」看，似為在金谷別業送石崇出鎮下邳者。此類送行，共舉行過多次，難以論定。三十人的那一次，是被當作風流盛會看待的。東晉王羲之還因為有人把他的《蘭亭序》比美於石崇的《金谷詩敍》，拿他比石崇，而感到特別的高興。王羲之這樣在當時聲望極高的士人有此種看法，則金谷之遊在東晉士人心中的崇高地位可想而知。

那麼，金谷宴集的文化上的意義在什麼地方呢？應該說，就在於山水進人了士人的文化生活中，終於成了士文化的一個重要組成部分。仲長統、嵇康，都已經意識到要從山水中享受自然情趣，享受自然的美。而金谷賦詩，則在一個很大的規模上，成為士人群體的一種生活方氏。他們或登高、或臨水，伎樂宴飲，感而賦詩。清泉茂林，遊目弋釣，與詩酒宴樂，都屬於可以悅目娛心的對象。而茂林清泉，在這時並不是遠離人間的存在，不是陋巷簞瓢的精神慰藉，而是瀟灑風流的伴侶。在士文化裡，這一點是很重要的。這一點才使山水的美，不只是少數高潔之士避開汚世濁俗的精神寄托，而成了士人世俗生活的點綴。而對於士人來說，由於山水審美的滲入，他們晏飲歡娛的生活趣味便雅化、詩化了。他們便在這種雅化、詩化中體驗到一種異於世俗的高逸的情趣，並從中得到滿足。在士文化裡，這是大量的。金谷宴集之後便是蘭亭之會，以後在中國士人的生活裡，山水、宴飲、詩，便成了一種傳統的文化生活方式。

金谷之會的詩由於留下來的太少，無法窺見其真實面貌。然從《序》與潘岳詩看，顯然是欣賞山水之美，感慨人生，敍述離情。《序》說屢遷其坐，或登高臨下，或列坐水濱，蓋興之所至，隨景點之轉移而賦詩。岳詩所寫，就是從高處下走，列坐水濱時之感受。而《序》中提到「感生命之不永，懼凋落之無期。」則流連山水與宴飲之樂，並未能消彌掉人生無常的悲哀。在西晉士人的奢靡生活裡，在他們的入世甚深的近於平庸的享樂裡，生命問題始終並未從他們的心中退去。他們的自全心態，他們的不嬰世務，都不同程度地與這一點有關。我們可以舉出很多這樣的例子來。陸機《懷土賦》，《序》稱：「曲街委巷，罔不興咏；水泉草木，咸足悲焉。」謂言方當懷思之時，則自然的一草一木，均足以引動愁思。賦言：

遵黃川以葺宇，被蒼林而卜居。悼孤生之已宴，恨親沒之何速。排虛房而永念，想遺塵其如玉。眇綿邈而莫覿，徒佇立其焉屬。感亡景於存沒，惋隤年於拱木。

生命之逝去固無法阻攔，則生之歡樂實亦甚為短暫。士衡《嘆逝賦》此種思想表現得更清楚：

川閱水以成川，水滔滔而日度；世閱人而為世，人冉冉而行暮。人何世而弗新，世何人之能故？野每春其必華，草無朝而遺露。

於四時之更迭中，悟出來「亮造化之若茲，吾安取乎短長！」「尋平生於響像，覽前物而懷之。」年光之流逝，人生之短促，因之山林光風，也就更容易引發感情的波瀉：「步寒林以淒惻，玩春翹而有思。觸萬類以生悲，嘆同節而異時。」（上引均見《陸機集》）夏侯淳更直接把這種人生短促的嘆息與縱情行樂聯在一起：

何天地之悠長，悼人生之短淺，思縱欲以求歡，苟抑沈以避免。（《懷思賦》，《藝文類聚》卷二十六）

人生短促的嘆息，漢世末季以來便一直成為士人抒情的主題，西晉士人承接這一主題也是很自然的事，而且這一主題將貫穿於中國士文化的整個傳統裡，在以後的文學裡不斷出現。

金谷宴集反映出來的山水意識，在東晉將要得到極大的發展，留待後論。

西晉士人反映出來的山水意識有著明顯的享樂內蘊，這與他們的人生態度是一致的。與這一點有聯繫，便是他們的審美情趣的變化。他們追求俊美秀麗。這種審美情趣集中反映在人物評論上。

中國文化中的男性美，在最初的時候是傾向於壯偉的：

碩人俁俁，公庭萬舞。有力如虎，執轡如組。……云誰之思，西方美人。彼美人兮，西方之人兮。（《詩經・邶風・簡兮》）

盧令令，其人美且仁。盧重環，其人美且鬈。盧重鋂，其人美且偲。（《詩經・齊風・盧令》）

彼澤之陂，有蒲與簡。有美一人，碩大且卷。寤寐無為，中心悁悁。（《詩經・陳風・澤陂》）

在這些詩裡，所贊美的男性都是高大、有力量、威武的。㉓魏晉之際，開始出現了崇尚女性美的趨向，如，何晏與曹植均敷粉。這種趨向至西晉發展為一種普遍的審美趣味。此時之美男子，都是潔白、秀麗的。《世說新語・容止》：

王夷甫容貌整麗，妙於談玄，恆捉玉麈尾，與手都無分別。

手與玉麈尾同色，其白皙可知。用玉色比喻容貌之美好，又如形容裴楷：

裴令公有俊容儀，脫冠冕，粗服亂頭皆好。時人以為玉人。見者曰：「見裴叔則如玉山上行，光映照人。」（《世說新語・容止》）

另一位美男是子潘岳，《容止》謂其「妙有姿容，好神情。」劉注引《岳別傳》謂：「岳姿容甚美，風儀閑暢。」一個挾彈擲果的關於他的故事，雖說是少年時的事，但其美貌動人，在當時卻是很有名的。有關潘岳的美缺乏具體的描寫，但從以「玉璧」比喻，可知也是秀美一類。《容止》說，夏侯湛也很美，很喜歡和潘岳一起出遊，時人謂之「連璧」。當時最典型的美男子是衛玠。他的舅舅王濟也是很美的，見到衛玠總是說：「珠玉在側，覺我形穢。」《容止》說：

> 王丞相見衛洗馬，曰：「居然有羸形，雖復終日調暢，若不堪羅綺。」

衛玠的美，是一種明眸皓齒的美，東晉人正是用這種女性的美看待衛玠的。東晉有一位著名的美男子杜松治，王羲之一見贊嘆不已，說：「面如凝脂，眼如點漆，此神仙中人。」《容止》劉注引《江左名士傳》：

> 永和中，劉真長、謝仁祖共商略中朝人士。或曰：「杜松治清標令上，為後來之美，又面如凝脂，眼如點漆，粗可得方諸衛玠。」

可見衛玠也是面如凝脂、眼如點漆一類的美。關於看殺衛玠的故事，雖屬無稽，然衛玠的秀美纖弱卻是公認的事實。

當時重視儀容的美，還有理論上的表述。蔡洪《化清經》云：「望視之兔，白蹄之豕，短喙之犬，修頭之馬，斯禽也，猶形之勢觀，況君子之貌，獨無表告者哉？」蔡洪是吳人，吳亡入洛，仕晉至松滋令。《化清經》已佚，殘文難以了解其論儀容之觀點之全貌，然從此數語觀之，重儀容之美已甚了然。

何以當時人對於男性的秀美研麗如此傾倒？原因何在？這些都似未曾為研究者認真思索過。這或者與個性的覺醒、自我的體認有關。自我的覺醒既重在感情與個性的自我體認，也注意到容貌的美。

或者這與豪門世族的生活方式，生活情趣有關，此時士人，既已沒有建功立業的強烈願望，縱欲享樂，詩酒飲宴，清談閒曠之外，閨閣情懷也是一個重要的生活內容。男性的美趨向於研麗，可能是這種閨閣情懷的反映。但是還有一點，可能與男寵大興有些關係。《晉書・五行志》下：

自咸寧太康之後，男寵大興，甚於女色，士大夫莫不尚之，天下相仿效，或至夫婦離絕，多生怨曠。

關於當時男寵的具體情形，沒有足夠材料可資証明，只從個別文學作品中透露出些少訊息。張翰《周小史詩》：

翩翩周生，婉孌幼童。年十有五，如日在東。香膚柔澤，素質參紅。團輔圓頤，菡萏芙蓉。爾形既淑，爾服亦鮮。輕車隨風，飛霧流煙。轉側綺靡，顧眄便妍。和顏善笑，美口善言。（《藝文類聚》卷三十三）

張翰是一位以高逸聞名的士人，他的情趣中卻有這種神往於孌童的愛好。而他所寫的孌童的美，與其時對於男性的美的描寫，基調一致。張翰這詩，其實可以看作梁陳宮體詩的先導，梁・劉遵《繁華詩》，意象即從此脫胎而來。㉔

當然不能說此時名士彼此間對於容貌的神往屬於男寵範圍，但是其中似隱含有此種愛好之情趣在內，即使是屬於潛意識的流露也罷。

山水審美的契入士人享樂生活與人物品評中神往於男性的女性美，為此時士人的心態人格描繪了一個重要的方面：既高雅又庸俗，是高雅與庸俗的怪異的統一。

五

在這一節裡，我們為西晉士人的心態描繪了一幅什麼樣的圖畫呢？貪財、用心於和善於保護自已，縱欲，求名，怡情山水和神往於男性的女性美。這樣一種心態，與名士風流如何統一起來呢？這是不是歷史上真實的西晉士人？如果是，又將作何解釋和評價呢？

史料本身足以說明，這是歷史上真實的西晉士人的精神風貌。

這是一種完全轉向世俗的自我心態，那種以老莊思想為依歸的、帶著很大理想成分的、與宇宙泯一的自我完全消失了。在這時的文學作品裡，我們再也找不到像阮籍《大人先生傳》和《清思賦》所描寫的人生境界了。士人們完全回到了現實中來，因之他們也就不再為內心的矛盾所苦惱，不再為理想人生與現實環境的距離而悲哀。他們的理想人生，就在現實之中。他們是這樣的一代人：他們要在現實中得到他們所需要的一切歡樂與享受，得到他們精神上和物質上的一切滿足，即使這個現實環境汚濁混亂，他們也要在這汚濁混亂中尋找自己欲望的滿足，要在這汚濁混亂中盡可能輕鬆地生活下去。他們並不存在改變這個汚濁混亂的現實的任何願望。

這是這樣的一代人：他們希望得到物欲與情欲的極大滿足，又希望得到風流瀟灑的精神享受。他們終於找到了一種方式：用老莊思想來點綴充滿強烈私欲的生活（不論是吝嗇還是縱欲），把利欲燻心和不嬰世務結合起來，口談玄虛而入世甚深，得到人生的最好享受而又享有名士的聲譽。瀟灑而又庸俗，出世而又入世。出世，是尋找精神上的滿足；入世，是尋找物質上的滿足。宋人蘇軾在論阮咸的時候，說山濤薦阮咸，稱其清正寡欲，而咸之所為，卻大不然。於是蘇軾評論說：「意以謂心、迹不相關，此最晉人之病也。」㉕所謂心、迹不相關，其實正是這種口談玄虛而入世甚深的表現。這就是西晉士人的人生向往，人生追求，也是他們的現實人生！

從漢世末季黨覺人的慷慨赴義，到西晉士人的這種人生追求，中國士人走過了多麼漫長的心路歷程！

第三節　西晉的玄學新義

西晉士人的心態變化當然不是一種因素決定的。政局的變化，豪門世族掌權，都對這種心態的變化造成影響。當然，它也和玄學的發展有關。

一種思潮的出現，它的理論表述，往往反映著其時心態的重要方面，成為其時心態在理論上的說明。西晉士人的生活理想，生活方式，生活情趣，都可以用其時的玄學新義來證明是合理的。

最集中的理論表述是郭象的主張，當然還有裴頠的崇有論。

郭象字子玄，河南人，生年不詳，而卒於永嘉末。㉖他的主要活動，在西晉中後期。曾辟司徒掾，至黃門侍郎，東海王司馬越引為太傅主簿，甚見親信，史稱其「任職當權，熏灼內外。」《晉書‧苟晞傳》說：東海王越執掌朝政，「主簿郭象等，操弄大權，刑賞由己。」東海王執掌朝政，在惠帝永興三年（三〇六年）以後，可知郭象弄權，在西晉後期的較短時間內。可以看出來，郭象是一位利欲權勢心甚重的人。

他的玄學主張，集中反映在《莊子注》中。《莊子注》涉及的理論命題甚多，此處不擬全部涉及，而只考察其與士人心態的變化關係最為直接者。在這方面，他的理論可以簡略的表述為：自生、自是、獨化、適性。

郭象認為，「有」並不生於「無」，「有」也不生於「有」，萬物皆自生。《莊子‧齊物論》：「夫吹萬不同，而使其自已也，咸其自取，怒者其誰邪！」郭象注：

此天籟也，夫天籟者，豈復別有一物哉？即衆竅比竹之屬，接乎有生之類，會而共成一天耳。無既無矣，則不能生有；有之未生，又不能為生。則生生者誰哉？塊然而自生耳。自生耳，非我生也。我既不能生物，物亦不能生我，則我自然矣。自己而然，則謂之天然。天然耳，非為也。故以天言之。以天言之，所以明其自然也，豈蒼蒼之謂哉！而或者謂天籟役物使從己也。夫天且不能自有，況能有物哉！故天者，萬物之總名也，莫適為天，誰主役物乎？故物各自生而無所出焉，此天道也。

莊子是一切歸於空無的，他論天籟，謂萬竅之或響或停，咸其自取。何以自取，則不可知。他下面接著講到「日夜相代乎前，而莫知其所萌。已乎已乎，旦暮得此，其所由以生乎?」成玄英給了確切的解釋，是:「重推旦暮，亦莫測其所由，固不知其端緒。」莊子是從「咸其自取」推向不可知，而郭象給予的解釋，則是從「咸其自取」推向自生。「無」既然不存在，那麼這個並不存在的東西當然不可能生出「有」來;而「有」在它未成為「有」之前，也是「無」，當然也不能生「有」，所以說:「有之未生，又不能為生。」「無」既不能生「有」，「有」也不能生「有」，那麼如何解釋萬物的存在呢?萬物是誰生的呢?他便從此自然導出了物自生的結論。

《莊子·天地》有一段話說:「泰初有無，無有無名;一之所起，有一而未形。物得以生，謂之德。」莊子的意思，是說宇宙的本始是無，無，所以沒有名。這個「無」，就是「一」，是無形的。它生成萬物，所以叫做「得」。莊子是把萬物的起源歸著到「無」上。但是郭象注這段話，卻把莊子的思想改造了。他說:

一者，有之初，至妙者也，至妙，故未有物理之形耳。夫一之所起，起於至一，非起於無也。然莊子之所以屢稱無於初者，何哉?初者，未生而得生，得生之難，而猶上不資於無，下不待於知，突然而自得此生矣，又何營生於已生，以失其自生哉!夫無不能生物，而云物得以生，乃所以明物生之自得，任其自得，斯可謂得也。

莊子明說「一之所起，有一而未形。」未形就是「無」，這是萬物之初。而郭象卻說一之所起，不是起於「無」而是起於「至一」。這個「至一」，就是物自生，「上不資於無，下不待於知，突然而自得此生。」如果物之生是有意的，是「知」，是「營生」，那它就失去了自生的意義。郭象說，不是的，物之生不是知，不營生，是不知其所以生而自生。

《莊子・在宥》解釋修身之「道」說：「至道之精，窈窈冥冥；至道之極，昏昏默默」是說修身的至道幽微深奧，而郭象卻仍以「有」「無」解釋之，他說：

窈冥昏默，皆了無也。夫莊老之所以屢稱無者，何哉？明生物者無物而物自生耳。自生耳，非為生也，又何有為於已生乎！

他處處排除無生有、有生有的可能，他也便處處在這個問題上改造莊子。《大宗師》論道，說：道是確實存在的，但它的存在又無為無形，可以用心去體會到它，但又看不見，它自為本自為根，在未有天地以前就存在了。它產生了鬼神和上帝，產生了天地。就是說，這個產生鬼神上帝和天地的「道」，是初始存在的「無」。郭象卻解釋：

無也，豈能生神哉？不神鬼帝而鬼帝自神，斯乃不神之神也；不生天地而天地自生，斯乃不生之生也。

不是這個「無」的「道」給了鬼神和上帝以「神」，而是鬼神和上帝自神；不是這個「無」的「道」產生了天地，而是天地自己生自己。《莊子、庚桑楚》論宇宙是萬物的總門，稱「天門」，它是絕對的「無」：

出無本，入無竅，有實而無乎處，有長而無乎本剽，有所出而無竅者有實。有實而無乎處者，宇也。有長而無本剽者，宙也。有乎生，有乎死，有乎出，有乎入，入出而無見其形，是謂天門。天門者，無有也，萬物出乎無有。有不能以有為有，必出乎無有，而無有一無有，聖人藏乎是。

莊子這裡說的「出」「入」，是指生死。他認為生死都沒有根底沒有處所，萬物的生死出入，都是無形的，這個出入都不見其形的地方叫「天門」，「天門」就是無有，萬物都出於這個「無有」，「有」不能生「有」，「有」必定生自「無有」。這個「無有」，是絕對的空無。郭象卻解釋說：

死生出入，皆欻然自爾，無所由，故無所見其形。……未有為之者也。然有聚散隱顯，故有出入之名；徒有名爾，竟無出入，門其安在乎？故以無為門。以無為門，則無門也。

夫有之未生，以何為生乎？故必自有耳，豈有之所能有乎！

此所以有之不能為有而自有耳，非謂無能為有也。若無能為有，何謂無乎！

一無有則遂無矣。無者遂無，則有自欻生明矣。

任其自生而不生生。

他說既然是空無，那麼也就不存在，「天門」既然是以無為門，也就是無門。既然無門，那麼萬物從哪兒來呢？他認為，萬物皆自生。有不是生於無，而是自有。有忽然自有，彼此間也不相生。

二

與自生有關的另一個層次，是萬物皆自爾。就是說，萬物各有自己的性質，皆本來如此，它的自然的存在形態就是合理的。

自然界的一切存在，都是本來如此，都是合理的；人類的一切存在，從命運到身體，也都是本來如此，都是合理的。

《莊子．齊物論》：

天下莫大於秋毫之末，而大山為小；莫壽於殤子，而彭祖為夭。天地與我並生，而萬物與我為一。

莊子要說的是萬物齊一，一切都是相對的，無差別的。而郭象的解釋，則把重點放在了物自性上。他說：

夫以形相對，則大山大於秋毫也。若各據其性分，物冥其極，則形大未為有餘，形小不為不足。苟各足於其性，則秋毫不獨小其小而大山不獨大其大矣。若以性足為大，則天下之足未有過秋毫也；若性足者非大，則雖大山亦可稱小矣。故曰：天下莫大於秋毫之末而大山為小。

萬物萬形，同於自得，其得一也。已自一矣，理無所言。

物各有其「性分」，物之「性分」，就是它的最合理的狀態，如果「性分」屬於大的，則再大也不為大，如果「性分」屬於小的，則再小也不為小。反之，如果大山的「性分」是屬於小的，那它再大也是小的；如果秋毫的「性分」是屬於大的，那麼最大便莫過秋毫了。一切以其「性分」而定。郭象把莊子的齊物論完全歸著到物自性上。

在郭象看來，只要它存在，它就合理。《莊子・駢拇》一開頭便用駢拇技指和肉瘤對於正常人為多餘來比喻濫行仁義是多餘的。而郭象的解釋卻是：

夫長者不為有餘，而短者不為不足，此則駢贅皆出於形性，非假物也。然駢與不駢，其性各足，而此獨駢枝，則於衆以為多，故曰侈耳。而惑者或云非性，因欲割而棄之，是道有所不載，而人有棄才，物有棄用也，豈是至治之意哉！夫物有小大，能有多少，所大即駢，所多即贅，駢贅之分，物皆有之，若莫之任，是都棄萬物之性也。

夫方之少多，天下未之有限。然少多之差，各有定分，毫芒之際，即不可以相跂，故各守其方，則少多無不自得。而惑者聞多之不足以正少，因欲棄多而任少，是舉天下而棄之，不亦妄乎！

在郭象看來，駢與不駢，贅與不贅，從物自性來說，它們都是合理的：如果割棄它們，也就等於割棄萬物。道術也一樣，只要少多各得其性，就不存在太多太少的問題。因此他接著又說：

物各任性，乃至正也。

故至正者不以己正天下，使天下各得其正而已。

物自性，就是物之正，不管它處於什麼樣的狀態，都不要去糾正它，改造它。各任其性，就是至正，

就是合理的。「物有自然，理有至極，循而直往，則冥然自合，非所言也。」（《齊物論》注）

人事亦如此。一切人事，他都認為理有固然，不必去強求它。《莊子・德充符》仲尼曰：「死生存亡，窮達富貴，……是事之變，命之行也」一段，郭象注曰：

其理固當，不可逃也。故人之生也，非誤生也；生之所有，非妄有也。天地雖大，萬物雖多，然吾之所適在於是，則雖天地神明，國家聖賢，絕力至知而弗能違也。故凡所不遇，弗能遇也，其所遇，弗能不遇也；所不為，弗能為也，其所為，弗能不為也；故付之而自當矣。

一切人事變化，個人的一切遭遇，他都認為是「理自爾」，有其「自當」處，非人力所能改變。這也是一種物自性，是人事領域的「物自性」。《德充符》說：走進古代的善射者羿的射程之內，並正在他射程的必中之地，而有時卻不被射中，這是因為命。郭象對這段話加以發揮說：

夫我之生也，非我之所生也，則一生之內，百年之中，其坐起行止，動靜趣舍，情性知能，凡所有者，凡所無者，凡所為者，凡所遇者，皆非我也，理自爾耳。

把「命」解釋成「理自爾」，便把「命」完全歸結到物性上來。郭象很喜歡用「自爾」來說明物性。《天運》提出了許多問題，如：「天其運乎？」郭象注：「不運而自行也。」又問：「地其處乎？」郭注：「不處而自止也。」又問：「日月其爭於所乎？」郭注云：「不爭於所而自代謝也。」又問：「孰主張是？孰維綱是？」郭注云：「皆自爾。無則無所能推，有則各自有事。然則無事而推行是者誰乎哉？各自行耳。」又問：「意者其有機緘而不得已邪？意者其運轉而不能自止邪？」郭注云：「自爾，故不可知也。二者俱不能相為，各自爾也。」一切都是本來如此，沒有任何主宰，也沒有任何因果關係，物自性就是一切。

三

但是，郭象並不否認事物的變化，相反，他認為事物的變化是阻擋不住的。不過，這種變化是自身進行的，自身使然。

《莊子・大宗師》有一段論及化於道，游於外的話。其中舉例說：「夫藏舟於壑，藏山於澤，謂之固矣。然而夜有力者負之而走，昧者不知也。」莊子意在以此變化之不可免，說明人應當化於道。郭象發揮說：

> 夫無力之力，莫大於變化者也；故乃揭天地以趨新，負山岳以舍故。故不暫停，忽已涉新，則天地萬物無時而不移也。世皆新矣，而自以為故；舟日易矣，而視之若舊；山日更矣，而視之若前。今交一臂而失之，皆在冥中去矣。故向者之我，非復今我也。我與今俱往，豈常守舊哉？而世莫之覺，橫謂今之所遇可繫而在，豈不昧哉！

「天地萬物無時而不移」，人也一樣，今日之我已非昔日之我，而今日之我也將隨今日而逝去，成為來日之我。這樣，就強調了宇宙萬物變化的絕對性。無時無地不在變化，否定這種變化，就是昏昧的人。

莊子又說：「藏小大有宜，猶有所遁。若夫藏天下於天下而不得所遁，是恆物之大情也。特犯人之形而猶喜之。若人之形者，萬化而未始有極也，其為樂可勝計邪！故聖人將游於物之所不得遁而皆存。」莊子的意思，在說明不要執著於現有，而要與大化冥合。所謂「游於物之所不得遁而皆存」，就是游於無所可藏之所，就是前面說的「藏天下於天下」，就是不藏，與物冥一，隨物之變化而變化。郭象對這一段又有大段的解釋，說：

無所藏而都任之，則與物無不冥，與化無不一。故無外無內，無死無生，體天地而合變化，索所遁而不得矣。本非人而化為人，化為人，失於故矣。失故而喜，喜所遇也。變化無窮，何所不遇！所遇而樂，樂豈有極乎！夫聖人游於變化之途，放於日新之流，萬物萬化，亦與之萬化，化者無極，亦與之無極，誰得遁之哉！夫於生為亡而於死為存，則何時而非存哉！

他這些解釋，在這裡與莊子的原意並無差別。但是聯繫他的整個觀點看，他的萬物萬化的觀點，是建立在物自生、物自性之上的，是物自身的變化，而不是道的變化。

郭象的物自生、自性（自足、自爾）和萬物萬化，化者無極的觀點，是他的認識鏈條上的幾個環節，這個認識鏈條，他把它概括為「獨化」。「獨化」包含自生：

夫造物者，有耶無耶？無也？則胡能造物哉？有也？則不足以物衆形。故明衆形之自物而後始可與言造物耳。是以涉有物之域，雖復罔兩，未有不獨化於玄冥者也。故造物者無主，而物各自造，物各自造而無所待焉，此天地之正也。（《齊物論》注）

「獨化」也包含自性：

若責其所待，而尋其所由，則尋責無極，卒至於無待，而獨化之理明矣。（《齊物論》注）

夫死者獨化而死耳，非夫生者生此死也。生者亦獨化而生耳。獨化而足。死與生各自成體。（《知北游》注）

「獨化」也包含萬物自身的變化無極。承認「獨化」，就要順遂這種變化：

卓者，獨化之謂也。夫相因之功，莫若獨化之至也。故人之所因者，天也；天之所生者，獨化也。人皆以天為父，故晝夜之變，寒暑之節，猶不敢惡，隨天安之。況乎卓爾獨化，至於玄冥之境，又安得而不任之哉！既任之，則死生變化，惟命之從也。（《大宗師》注）

這也就是郭象哲學的基本點。它在當時的巨大的現實意義，也正是從這一基本點生發出來的。

四

郭象主張物自生、自性，和自身的變化無極，很自然的便導引出了適性、稱情的觀點。《莊子注》一書，到處充滿著這種觀點，而這種觀點，正是其時士人的心態的確切的理論表述。

物既自生、自性，人便應該適性，不要違性。在《逍遙游》注中，他特別論述了這一點。他認為，大鵬有大鵬的逍遙，小鳥有小鳥的逍遙，適性即逍遙，雖小大殊異，苟適其性，則逍遙一也。他說：

若乃失乎忘生之生，而營生於至當之外，事不任力，動不稱情，則雖垂天之翼不能無窮，決起之飛不能無困矣。

苟足於其性，則雖大鵬無以自貴於小鳥，小鳥無羨於天池，而榮願有餘矣。

他認為，適性就是「至」，就是「極」，也就是說，適性就能達到所要達到的一切。適性則稱體。各安其天性，就無往而不適：

無往而不安，則所在皆適，死生無變於己……故至人之不嬰乎禍難，非避之也，推理直前而自然與吉會。

《逍遙游》中描述最高的精神境界說：

若夫乘天地之正，而御六氣之辯，以游無窮者，彼且惡乎待哉！

郭象解釋說：

天地以萬物為體，而萬物必以自然為正，自然者，不為而自然也。……不為而自能，所以為正也。故乘天地之正者，即是順物之性也。

順萬物之情，就要任其自然：

事苟變，情也變，則死生之願不得同矣。故生時樂生，則死時樂死矣，死生雖異，其於各

得所願一也，則何繫哉！（《齊物論》注）

把一切都看作是合理的，不要去改變它，糾正它，對於自我來說如此，對於他人來說也如此。對於自我來說，遇與不遇，生與死，榮與辱，悲與樂，既來之則自有其來之的理由，它便是合理的，便要任由它存在。「我生有涯，天也：心欲益之，人也。然此人之所謂耳，物無非天也。天也者，自然者也；人皆自然，則治亂成敗，遇與不遇，非人為也。皆自然耳。」（《大宗師》注）「當所遇，無不足也，何為方生而憂死哉！」（《齊物論》注）對於外，也要承認其存在的合理性，不要以己之是非去強人同己，去正人之是非，他說：

萬物萬形，各止其份，不引彼以同我，乃大成耳。（《天地》注）

夫天地之理，萬物之情，以得我為是，失我為非，適性為治，失和為亂。然物無定極，我無常適，殊性異便，是非無主。若以我之所是，則彼不得非，此知我而不見彼者耳。故以道觀者，於是非無當也，付之天均，恣之兩行，則殊方異類，同焉皆得也。（《秋水》注）

不要去干預外物，也不要去改變現狀。他說：

所不能者，不能強能也。由此觀之，知與不知，能與不能，制不由我，當付之自然耳。（《知北游》注）

這種思想的最為重要的發展，便是導向人生態度上的不嬰世務：

謂仁義為善，則損身以殉之，此於生命還自不仁也。身且不仁，其如人何！故任其性命，

乃能及人，及人而不累於己，彼我同於自得，斯可謂善也。（《駢拇》注）

知天人之所為者，皆自然也，則內放其身而外冥於物，與衆玄同，任之而無不至者也。（《大宗師》注）

夫寬以容物，物必歸焉。剋核太精，則鄙吝心生而不自覺也。故大人蕩然放物於自得之場，不苦人之不能，不竭人之歡，故四海之交可全矣。（《人間世》注）

《駢拇》的這條注釋能夠很好地說明晉人何以不以身殉義。這種思想把一切都看作是合理的。自己生命的存在是合理的，以身殉仁義，毀壞了這種合理，對於自己便是不仁。對己不仁，則對人也就不仁。換句話說，有非仁非義者在，則讓其自在，與己無關，可以完全不去管它，這便是「彼我同於自得」。《大宗師》和《人間世》的這兩條注釋，則是在強調一種不干預人間是非的人生態度，「內放其身而外冥於物」，「放物於自得之場」，是指對內對外都任其自然。

但是不預是非，不干世務，並不是說進入一種了無繫念，超塵出世的境界，不是利欲繫於心，形如枯木，心如死灰。而只是說，任自然而已。只要是任自然，是什麼都可以的，有為可以，養生可以，縱欲也可以。不管什麼，都以任其自然存在，它的自然存在都是合理的。

《莊子•馬蹄》開篇以馬為喻，明無為之義，而郭象解釋說：

夫善馭者，非以盡其能也。盡能在於自任，而乃走作馳步，求其過能之用，故有不堪而多死焉。若乃任駑驥之力，適遲疾之分，雖則足跡接乎八荒之表，而衆馬之性全矣。而惑者聞任馬之性，乃謂放而不乘；聞無為之風，遂云行不如臥；何其往而不返哉！斯失乎莊生之旨遠矣。

在任其自然這一點上，郭象注與莊子原意是相同的，但是在這一點之內，他加進了一個重要的思想：只要任自然，有為亦可。而這一點是非常重要的，因為在任何情況下，個人的任何行為都可以用「任自然」來解釋。例如，當時士人之「錢癖」，可以解釋為其秉性如是，蓋依其本性行事；當時士人之豪奢逸樂與縱欲，可解釋為其本性如是，只是任性而行而已；至於口談玄虛，在職而不任責，更可以作如是之解釋。這是在莊子無為思想上打開了一扇重要的門戶，為當時士人的行為找到理論上的依據。

在《在宥》注中，他闡述了同樣的思想：

無為者，非拱默之謂也，直各任其自為，則性命安矣。

這比上引《馬蹄》注還進了一步，明確解釋「無為」為「任其自為」。既然「任其自為」，那麼一切的行爲便都是合理的了。

在《天地》注與《天道》注中，他解釋「無為」為「率性而動」。《天地》注：

夫志各有趣，不可相效也。故因其自搖而搖之，則雖搖而非為也；因其自蕩而蕩之，則雖蕩而非動也。故其賊心自滅，獨志自進，教成俗易，悶然無跡，履性自為而不知所由，皆云我自然矣。

《天道》注：

率性而動，故謂之無為也。

率性而動，便什麼事都可以做了。郭象這種適性、稱情的主張，對於當時士人的心態與行為，無疑有著極大的適應性。一方面它既可以為口談玄虛、不嬰世務找到理論根據；另一方面，又可以為任情縱欲、為個人慾望的滿足的合理性找到理論上的解釋。既出世，又入世。要承擔社會責任時，他是出世的；要滿足個人慾望時，他是入世的。這兩個方面，正是西晉士人兼而有之的人生品格。

五

《晉書・阮籍傳附阮瞻傳》說，瞻見司徒王戎，戎問曰：「聖人貴名教，老莊明自然，其旨同異？」瞻回答說：「將無同。」這是非常有名的一次回答，時人謂之「三語掾。」㉗後代學者，亦多據此以證西晉人談玄，已合名教與自然而為一。此一點似應有所說明。

從晉人之推崇「三語掾」看，名教與自然一致，確為其時士人之普遍認識。此處還可舉出一個旁證。樂廣是玄談名士，但他同時又是肯定名教的。《世說新語・德行》說：

王平子、胡毋輔國諸人，皆以放任為達，或有裸體者。樂廣笑曰：「名教中自有樂地，何為乃爾也！」

這材料雖未直接說明樂廣肯定名教，但他說可從名教中得到所要得到的樂趣，也就說明，他對於名教的肯定。在他那裡，名教與自然並不是矛盾的。

但問題是，西晉時朝野之間，名教事實上並未被認真實行過。在本章的第一節中，我們已經說明，西晉朝廷雖提倡名教，而朝野之中，名教中最重要的部分，如君臣名份與日常生活中禮的種種規範，都已名存實亡。那麼，名教與自然的統一意義在什麼地方呢？我想，意義就在從理論上明確名教與自然可以統一，而並不具有糾正現實中的弊風的意義。這就要從郭象的理論加以解釋了。

郭象既然從物自生、自性、獨化，導致一切存在的都是合理的、應該順物之性、應該適情的結論，那麼，名教與自然都是一種存在，就都有它們的合理性，不應該以彼正此，也不應該以此正彼，不應該互相排斥。這種理論認識當是一種相當普遍的共識。西晉中期以後，以至於永嘉以前，並未發生名教與自然的激烈矛盾，原因恐怕就在這裡。

西晉玄學理論的另一重要成就，是裴頠的《崇有論》。《崇有論》在中國古代哲學史上有其巨大價值，但就其與西晉士人心態之關係而言，遠遠比不上郭象的理論，故於此不詳論。

【注　釋】

①萬繩南整理《陳寅恪魏晉南北朝史講演錄》五五頁，黃山書社一九八七年版。

②《史記・李斯列傳》：「二世二年七月，具斯五刑，論腰斬咸陽市。斯出獄，與其中子俱執，顧謂其中子曰：「吾欲與若復牽黃犬，俱出上蔡東門逐狡兔，豈可得乎？」遂父子俱哭，夷三族。」劉勰《文心雕龍・指瑕》：「若夫君子擬人必於其倫，……向秀之賦嵇生，方罪於李斯，……不類甚矣。」

③《通鑑考異》說，此事《三十國春秋》在十一月，《晉陽秋》在十月己巳，恐皆非實，故附於冬末。

④⑥《三國志·魏書·夏侯玄傳》裴注引《漢晉春秋》。

⑤《資治通鑑》魏紀九。

⑦如，唐長孺《魏晉南北朝史論·拾遺·魏晉南北朝的君父先後論》，中華書局一九八三年。

⑧劉向《說苑·正諫》，趙善詒《說苑疏證》本，華中師大出版社一九八五年。

⑨劉顯叔《魏未政爭中的黨派分際》，《史學匯刊》第九期。

⑩《世說新語·方正》劉注引《晉諸公贊》：「齊王當出藩，而王濟諫請無數，又累遣常山主與（甄德）婦長廣公主共入稽顙，陳乞留之。世祖甚恚，謂王戎曰：『吾兄弟至親，今出齊王，自朕家計，而甄德、王濟連遣婦人來，生哭人邪？濟等當爾，況余者乎？』濟自此被責，左遷國子祭酒。」

⑪或因此事特異，唐人修《晉書》疑之，改「以人乳飲豚」為「以人乳蒸之」。此一改動，大失實。蓋若以人乳蒸豚，事殊平常，武帝當不至因駭怪而不平。唐人何所據而改之，未見明證，殆以意為之乎！

⑫《三國志·魏書·荀彧傳》

⑬《三國志·魏書·傅嘏傳》裴注引《世語》云：「景王疾甚，以朝政授傅嘏，嘏不敢受。及薨，嘏秘不發喪，以景王命召文王於許昌，領公軍焉。」裴注又引孫盛評云：「晉宣、景、文王之相魏也，權重相承，王業基矣。豈蕞爾傅嘏所宜間廁？《世語》所云，斯不然矣。」孫盛說是，然傅嘏受到重任，卻仍為事實。

⑭《閑居賦序》：「昔通人和長輿之論余也，固曰：『拙於用多。』稱多者，吾豈敢；言拙，則信而有徵。方今俊乂在官，

百工惟時，拙者可以絕意乎寵榮之事矣。」

⑮《晉書・王戎傳》有關於和嶠遭父喪的記載。

⑯徐高阮《山濤論》、《歷史語言研究所集刊》第四十一本第一分。

⑰《晉書・職官志》：「太子太傅、少傅，泰始三年建官，各置一人。時侍中任愷，武帝所親敬，復使領之。」

⑱魯褒，字元道，南陽人，生卒年不詳。《晉書・隱逸傳》謂「元康之後，綱紀大壞，褒傷時之貪鄙，乃隱姓名，而著《錢神論》以刺之。……褒不仕，莫知所終。」是則褒當生活於西晉末東晉初。關於《錢神論》作年，有不同說法。胡寄窗《中國經濟思想史》定作年於東晉元帝、康帝時期。牟松《魯褒〈錢神論〉的產生與當時的商品貨幣經濟》（《江淮論壇》一九八五年第五期）則定作年於西晉惠帝期，引《晉書・惠帝紀》：「及居大位，政出群下，綱紀大壞，貨賂公行，位勢之家，以貴陵物，忠賢絕路，讒邪得志，更相薦舉，天下謂之互市焉。高平王沈作《釋時論》，南陽魯褒作《錢神論》，廬江杜嵩作《杜子春秋》（王鳴盛《十七史商榷》卷五十一云，任子當作杜子），皆疾時之作也。」證明唐人修《晉書》，明確《錢神論》作於惠帝元康時期。司馬光修《資治通鑑》，進而繫作年於元康九年，當有所據。而最有力的證據，是《錢神論》中提到「洛中朱衣，當途之士，愛我家兄，皆無已已。」東晉都建康，洛陽非復晉有，故《錢神論》之作，顯係南渡之前。按，牟說甚是，胡寄窗說誤。

⑲關於衍之四友，有不同說法。《晉書・王澄傳》謂四友為：王敦、謝鯤、庾敳、阮脩，無王澄與胡毋輔之。然《世說新語・品藻》則以為是庾敳、王敦、王澄、胡毋輔之。《世說》注引《八王故事》說與此同。未知《王澄傳》以何為據，似不確。

⑳《世說新語・任誕》：「阮仲容先幸姑家鮮卑婢。及居母喪，姑當遠移，初云當留婢，既發，定將去。仲容借客驢著重

服自追之，累騎而返。曰：『人種不可失。』即遙集之母也。」程炎震云：「咸云人種，則孚在孕矣。孚傳云：『年四十九卒，』以蘇峻作亂推之，知是咸和二年。則生於咸寧五年。」（《世說新語箋疏》引）

㉑萬斯同《晉方鎮年表》係崇監靑徐諸軍事在元康六年，是。《水經注》引崇序作七年，誤。

㉒余嘉錫引《御覽》卷九百十九石崇《金谷詩序》：「吾有廬在河南金谷中，去城十里，有田十頃，羊二百口，雞豬鵝鴨之類莫不畢備。」以證劉孝標注所引《金谷詩序》已非全文。

㉓《鄭箋》：「鬈，當讀為權，勇壯也。」從鄭箋。偲，朱熹《詩集傳》云：「亦壯偉之美也。」

㉔劉遵《繁華詩》：「可憐周小童，微笑摘蘭叢。鮮膚勝粉白，腜臉若桃紅。挾彈雕陵下，垂鈎蓮葉東。腕動飄香麝，衣輕任好風。幸承拂枕選，得奉畫堂中。本知傷輕薄，含辭羞自通。剪袖恩雖重，殘桃愛不終。蛾眉詎誰嫉，新姬近入宮。」（《藝文類聚》卷三十三）

㉕《題山公啟事帖》，《東坡題跋》卷四，叢書集成初編本。

㉖郭象生卒年，馮友蘭先生謂約二五二—三一二，（《中國哲學史新編》一二八頁）而湯一介先生則肯定生於二五三年，卒於三一二年。查有關資料，未能找到充足證據。《晉書》本傳只稱其卒於永嘉末，並未明確說在永嘉末的哪一年。其他任何材料均未涉及其明確之生卒年。對於他的生卒年的肯定，未知何所據。

㉗這次問答，有不同記載。《世說新語‧文學》記此事，為王衍問阮脩，還穿插著衛玠的評論。余嘉錫《箋疏》引金人王若虛《滹南遺老集》，是據《晉書》作戎問阮瞻的。引程炎震云：「《御覽》二百九『太尉掾門』及三百九十『言語門』引《衛玠別傳》載此事，均作阮千里。則是瞻，非脩也。」余嘉錫按云：「唐人修《晉書》，喜用《世說》，此獨與《世說》不同，知其必有所考矣。《御覽》二百九所引，先見《類聚》十九。」此處從余嘉錫說。

第四章　東晉士人心態的變化與玄釋合流

司馬氏用陰謀的手段篡奪來的政權，延續不到二世，便在元康元年開始了八王之亂。這時，上距晉國始建才三十五年。八王之亂的到來，是自然的事。既然政失準的，那麼便只剩下了赤裸裸的權力爭奪，任何倫理道德的約束都毫無意義了。結果是，西晉政權的瓦解從內部的權力爭奪開始，發展為五胡之亂，最後不得不南渡長江，偏安江左。

這場大戰亂，這個政局的巨大變化，對於士人的心靈的震動無疑是很大的。他們所追求的一切，他們的人生旨趣，還能不能存在下去？他們面對的將是怎樣一個環境呢？衣冠南渡，舉目有山河之異，何況死亡離散，顛沛困厄伴隨他們，隨時都在改變著他們的生活。他們將為自己尋找一個怎樣的精神天地，他們的感情世界將安頓於何處呢？

從正始發展起來的玄風，經過西晉的變形，走向名教與自然一體，實際上是走向不嬰世務的超脫與入世的縱欲的一體，在新的政治環境裡，它又將如何發展呢？這就是我們下面所要探討的問題。

第一節　西晉的亂亡與士人的反思

在永嘉南渡之前，一部分出身寒門，又受到儒家思想熏陶的士人，對於其時的士風，就已經心存不滿，存在著一種心理距離。他們由於自身儒家思想的素質與其時之士風相乖離，也由於仕途中晉身的艱難，在他們的心裡，有一種被歧視的感覺。因此，對當時的名士來說是舒暢的，可以任情性放縱，處處覺到心靈的自由的社會環境，對於他們來說卻處處是荊棘。在那個社會裡，他們是被冷落了的一群，他們有一種濃烈的寂寞感。因此，他們對於西晉社會的認識，也更為冷靜一些，多少帶著一種冷眼旁觀的意味。左思可以說是這方面的典型。

左思出身寒門，家世儒學。他妹妹左芬在泰始八年（二七二）入宮為修儀，他也便從家鄉臨淄移家洛陽，希望能有晉身的機會。他有很高的抱負，有強烈的建立功業的理想。在《咏史》詩裡，他說自己「弱冠弄柔翰，卓犖觀群書；著論準《過秦》，作賦擬《子虛》。邊城苦鳴鏑，羽檄飛京都。雖非甲冑士，疇昔覽穰苴。長嘯激淸風，志若無東吳。鉛刀貴一割，夢想騁良圖。左眄澄江湘，右盼定羌胡。功成不受賞，長揖歸田廬。」又說：「吾希段干木，偃息藩魏君；吾慕魯仲連，談笑卻秦軍。當世貴不羈，遭難能解紛。功成恥受賞，高節卓不群。臨組不肯緤，對圭寧肯分？連璽耀前庭，比之猶浮雲。」這種慷慨情懷、豪俠氣概，在西晉的士人中是非常特別的。劉琨與祖逖，少年時有過這種抱負，這一點我們下面還要談到。左思這種理想的產生，可能與他受過儒學的入世思想的熏染有關，而他的豪俠氣概，則可能與他受齊魯士風的影響有些關係。但是他的少年壯志，與西晉社會的現實其實存在甚大的距離。西晉社會並不是一個可以有建功機會的社會。詩中提到的「左眄澄江湘」，說明他有這個抱負的時候，是在平吳之前。他幻想要在平吳中立大功。但是平吳其實是一種歷史的必然，並不象歷史上有過的偉大統一事業那樣需要英雄人物去完成。平吳之役，雖經羊祜、杜預多年經營，但是戰事並不激烈，彷彿摧枯拉朽，不費多少氣力。而且其時左思是一位二十餘歲的寒門出身的士人，也沒有參預平吳的機會。而更重要的是，左芬入宮之後，雖才華出衆，詞藻美麗，受到武帝的重視，但是由於貌寢，卻並未受到好色的武帝的寵幸，左思自然也便沒有能夠被提攜。他雖然預賈謐的二十四友之列，但主要的是為賈謐講《漢書》，身預權門，而心卻深感被冷落的悲哀：

> 濟濟京城內，赫赫王侯居，冠蓋陰四衢，朱輪竟長衢。朝集金張館，暮宿許史廬。南鄰擊鐘磬，北里吹笙竽。寂寂揚子宅，門無卿相輿。寥寥空宇中，所講在玄虛。皓天舒白日，靈景耀神州。列宅紫宮裡，飛宇若雲浮。峨峨高門內，藹藹皆王侯。自非攀龍客，何為欻來游？（《咏史》之四、五）

詩裡所反映的心境，是很有意思的。眼前的一切，是歌舞繁華，是榮華富貴，但是都與己無關。他覺得自己不是他們中的一員，他屬於另一種境地。「冠蓋滿京華，斯人獨憔悴，」可以用來形容他其時的心境。他感到是那樣寂寞潦倒：

習習籠中鳥，舉翮觸四隅。落落窮巷士，抱影守空廬。出門無通路，枳棘塞中途。計策棄不收，塊若枯池魚。外望無寸祿，內顧無斗儲。親戚還相蔑，朋友日夜疏。（《咏史》之八）

這使人想起他十年賦《三都》的情景來，他之把自己比擬為窮巷著書的揚子云，實在是很貼切的。正是由於他的這種生活環境，因之他對其時的世風便取一種不滿的批評的態度。也是在《咏史》裡，他說出了對其時門閥世族的不滿：

郁郁澗底松，離離山上苗，以彼徑寸莖，蔭此百尺條。世胄躡高位，英俊沉下僚。地勢使之然，由來非一朝。（之二）

「世胄躡高位，英俊沉下僚」，正是當時門閥世族壟斷政治權力的歷史真實的記錄。左思的這些認識，與魯褒《錢神論》、王沉《釋時論》一樣，都可以看作是對西晉社會的一種反思。不過，他們由於自己的地位的低下，反思之後，他們便帶著那個社會給予他們的冷落感，走向超脫，把自己完全放在旁觀者的地位上，保持著與世風的一種心理上的距離。左思後來是什麼官也不做，退居宜春裡，專意典籍了的；並且在戰亂起來之後，舉家遷往冀州，就死在了那裡。

與左思類似的是張載和張協。他們也是對豪門世族頗為不滿的人。張載在《榷論》裡，對這一點有所論述。他也親身接受過非豪門世族出身的人晉身不易的現實，並且在這現實裡產生了一種徘徊彷徨不知所之心態：

跋涉山川，千里告辭。楊子哭岐，墨氏感絲。雲乖雨絕，心乎愴而。（《述懷詩》）

楊子哭路岐和墨子悲素絲的感慨，正是他對於世風的失望並由是產生的無所適從的心緒的表現。張協也很有一點不入時的心緒，「流俗皆昏迷，此理誰能察？」「昔我資章甫，聊用適諸越。……窮年非所用，此貨將安設？」（《雜詩》）載與協，在戰亂起來之後，是舍棄仕途，歸隱了的。臧榮緒《晉書》說他們「兄弟並守道不競，以屬咏自娛。」所謂「守道不競」，是他們的行為與其時虛華的士風不同。他們與其時現實的乖離感所產生的這些評論，未曾不可以看作是對西晉社會一種反思。

另一位頗為特別的對西晉社會持批判態度的人，是葛洪。葛洪不僅對西晉士風持批判態度，而且對自漢末個性自覺的整個思潮與由此一思潮引起的士風的種種變化，都持批判的態度。從一定的意義上可以說，葛洪是這思潮的批判者。

但是，他卻是一位頗為奇特的人物。他的批判的思想武器，雖然主要是儒家思想，但是他的思想卻是極為複雜的。他對社會，持的是儒家的衡量標準，而自己的思想歸宿，卻是神仙道教。在他的思想裡，無疑有道家的成分，但他又批判老、莊；他還雜有刑名思想。他自己就說自己博覽百家，所以不是純儒。他的奇特之處，就是以一個不是純儒的人，卻以儒家的標準對玄風採取了嚴厲的批判態度。

葛洪生活於兩晉之交。洪字稚川，丹陽句容（今江蘇句容縣）人，生於武帝太康四年（二八三年），①祖父葛系，吳大鴻臚；從祖葛玄，為其時之著名道士，曾受到孫權的極大尊敬。他曾師事左慈，受《太清丹經》、《九鼎丹經》、《金液丹經》，遍游名山，修道煉丹。梁・陶弘景修《真誥》，說玄「善於變化」。（卷十二）在元人趙道一編修的《歷代真仙體道通鑒》中，記著關於玄的許多神異故事。因他的這些靈異的法術，他被時人稱爲葛仙翁。《歷代真仙體道通鑒》還說，玄的父親葛孝儒，也是一位信奉道教的人物。葛洪的一生道路，與這樣一個家庭的傳統當有甚大之關係。

洪的父親葛悌，以孝友聞，仕吳至會稽太守，入晉歷太中大夫，邵陵太守，從葛洪在《抱樸子・外篇》「自敍」中對他為官清正的記述看，他是一位信奉儒家道德準則的人。洪十三歲的時候，葛悌去世。洪便開始過貧困的攻讀生活，「飢寒困瘁，躬執耕穡，承星履草，密勿疇襲，又累遭兵火，先人典籍蕩盡，農隙之暇無所讀，乃負笈徒步行借，……日伐薪賣之，以給紙筆，就營田園處以柴火寫書。」洪少年所學，主要是經、子。但他學習並不專一，便去從鄭隱學道。隱是葛玄的弟子，洪從隱學，實際上是近乎家學之傳授。但是他開始學道時，也並不專心，按他自己的話說，是並不完全了卻俗情。二十一歲那年，張昌起義，昌的大將石冰，攻佔揚州一帶。這時，有一位名叫宋道衡的人，從石冰求為丹陽太守，做了丹陽太守之後，他便起兵攻打冰，葛洪便在道衡那裡做了將兵都尉。因鎮壓冰的軍功，洪遷了伏波將軍。但是第二年，他便「投竿釋甲」，往洛陽求異書，正好逢八王之亂，道阻路絕，於是便周旋於徐、豫、荊、襄、江、廣數州之間大約有二年。光熙元年（三〇六年），嵇含為廣州刺史，表洪為參軍。洪先至廣州，含未至而遇害，洪於是滯留南土，隱居於羅浮山。大約在三十歲的時候，與南海太守鮑靚結識。靚是一位精通丹術與符篆的人，《雲笈七籤》卷一百零六《鮑靚真人傳》說他曾從左慈受中部法，及三皇五岳劾召之要，能役使鬼神。靚傳授給洪《三皇文》，並把女兒嫁給了他。三十二歲的時候，洪到了句容故里修道煉丹。第二年，玠琊王司馬睿為丞相，廣招人才，洪被辟為府掾。又兩年後，當洪三十五歲時，司馬睿在江東即晉王位，大加封賞。洪因伐石冰之功，封為關中侯，食句容邑二百戶。也就在這個時期，他完成了《抱樸子》內外篇的寫作。外篇《自敍》說：「洪年二十餘，乃計作細碎小文，妨棄功日，未若立一家之言，乃草創子書。會遇兵亂，流離播越，有所亡失，連在道路，不復投筆十餘年，至建武中乃定。凡著內篇二十卷，外篇五十卷，碑頌詩賦百卷，軍書檄移章表箋記三十卷，又撰俗所不列者為《神仙傳》十卷，又抄五經七史百家之言兵事方伎短雜奇要三百一十卷，別有目錄。」就是說，從「投筆釋甲」的二十一歲前後動筆，到成書的三十五歲左右，前後經歷十餘年。以後或者還曾不斷修改，外篇《自敍》作於更晚，可能是晚年（外篇《自敍》提及《神仙傳》，顯係作於晚年②）。他雖受爵封，而仍隱居句容，直至咸和初，王導才又薦洪補州主簿，轉司徒掾，遷咨議參軍。但不久他又歸隱蘭風山。且因年老，急於煉丹，聞交趾產丹砂，他便給晉成帝上疏，請為交趾勾漏令，帶領子侄南下，而到廣州時為廣州刺史鄧岳所強留，遂復入羅浮山。自此，便在羅浮山煉丹，大約死於晉穆帝永和元年（三四五年）至三年之間，享年六十三或六十五。③

從葛洪經歷看，我們可以了解到他與其時豪門世族、與其時之名士群體，是完全不同的另一種人，他並不是當時士人的代表人物，他的言行，並不代表當時士風的基本傾向。他是處於當時主要士風之外，來審視其時的社會風氣的。還不僅止於此。他是處於整個個性覺醒的思想潮流之外，來審視自漢末發展起來的這個思潮的。

在葛洪的思想裡，當然有道家的成分，這是毫無疑義的。內外篇都有老子的思想，外篇《嘉遁》有淡泊無為的思想；而養生的思想，卻與嵇康有許多相似處。但是，他的主要的心態，則與其時士人心態的主要趨向相左。他帶著一種不滿的心緒，評論世風士風，評論士人之心態。

他對於自漢末發展起來的整個士風加以評說。從批評郭泰開始，他進而否定從人物品評到清談的風尚。他說，林宗知漢之不可救，而不能隱跡山林，棲棲遑遑，周流四方，「出不能安上治民，移風易俗；入不能彈毫屬筆，祖述六藝。行自炫耀，亦既過差，收名赫赫，受饒頗多。然卒進無補於治亂，退無跡於竹帛。」他進而批評林宗所處時代普遍存在的「處士橫議」風氣。他引諸葛元遜的話說：「林宗隱不修遁，出不益時，實欲揚名養譽而已，街談巷議以為辯，訕上謗政以為高。時俗貴之歙然，猶郭解元涉見趨於曩時也。後進慕聲者未考之於聖王之典，論之於先賢之行，徒惑華名，咸競準的，學之者如不及，談之者則盈耳。」（《抱樸子・外篇・正郭》）我們在第一章中曾說過，「處士橫議」，正是漢末思想禁錮解除、個性覺醒、思想趨向於多樣化的產物，也是漢末政治腐敗，士人對於政權的疏離心理的反映。在歷史的發展中，它是一種進步現象。而葛洪所批評的，正是這種現象。他顯然沒有注意漢末以來的特殊的政治格局，也沒有考慮到思想發展的趨勢，他是以儒家的固定的標準，去衡量已經變化了的局勢。這與他在另一些地方提出的今勝於古的觀點，正好相矛盾。

他對於漢末以來的任自然以適性情的風氣表示不滿。他說，君子賢人，應該勤慎勞謙，而「漢之末世則異於茲，蓬髮亂鬢，橫挾不帶，或褻衣以接人，或裸袒而箕踞。朋友之集，類味之游，莫切切進德，誾誾修業，攻過弼違，講道精義。其相見也，不及敍離闊，問安否，賓則入門而呼奴，主則望客而喚狗。其或不爾，不成親至，而棄之不與為黨，及好會則狐蹲牛飲，爭食競割，掣撥淼折，無復廉恥，以同此者為泰，不爾者為劣。」又說：「漢之末世，吳之晚年，……唯在於新聲艷色，輕體妙手，評歌謳之清濁，理管弦之長短，相狗馬之剿駑，議遨遊之處所，比錯涂之好惡，方雕琢之精粗，校彈棋樗蒱之巧拙，計漁獵相掊之勝負，品妓妾之妍蚩，指摘衣服之鄙野。」（《抱樸子．外篇》：《疾謬》《崇教》）他譏笑這種風氣說：

夫貴門子孫及在位之士，不惜典型，而皆科頭袒體，踞見賓客，既辱天官，又移染庸民，後生晚出，彼或以輕清之資，或佻竊虛名而躬自為之，則凡夫便謂立身當世，莫此之美也。（外篇《刺驕》）

而且，他認為這種任情放縱的風氣是每下愈況，他說：

世人聞戴叔鸞、阮嗣宗傲俗自放，見謂大度，而不諒其林力非傲生之匹而慕學之，或亂項科頭，或裸袒蹲夷，或濯腳於稠衆，或溲便於人前，或停客而獨食，或行酒而止所親。此蓋左衽之所為，非諸夏之快事也。夫以戴、阮之才學，猶以跟蹉自病，得失財不相補。向使二生敬蹈檢括，恂恂以接物，競競以御用，其至到何適但爾哉！況不及之遠者，而遵修其業，其速禍危身，將不移陰，何徒不以清德見待而已乎！（外篇《刺驕》）

在整個外篇中，他處處表現出對於任情放縱的士風的極端反感。他是一位循規蹈矩的人，完全按照儒家的守儉約、循規矩的方式生活。他甚至對於穿衣服的風氣也深致不滿。南渡之後，士人在服飾上常常變換新樣，對此葛洪評論說：

喪亂以來，事物屢變，冠履衣服，袖袂財制，日月改易，無復一定，乍長乍短，一廣一狹，忽高忽卑，或粗或細，所飾無常，以同為快。（外篇《譏惑》）

在《自敍》中，他說他不能接受這種變化：

洪之為人也而騃野，性鈍口訥，形貌醜陋，而終不辯自矜飾也。冠履垢弊，衣或襤縷而或不恥焉。俗之服用，俄而屢改，或忽廣領而大帶，或身促而修袖，或長裾曳地，或短不蔽腳。洪其守常，不隨世變。故邦人咸稱之為抱樸之士。

他是完全站在潮流之外的，因此他說他生活在孤獨裡。這是很有意思的一件事，說明著他的思想觀點，他的價值取向，他的心緒，與其時之主要思想潮流，是格格不入的。

他評論好壞美醜的標準，亦與時異。兩晉是十分看重容貌的瀟灑俊美的，前已述及。風姿俊爽，風神秀麗，往往為人所仰慕，成為名士之一重要標誌。但是葛洪的看法完全相反。在外篇《行品》中說：

人技未易知，真偽或相似。士有顏貌修麗，風表閑雅，望之溢目，接之適意，威儀如龍虎，盤旋成規矩，然心蔽神否，才無所堪，心中所有，盡付皮膚，口不能吐片奇，筆不能屬半句，入不能宰民，出不能用兵，治事則事廢，銜命則辱命，動靜無宜，出處莫可。……士有機辯清銳，巧言綺粲，濫引譬喻，淵涌風厲，然而口之所談，身不能行，長於識古，短於理今，為政政亂，牧民民怨。

在《清鑒》中他也有類似的話：

夫貌望豐偉者不必賢，而形器尪瘁者不必愚。

這些說法，其實是對於其時名士的一種非常刺耳的批評，正所謂「時之所重，我之所輕。」從《抱朴子》看，葛洪對於世風，以至對漢末開始的個性自覺思潮引起的士風的變化的批評，只停留在對現象的評論上，大抵說來，是以儒家的禮，批評種種違禮的行為；以知足守分的人生態度，批評種種奢靡放蕩的生活風尚。他並沒有論及玄學思潮的實質問題，也沒有論及這一思潮與政局的關係。既不是對這一思潮流清理與批評，也不是對於這一思潮與西晉亂亡的關係的歷史思索。它只是一種心境的距離，是一種生活態度、生活方式、生活價值準則的差異的反映。葛洪的批判，使人感到在當時的主要思想潮流之外，還有一些旁觀的人，對這一潮流持冷靜的批判的態度，如此而已。洪的批判既未阻擋這一思想潮流之發展，亦未在當時的實生活中產生影響。

何以像葛洪這樣一位在道教史有著十分重要地位的人物，像他這樣一位著述如此豐富，知識如此廣博的人物，對於世風的批評事實上在歷史上並未起到作用。這原因當然非常複雜，他處於下僚，人微言輕，固是一端。玄學思潮的發展還有它的社會歷史條件，還有它存在的根據，也是一端。但是，他的批判沒有帶著振聾發聵的深刻理論反思的性質，恐怕是更為主要的原因。而這一點，主要的便要歸結到他思想的複雜性上。

他是神仙道教理論的重要創立者。他的神仙道教理論的哲學基楚便是老子的道。但是他又批評老、莊的思想。《釋滯》：

又五千文雖出老子，然皆泛論較略耳。其中了不肯首尾全舉，其事有可按據也。但暗誦此經，而不得要道，直為徒勞耳，又況不及者乎！至於文子、莊子、關令尹喜之徒，其屬文華，雖祖述黃、老，憲章玄虛，但演其大旨，永無至言，或復齊死生謂無異，以存活為徭役，以殂沒為休息，其去神仙，已億里矣。豈足耽玩哉！

他有老子的守樸無為的思想，「至人無為，棲神衝漠，不役志於祿利，故害而不能加。」（外篇《嘉遁》）但是在行動上，他又並不完全棲神於衝漠，他是入世的，不過方式不同而已，他寫《抱朴子》的目的，就是傳之後世，讓人知道他是文儒。他的著述的目的，與曹丕等人的著書目的並無不同之處。他的守樸無為，只是指不追求利祿，不苦形於外物，不為世務所累，不為富貴所誘而已，與老子的抱樸守素的原義已經不同。他主張守分知足，「夫斥鵬不以蓬榛易雲霄之表，玉鮪不以幽岫貿滄海之曠，虎豹入廣厦而懷悲，鴻鶤登嵩巒而含戚，物各有心，安其所長，莫不壽於得意，而慘於失所也。……或出或處，各從所好。」（外篇《逸民》）這是很典型的安於現狀的思想，依這種思想推理，那麼各行其是就是。這正是莊子的思想。但是事實上洪又做不到，他論君道，論臣道，論任賢，論遇與不遇，處處都反映出他對世事是非的關心。他為賢人不遇抱不平，而這正與他安分知足的思想相左。他是主張貴經術、崇儒教的，「經術深刻高才者洞逸，鹵鈍者醒悟。」（外篇《勗學》）「六藝備，則卑鄙化為君子。」（外篇《博喻》）「正經為道義之淵海。」（外篇《百家》）但是他又主張博采百家。他主張忠孝仁義，但也主張以刑法輔仁義，雜入法家思想。他雖然主要的是運用儒家的思想準則批評世風士風，但是由於他的思想的龐雜，他在理論上顯示來缺乏鮮明性也缺乏力度，只能停留在對現象的評論上。他對士風世風的批評，缺乏理論反思的深刻性的原因就在這裡。

從左思到葛洪，雖然他們的遭遇不同，思想各異，他們對於玄風的反思都帶著冷眼旁觀的性質，他們有不滿，特別是葛洪，但他們還不是身受其害、因而對玄風痛心疾首的人。對玄風作痛心疾首的反思的，是另一些人。這些人曾經身在玄風之中，而後因各種原因又身受其害，回首往事，面對現實血淚，於是在血淚中思索，並且在血淚中醒悟過來。

劉琨就是很突出的一位。他以一種慷慨悲壯的情懷，最後是以生命，作了一次驚心動魄的反思。他與他的哥哥劉輿，原都預賈謐的二十四友之列。史稱其原本為巧佻之徒，奢靡放縱，嗜於聲色。趙王司馬倫是八王之亂、中原傾覆的肇始者，琨姊適趙王倫之子司馬荂，因之琨及其父兄，一門三人盡為倫所用，參預了倫的種種陰謀。特別是劉輿，品格更為低下，不惟品格低下，且陰險狡詐，他陷害他人的種種行徑，使讀史者常為之毛骨聳然。後來趙王倫失敗，琨兄弟便歸附了成都王司馬冏。冏失敗，他們又歸附了范陽王司馬虓。在屢換其主的過程中，見出琨兄弟的反覆無常。

八王之亂使晉室瀕於崩潰，北方少數民族的統治者乘機而起，入侵中原。輿在洛陽陷落之前便死了，未及見西晉之亡國。而琨卻在抗擊外族入侵中成了英雄人物。

光熙元年（三〇六年）九月，琨被任命為并州刺史。并州是抗擊匈奴入侵的北方重鎮，當時已在匈奴各勢力的包圍之中，劉曜、石勒，兵力就在附近，還有晉室的割據一方的勢力王浚等，形勢錯綜複雜，各種力量犬牙交錯。琨就要去周旋於這些力量之間，加上戰亂已經把中原蹂躪得殘敗不堪，民不聊生，人力物力，來源都有困難。而司馬越任命琨為并州刺史的時候，又沒有給他兵力。他以極少的力量，在那樣複雜艱險的條件下赴任，在精神上的負擔當然是相當沉重的。這次的任命，已經不是八王之亂的內部權力之爭，而是關乎國命安危的事。他所面對的使命把他從反覆無常的立身之道一下子便拉回到繫國命安危於一身的位置上。這種種的因素，無疑在琨的內心深處引起了非常複雜的反響。這在他赴任時寫的《扶風歌》中可以看出來：

> 朝發廣莫門，暮宿丹水山。左手彎繁弱，右手揮龍淵。顧瞻望宮闕，俯仰御飛軒。據鞍長嘆息，淚下如流泉。

我們可以清楚地感受到他有一種慷慨赴國難的情懷，車既行而又止，心徘徊而不忍去。這「嘆息」意蘊甚深，是傷國家的禍亂災難，還是傷國之將亡。而這種種結果，自己又是參預了的一員，是嘆恨？還是淒涼？或者還有對於前途的憂慮？他所要面對的，將是一種極艱難的環境。這在他赴并州抵壺關的上表中有所說明：

九月末得發，道險山峻。胡寇塞路，輒以少擊衆，冒險而進，頓伏艱危，辛苦備嘗，即日達壺關口。臣自涉州疆，目睹困乏，流移四散，十不存二，攜老扶弱，不絕於路。……

後來在《謝拜大將軍都督表》中也說：

自東北八州，勒滅其七，先朝所受，存者唯臣。是以勒朝夕謀慮，以圖臣為計，窺伺間隙，寇鈔相尋，戎士不得解甲，百姓不得在野。天網雖張，靈澤未及，唯臣孑然，與寇為伍，守則稽聰之謀，進討則勒襲其後，進退維谷，首尾狼狽。

在《與丞相箋》中他說到所處的困境：

不得進軍者，實困無食，殘民鳥散，擁髮徒跣，錄召之日，皆披林而至，衣服襤褸，木弓一張，荊矢十發，編草盛糧，不盈十日，夏則桑椹，冬則茨豆，視此哀嘆，使人氣索。

大概就是在這樣艱難險惡的環境中，完全改變了他以往的心態，以至於他的品格。當然，他的轉變有其自身的基礎，他少年時有壯志，且性格豪俠。史載其與祖逖並有英氣，每語世事，或相謂曰：「若四海鼎沸，豪傑並起，吾與足下當相避於中原耳。」他的性格類型完全不同於王衍輩，就連風姿也是完全不同的類型。《晉書．桓溫傳》有一段涉及琨的風姿的很有趣的描寫：

初，溫自以雄姿風氣是宣帝、劉琨之儔，有以其比王敦者，意甚不平。及是征還，於北方得一巧作老婢，訪之，乃琨伎女也，一見溫，便潸然而泣。溫問其故，答曰：「公甚是劉司空。」溫大悅，出外整理衣冠，又呼婢問。婢云：「面甚似，恨薄；眼甚似，恨小；鬚甚似，恨赤；形甚似，恨短；聲甚似，恨雌。」溫於是褫冠解帶，昏然而睡，不怡者數日。

這是貶嘲桓溫的，但從中卻可以了解到琨之魁偉雄傑的神韻，與王衍、潘岳，衛玠等人的俊美相比，琨完全是另一種類型。他的少年抱負，他的魁偉雄傑的氣概，入仕之後都淹沒在豪奢聲色的生活與巧佻的品格之中，待到面對國破家亡的境況，驚醒過來，才喚起了原先的這一切。《晉書‧劉琨祖逖傳論》說琨與逖之轉變，甚為精辟：

劉琨弱齡，本無異操，飛纓賈謐之館，借箸馬倫之幕，當於是日，實佻巧之徒歟！祖逖借谷周貧，聞鷄暗舞，思中原之燎火，幸天步之多難，原其素懷，抑為貪亂者矣。及金行中毀，乾維失統，三后流亡，遞營居彘之禍；六戎橫噬，交肆長蛇之毒。於是素絲改色，跅弛易情，各運奇才，並騰英氣，遇時屯而感激，因世亂以驅馳，陣力危邦，犯疾風而表勁；勵甚貞操，契寒松而立節，咸能自致三鉉，成名一時。古人有言曰：「世亂識中良。」蓋斯之謂矣。

這是全符合史實的公正評論，琨之預二十四友，之為趙王倫效力，都是無法抹煞的污點，而一旦因國命維艱而激發起忠貞氣節，便素絲改色，進入另一種人生境界。劉琨後來是表現得很傑出的，他聽到祖逖在江淮間用兵，便在給親友的信中說：「吾枕戈待旦，志梟逆虜，常恐祖生先我著鞭。」建武元年三月，司馬睿在江東即晉王位，劉琨便派溫嶠到江車上表勸進，表文和行前送溫嶠的情形，真是悲歌慷慨，大有荊軻易水之韻味。琨對嶠說：「昔班彪識劉氏之復興，馬援知漢光之可輔。今晉祚雖衰，天命未改，吾欲立功河朔，使卿延譽江南，子其行乎！」（《世說新語・言語》）溫嶠慨然應命。他母親牽留他，他絕裾而去。嶠到江東，對王導陳說社稷焚滅的情形，言與泗俱，滿座為之感泣。上一年晉愍帝出降劉聰，西晉以亡。在這樣的局面下，琨孤軍奮戰北方，而勸司馬睿登帝位，以重振晉室基業，充分表現了他臨難的氣節。

司馬睿是即帝位了，建立了東晉，而琨卻死在了北方。他是死得很悲涼的。兵敗之後，他便投奔鮮卑段匹磾，原先他與段匹磾有盟約，約定共同抗擊石勒，扶持晉室，但是匹磾負約，矯詔殺琨。琨被拘時，有詩贈盧諶：

吾衰久矣夫，何其不夢周？誰云聖達節，知命故不憂。宣尼悲獲麟，西狩涕孔丘。功業未及建，夕陽忽西流。時哉不我與，去乎若雲浮。朱實隕勁風，繁英落素秋。狹路傾華蓋，駭駟摧雙輈。何意百煉鋼，化為繞指柔。

這詩的前半段，用了許多典故，以說明若能扶持晉室，則不問仇友，當用之與之周旋。接著才是這「吾衰」的嘆息。在這嘆息裡，充滿著失敗者的悲哀。史稱其死前謂其子曰：「死生有命，但恨仇恥不雪，無以下見二親耳。」

劉琨是以虛誕走向悲壯的一位，在他被拘之後，以一種失敗者的悲壯心緒，回顧自己的一生，事實上也是對西晉士風的一次回顧。在給盧諶的信裡，他說：

昔在少壯，未嘗檢括，遠慕老莊之齊物，近嘉阮生之放曠，怪厚薄何從而生，哀樂何由而至。自傾輈張，困於逆亂，國破家亡，親友凋殘，負杖行吟，，則百憂俱至，塊然獨坐，則哀憤兩集，……然後知聃周之為虛誕，嗣宗之為妄作也。

這是一次帶著血淚的反思，當然是對數十年玄風的徹底否定。玄風興起之後，席捲士林，從人生理想到生活情趣、生活方式全都起了翻天覆地的變化，多少士人為之心醉，它為多少士人帶來心靈的滿足！他們生活於玄風裡，自視若神仙。玄風之發展，成一種不可阻擋之勢。雖時時有責難者，而未稍加遏止，如干寶《晉紀總論》所說：「子真著《崇讓》而莫之省，子雅制九班而不得用，長虞數直筆而不能糾。」待到身臨斧鉞，才悟出虛誕之誤國。王衍臨死前也是同樣的心情。他們的反思，著眼點都在玄風帶來的不嬰世務的人生態度的為害上。衣冠南渡之後，陳頵在給王導的信裡，也提出了類似的觀點：

中華所以傾弊，四海所以土崩者，正以取才失所，先白望而后實事，浮競驅馳，互相貢薦，言重者先顯，言輕者後敍，遂相波扇，乃至凌遲。加有老莊之俗傾惑朝廷，養望者為弘雅，政事者為俗人，王職不恤，法物墜喪。（《晉書·陳頵傳》）

看來，從這一角度對玄風進行反思似是當時一種相當普遍的共識。

當然，把西晉的亂亡完全歸之於玄風，是不確的，甚至把玄風看作是西晉亂亡的主要原因，也不符合歷史事實。西晉禍亂的起因，在他最初立國時就已經埋伏下了。這是一個沒有道義的政權，以陰謀手段奪得。它在施政上只能走依違兩可的路，政失準的，便導致了內部的純粹權力之爭。它的亂亡，是在政權內部爆發出來的，玄風是其次。當時的一些士人已經看到了這一點，祖逖說：

晉室之亂，非上無道而下怨叛也，由宗室爭權，自相魚肉，遂使戎狄乘隙，流毒中土。

（《通鑑》愍帝建興元年）

這種看法比較符合實際，後趙的石虎，在談到他何以能占有江北時，說：「司馬氏父子自相殘滅，故使朕得至此。」（《通鑑》成帝咸康三年）敵對雙方從不同的角度，卻都看到了相同的原因，得出了相同的結論。

但是無論如何，劉琨等人，是對玄風作了一次認真的反思了。這次反思，在玄風引起的士人心態的變化上劃了一個逗號。當然還不是句號，句號是要等到陶淵明來劃的。

第二節　東晉初期的士風與士人心態

司馬睿在江東建立起東晉，首先要解決的是這個政權的生存問題。北方的強大的胡族勢力隨時都在威脅著江東政權，永嘉五年，石勒曾經兵臨長江，準備進攻建業。而江左剛剛建立起來的政權，一開始便經歷了內部的叛亂的威脅，先是王敦，後是蘇峻的作亂。而更為重要的，是南渡的執掌政權的北方世族，正面臨著南方的門閥世族集團的強烈反抗。南方門閥世族在孫吳時期的長期經營，有著異常穩固的勢力基礎，足以左右江東局勢。而南渡的北方世族，在吳亡之後，又以勝利者之心態輕視南人。南北雙方，在心理上顯然存在相當的距離。王導敏銳地看到了調和南北世族矛盾的重要性，因此立國之初便勸司馬睿重用南人，於是顧榮、紀瞻、賀循、陸玩、虞譚、孔愉等人便都被網羅進睿的朝廷裡，幾乎包括了整個江左世族集團的重要代表人物。南北士人心理距離的縮短，南北世族的融合，在東晉初期經歷過一個相當長的過程。

從總的情勢看，江左政權初期無論從政局上說還是從社會心理上說，都處於動蕩不定之中，雖然有王導、陶侃等中堅人物的支撐。但是矛盾四伏，整個政局的發展仍處於未知數中。就是在這樣的大背景上，我們來考察東晉初期的士風和士人心態的變化。

應該說，這是一個過渡的時期。說它過渡，是指它在士風與士人心態上既承西晉之舊，又不知不覺地有了一些變化。這時的士林精英，都是從西晉過來的人物。他們經受了重大的打擊，到了一個全新的環境中，面對著將要開始的一個新的時期，一個偏安一隅的小朝廷的新的時期，他們無論在生活上還是在心態上，都處於動蕩不定之中。

《世說新語·言語》有幾則關於過江士人的心緒的記載：

衛洗馬初欲渡江，形神慘悴，語左右云：「見此芒芒，不覺百端交集。苟未免有情，亦復誰能遣此！」

過江諸人每至美日，輒相邀新亭，藉卉飲宴。周侯中坐而嘆曰：「風景不殊，正自有山河之異。」皆相視流淚，唯王丞相愀然變色曰：「當共戮力王室，克復神州，何至作楚囚相對？」

衛玠是在永嘉四年看到天下大亂便攜家渡江的，這是他渡江時的感慨，見江水之茫茫而百感交集，這其中當然包含著對於國命傾危的嘆息。他行前對他哥哥說：「在三之義，人之所重。今日忠臣致身之道，可不勉乎？」他並不是對於國家的安危毫不動心的人。余嘉錫說：「然則叔寶南行，純出乎不得已。明知此後轉徙流亡，未必有生還之日。觀其與兄臨訣之語，無異生人作死別矣。當將欲渡江之時，以北人初履南土，家國之憂，身世之感，千頭萬緒，紛至沓來，故曰百端交集，非復尋常逝水之嘆而已。」余嘉錫箋《世說》，往往深得晉人情懷底蘊，此又是一例。衣冠南渡，初並未預料司馬睿會江東即位，建立江左政權。南行純以避亂為目的，因之前途未卜為一主要之心態，見江水之茫茫，不僅嘆人世之匆匆，且憂念前途，故愴然傷懷。周顗不同，他身任要職，他的嘆息，當然也是家國淪落的悲傷，但更多的是帶著一種懷舊情緒。往日名士洛中游宴，多在河濱。而新亭臨江渚，有類洛中，故云風景不殊；而半壁山河，已落敵手，故云有山河之異，見山河之異而憶往日之縱逸，由是傷懷。從衛玠和周顗，可以看出南渡名士們帶著一種怎樣的難以排遣的無可知何的心緒！

如果比較他們與劉琨、王衍的心理反應，我們就可以發現很大的不同。劉琨與王衍，是在生之窮途中，帶著血淚，對於過去的反省；而衛玠、周顗，只是一種處境變化引起的感傷。劉琨和王衍，在反省中都徹底否定了玄風，而衛玠與周顗，卻並沒有絲毫要否定玄風的意思，因為他們還沒有到了生死關頭，他們面對的只是環境的變化。

事實上，他們把玄風的一整套生活方式、生活情趣都搬到江左來了。

衛玠渡江之後，到了豫章，繼續他們的清談。《世說新語・賞譽》：

王敦為大將軍，鎮豫章。衛玠避亂，從洛投敦，相見欣然，談話彌日。於時謝鯤為長史，敦謂鯤曰：不意永嘉之中，復聞正始之音。阿平若在，當復絕倒。」④

衛玠是一位很有名的淸談家。他也是一位很俊美的瘦弱的人，有著非常瀟灑的令人傾倒的風姿，出身名門，而又善於以極簡略的，深中肯綮的談論使人折服。過江之前，他的淸談就受到很高贊譽。《衛玠別傳》說：「（王澄）高氣不群，邁世獨傲，每聞玠之語議，至於理會之間，要妙之際，輒絕倒於座。前後三聞，為之三倒。時人遂曰：『衛君談道，平子絕倒。』」王澄為衛玠的談論所傾倒，在當時是名士群體中一件很有名的佳話。所以衛玠到豫章之後與謝鯤的竟夕清談，不禁勾起了王敦對於中朝談風的回憶，說沒料到在永嘉南渡之後，還能聽到象當年一樣的令人傾倒的清談，使人感到正始玄風尚存，為之快慰。這確實是大出意料的事。如果我們想起劉琨和王衍的沉痛的話語，我們便會想到，西晉名士在南渡之後，理應振作起來，在國破家亡之際，從實務而去虛誕，在心態上應該有一個較大的轉變才是。但是他們卻依然舊我。當北半個中國仍在戰火中、而江左亦動蕩不定、前途未卜之際，居然還能坐得下來，微言達旦。而這位微言達旦，使一座為之傾倒的人物，就是兩年前過江時見茫茫之大江而百感交集的衛玠！

其實，這是不奇怪的事。劉琨與王衍之所以能在生之窮途中反思，是因為他們已經意識到將為清談付出無法挽回的代價，而衛玠等人所以能在南渡之後繼續清談，是因為他們在江南安頓下來之後，便產生了一種偏安心態。

東晉政權的支柱王導也清談。《世說新語・文學》：

舊云：王丞相過江，止道聲無哀樂，養生、言盡意三理而已。然宛轉關生，無所不入。

王導無疑是東晉初期清談的領袖人物。衛玠是永嘉六年就死了的，謝鯤死於太寧二年（三二四年）之前⑤，溫嶠，庾亮等均善談論，在當時影響甚大，然就位望而言，均不及王導。在導的周圍，聚集著一大批善於清談的人。《世說新語・文學》載：

殷中軍為庾公長史，下都，王丞相為之集，桓公、王長史、王藍田、謝鎮西並在。丞相自起解帳帶麈尾，語殷曰：身今日當與君共談析理。「既共清言，遂達三更。丞相與殷共相往反，其餘諸賢，略無所關。既彼我相盡，丞相乃嘆曰：「向來語，乃竟未知理源所歸，至於辭喻不相負。正始之音，正當爾耳。」明旦，桓宣武語人曰：「昨夜聽殷、王清言甚佳，仁祖亦不寂寞，我亦時復造心，顧看兩王掾，輒翣如生母狗馨。」

此次談論，當在咸康元年（三三五年）前後，⑥預此會者有殷浩、桓溫、王濛、王述、謝尙，導年最長，殷浩次之，其餘皆年少。導與浩談而不顧及他人，謝尙與桓溫尙能偶或參預，而濛、述則唯有靜聽之資格。此時已距南渡二十餘年，北來的清談名士大多已離開人世，江左出生的新一代談家尙未進入清談的中心。過江時王濛輩尙為童兒，此時正是二十餘歲之青年，雖預談座，然尙未精玄理，就談論之精深而言，王導此時顯然也是領袖人物。謝尚與王濛，後來是成就為清談名家了的，他們起了銜接下一代的作用。謝尚還寫有《談賦》今存片斷：

斐斐亹亹，若有若無，理玄旨邈，辭簡心虛。

從這數語推測，其時之清談，較之西晉似更為空靈飄忽。

不僅清談之風在江左得到了繼續，西晉士人的放縱生活方式在東晉初期也仍保存著。周顗是江左重臣，但是《世說新語・任誕》注引鄧粲《晉紀》，卻記載了一段有關他的駭人聽聞的故事：

王導與周顗及朝士詣尚書紀瞻觀伎。瞻有愛妾，能為新聲。顗於衆中欲通其妾，露其醜穢，顏無怍色。有司奏免顗官，詔特原之。

周顗有風流才氣，兼美姿容，平時行止，端然肅然，朋輩無敢褻近者（參見孫盛《晉陽秋》）。而其實他是一位生活上毫不檢束的人，與親友談，多雜穢語，連放蕩如謝鯤者，都說他：「卿類社樹，遠望之，峨峨拂青天；就其視之，其根則群狐所托，下聚溷而已！」所謂「群狐所托」是說顗在生活上不檢束的穢行。其實，這並非周顗一人而已。所謂「遠望之，峨峨拂青天」，乃是指有名士之名，有名士之風姿。而其實這些人行為汚穢。這種名士風姿與穢行並存的情形，乃是一時之風尚。試想，在朝士匯聚之人前，在歌吹舞蹈之際，年高望重如周顗者，竟然性欲勃發，不可已已，至於公然露其醜穢而欲通人妾，若非「對弄婢妾」已成一時風尚，見怪不怪，實在是不可想象的。這類事還有一些記載，《世說新語・德行》：

王平子、胡毋輔國諸人皆以任誕為達，或有裸體者。

劉注引王隱《晉書》：

魏末阮籍嗜酒荒放，露頭散發，裸袒箕踞。其後貴游子弟阮瞻、王澄、謝鯤、胡毋輔之之徒，皆祖述於籍，謂得大道之本。故去巾幘，脫衣服，露醜惡，同禽獸，甚者名之為通，次者名之為達。

他們在渡江之前如此，渡江之後，放誕之風亦未加收斂。關於此時之風氣，葛洪《抱朴子外篇・疾謬》也有論述。此種以不檢束之穢言穢行為通達，因之獲致美名的情形，渡江之後所在多有。《晉書・光逸傳》說光逸避亂渡江，「初至，屬輔之與謝鯤、阮放、畢卓、羊曼、桓彝、阮孚散發裸裎，閉室酣飲已累日。逸將排戶入，守者不聽，逸便於戶外脫衣露頭於狗竇中窺之而大叫。輔之驚曰：『他人決不能爾，必我孟祖也。』遽呼人，遂與飲，不捨晝夜，時人謂之八達。」而此時正處於國命危急，前途未卜之際！

謝鯤是這種通達的一位重要人物。《晉書》鯤傳說，鄰家女有美色，鯤曾挑之，女投梭，折其兩齒。鯤不以為辱，反以為榮，時人笑他說：「任達不已，幼輿折齒。」他便傲然長嘯，說：「猶不廢我嘯歌。」就是這樣一位謝鯤，在當時卻有甚高之聲望。《世說新語・賞譽》注引鄧粲《晉紀》，謂其時貴游子弟能談嘲者，皆慕謝鯤、王澄之通達。而謝鯤自已，也以任情真率而自覺跡近高逸。《世說新語・品藻》劉注引孫盛《晉陽秋》說：鯤入朝見太子於東宮，太子問他：時人把你比庾亮，你自己覺得與他比誰更好一些？他回答說，如果講為國家棟梁，那麼我不如庾亮；但是講縱意於丘壑，那麼庾亮比不上我。後來顧愷之為他畫像，就畫他在岩石裡，說：「此子宜置丘壑中。」（《晉書・文苑傳・顧愷之傳》）可見當時的人對他的高度評價。

胡毋輔之也是任達不拘禮節的一位。《晉書・王澄傳》說他與王澄、謝鯤、庾敳、阮脩、王敦、光逸等，「酣宴縱誕，窮歡極娛。」他的兒子，傲縱還超過他。與他一樣放誕的，還有畢卓、王尼、羊曼等人。畢卓是一位飲酒的專家，他為吏部郎時，常常飲酒廢職，甚至曾因醉盜酒，為掌酒者所縛。他對人說：「得酒滿數百斛船，四時甘味置兩頭，右手持酒杯，左手持蟹螯，拍浮酒船中，便足了一生矣。」他的這話一直為名士們所引用，李白便是其中的一位。⑦

這些人的放縱，南渡之前和南渡之後是一貫的。如何來理解這種現象？當然可以理解為積習所致，一個人的生活情趣，生活方式不是能夠一下子就完全改變的，即使心態在戰亂中有了巨大轉變的劉琨，當他慷慨抗敵之際，也未能完全改掉他的積習。他年經時是好聲色的，作戰幷州之後，在那樣艱苦的環境中，他時自克制，但又常常克制不住而稍又放縱。何況，南渡士人，已經有了一個可以暫時偏安的環境。

當然，這些習慣於放誕生活的南渡士人，也不是無所改變，他們是起了變化了的，雖然變化甚微。他們在南渡之前，多是不嬰世務的人，但是過江之後，他們中的多數人，都表現出對於國家前途的關心和臨難時的氣節，謝鯤就是一例。王敦作亂，鯤數次諫阻，而被置之不理；雖被置之不理，仍然諫爭，在重大問題上，明白的表明了自己的是非觀點。羊曼也是一例，蘇峻作亂，王師敗績，或勸曼避峻，曼曰：「朝廷破敗，吾安所求生？」終於為峻所害。當然，最突出的例子是周顗。周顗被王敦殺害前，痛斥王敦，雖口被戟傷，血流至踵，而仍然容止自若。他們與渡江前的萬事無所繫心顯然是不同了的。

但是，南渡士人的生活方式生活情趣仍沿襲中朝餘習，也是事實。而且，談玄之風，後來還進一步發展了。這裡最根本的原因，就是江左正在形成一個偏安的環境，和在這個環境中正在形成的士人的偏安心態。這種偏安心理形成的原因甚為複雜。中朝名士本來就沒有雄大抱負而只注目於個人瑣瑣，雖經亂亡，只要稍有可以安身之地，便容易得到滿足。加之老莊思想的長期熏陶，趨向超脫的人生理想、人生情趣一時不容易改變。當然，最重要的還是政局，政局是一種偏安的局面。東晉建立起來之後，沒有以收復中原作為奮鬥目標，中間雖曾有祖逖出兵江淮，有庾亮的北伐，但是，施政的總方針，仍是偏安江左。這一點與王導有甚大之關係。王導是決定東晉初期政局的關鍵人物，實際是東晉的半壁江山，當時所謂「王與馬，共天下，」恰切的道出了政治勢力的實際格局。而王導的主要思想，便是平衡與穩定。他的一切行為的著眼點，都是維持既成的局面。在各種勢力的鬥爭中，他往往採取包容、調和、兼顧各方利益的解決方法，有時甚至到了縱容亂臣，包庇罪犯的程度。但由此而大局得以維持，江東百年局面的偏安，不能不說與王導的寬和政策有關。王導是明白自己的施政措施的目的的，他顯然看清江左形勢，有意採取寬和的政策。《世說新語・政事》記述了王導的一句話：「人言我憒憒，後人當思此憒憒。」劉注引徐廣《晉記》：「導阿衡三世，經論夷險，政務寬恕，事從簡易，故垂遺愛之譽也。」寬和政策造成一種穩定感，它固然沒有奮發進取的精神，然亦沒有亂亡的心理威脅。這種小氣候極利於滋生偏安心態。而正是這種偏安心態，使西晉玄風得以在江左繼續存在下去。

東晉初期，廷臣對西晉玄風有過多次的評擊，前面提到的陳頵的上疏就是。熊遠上疏也是。遠疏指出其時為政之三失，其一即「當官者以治事為俗吏，奉法為苛刻，盡禮為諂諛，從容為高妙，放蕩為達士，驕蹇為簡雅。」陶侃是極力反對浮虛的，屬吏有浮虛者，往往加以鞭撲。他說：「老、莊浮華，非先王之法言，不益實用，君子當正其威儀，何有蓬頭，跣足、自謂宏達邪？」戴邈上疏，說：「世喪道久，人情玩於所習；純風日去，華競日彰，猶火之消膏而莫之覺也。」（《晉書·戴若思傳附邈傳》）諸葛恢論政之得失，謂：「今天下喪亂，風俗凌遲，宜尊五美，屏四惡，進忠賢，退浮華。」（《晉書·諸葛恢傳》）卞壺亦激烈抨擊浮虛之弊。但是，這些都未改變浮虛士風在江左的延續。直至咸康三年，過江近三十年之後，成帝立學校，崇儒術，但也未見成效，「而士大夫習尚老、莊，儒術終不振。」

事實上，王與馬，都並沒有絲毫要反對玄風的意思。《世說新語·方正》劉注引《高逸沙門傳》：「晉元、明二帝，游心玄虛，托情味道，以賓友禮待法師。王公、庾公傾心側席，好同臭味也。」王導與庾亮，都是清談的倡導者，從一定程度說，他們和司馬氏政權的幾代皇帝，都是江左玄風的保護者。

第三節　偏安心態的發展及其諸種表現

偏安心態終於發展成為東晉士人的主要心態，這與東晉百年的偏安局面是緊密相聯的。偏安政局之形成，實為其時南北政治格局使然。在北方來說，百年間戰爭不斷，政權更迭頻繁，先是劉聰與石勒的戰爭，接著是前燕和前秦的對峙，後來又是後燕和後秦的爭奪，最後才是後魏，一直沒有一個強大到足以南下統一全國的政權出現。這其間石勒曾經迫近長江，符堅大軍且曾臨江進發，但是都未能成功。在南方來說，雖有庾亮兄弟、殷浩、桓溫、謝玄諸人的幾次北伐，但也都沒有成功。幾次經略北方沒有成功的原因各有不同，但也有共同的一點，那便是自司馬睿江東即位之後，以至終東晉之世，始終沒有形成一種上下一致、舉國一心的恢復中原的意志。南渡之後，很奇怪的一種現象，是沒有在朝野間激發起強烈的家國之思。渡江初期，南渡士人中雖也有舉目有山河之異的悲傷情緒，但這種情緒很快便平復了。在中國士人的傳統裡，國破家亡之際，常常是志士奮起之時，忠君思想，國家觀念，往往有強烈的表現。但是永嘉南渡之後，卻沒有這種現象出現。東晉的少數士人有收復中原的抱負，但是他們的行為也往往遭到非議。庾亮準備北伐時，蔡謨就曾上疏論其不可。蔡謨的見解，竟得到多數人的附和。殷浩北伐，王羲之亦以為不可，遺浩書，加以阻止。浩北伐失敗，復圖再舉，羲之又遺浩書，謂「政以道勝寬和為本，力爭武功，作非所當，因循所長，以固大業。」他勸殷浩放棄淮水流域，退守長江。他還給當時執掌朝廷大權的會稽王司馬道子上書，勸他阻止殷浩再次北伐，主要理由便是度德量力，江左並沒有收復中原的條件。他說：「以區區吳越經緯天下十分之九，不亡何待！」（《晉書．王羲之傳》）王羲之的看法，反映了其時名士的普遍心理。北伐中原，當然帶著風險，不如偏安一隅為好。後來桓溫北伐，請移都洛陽，孫綽上疏論其非，理由與王羲之的看法相似，都是以保住江左為上策，其中提到：「植根於江外數十年矣，一朝拔之，頓驅踧於空荒之地，提挈萬里，逾險浮深，離墳墓，棄生業，富者無三年之糧，貧者無一餐之飯，田宅不可復售，舟車無從而得，捨安樂之國，適習亂之鄉，出必安之地，就累卵之危，將頓仆道途，飄溺江川，僅有達者。」其時移都洛陽之建議是否可行，姑置勿論。孫綽此處所說，卻是非常生動地反映了江左士人對待恢復中原的基本態度。渡江六十年，一切都習慣了，家業於斯，墳壠於斯，生於斯長於斯，要去馳騁中原，便有一種捨安就危之感。就其時江左的形勢言，確實也沒有恢復中原的力量，百年間雖偏安而其實亦始終處於動蕩之中。范弘之說：「晉中興以來，號令威權多出強臣，中宗肅祖斂衽於王敦，先皇受屈於桓氏。今主上親覽萬機，明公光贊百揆，政出王室，人無異望。」（《晉書．范弘之傳》）他實在是說到了點子上，東晉一開始便存在一個權在強臣的問題，以後屢屢的禍患，也都因這一點而起。元帝司馬睿、明帝司馬紹時期，王敦聲勢喧赫，最後終於叛亂。成帝司馬衍即位的第二年，便是祖約和蘇峻的叛亂。桓溫作威於穆帝、哀帝、廢帝三朝，最後終於行廢立之事。弘之疏中言及的會稽王司馬道子，也是一位執掌朝權，愚弄帝王的人物，不過比王敦、桓溫更加無能。更以後，便是桓玄的篡位。要之，江左百年，從政局到人心，都沒有創造出恢復中原的條件。北方既戰爭不斷，南方亦動蕩不寧，於是割據的局面得以維持。江左士人，也就在這樣一個局面裡尋找自己的人生天地。偏安的心態，也就在這樣的局面裡得到充分的發展。

偏安心態在江左的發展，可以說幾乎深入到士人生活的一切方面，影響他們的人生理想、生活情趣、生活方式，影響到他們的審美趣味，甚至影響到一代文藝思潮的形成。

一、追求寧靜的精神天地

偏安心態之一重要表現，便是東晉士人追求一種寧靜的精神天地。

渡江之初，南來西晉士人的任誕之風還存在著，而東晉中期以後，任誕風尚便消退了，雖仍有好色縱欲者，但已經不被看重，不被當作名士風度來誇獎。有放誕行為的人，不僅不被看重，反而為時俗所輕。《世說新語・品藻》注引《續晉陽秋》說，孫綽有文才，而「放誕多穢行，時人鄙之。」玄風發展到東晉，任自然、重情性還是一脈相承的，但是任自然、重情性已經不是西晉士人那種為所欲為、不受約束的放誕，而是任自然而有節。當時的著名士人王濛受到高度評價的一點，便是「性至通，而自然有節。」（《世說新語・賞譽》）

東晉中期以後，士人的最高精神境界，是瀟洒高逸。不論是在位，還是又仕又隱，還是純粹的隱士，都以瀟灑高逸為最高的精神追求。謝安、王羲之、戴安道、許詢諸人，都是當時重要的名士，他們受人推崇的原因雖個個不同，例如，謝安以其功業，羲之以其書法藝術的傑出成就，戴、許以其隱，但是有一點卻是共同的，那便是他們都具備瀟灑高逸的精神境界。

謝安是一位風流名相，但是他的生活情趣，卻是優游容與。他也詩酒宴樂，時時攜妓東山，但是與石崇輩已經不同。石崇輩重在物欲的滿足，而謝安則在物質享受的同時，更重精神的滿足。他是住在會稽的名士群體的中心人物，和他交往的有王羲之、許詢、支遁等人，他們或則清談終日，或則漁弋山水，或則嘯咏屬文。他們所追求的，不是物質的滿足，而是精神的高雅。他們再也不會象西晉士人那樣以門富為榮了。他們以之為榮的，是高雅的情趣與風姿。謝安的瀟灑，出自一種內在情趣的追求。《世說新語・賞譽》記有王獻之與謝安的一次對話：

> 王子敬語謝公：「公故蕭洒。」謝曰：「身不蕭洒。君道身最得，身正自調暢。」

劉孝標引《續晉陽秋》注此云：「安弘雅有氣，風神調暢也。」謝安的瀟灑風度，在當時和後世，確曾引起一些批評，說他矯飾。這點我們後面還將為之辯正。從他的行為看，他的瀟灑，實在是來自內在的風神調暢。他有一首給王胡之的詩，很能說明這一點。在這詩裡，他寫他的理想生活：

> 朝樂朗日，嘯歌在林。夕玩望舒，入室鳴琴。五弦清激，南風披襟。醇醪淬慮，微言洗心。
> 幽暢者誰，在我賞音。

賞月、彈琴、酒、清言，全是雅士風流的物事。謝安是很喜歡音樂的。他弟弟謝萬死後，他曾經廢樂將十年，但是當他輔政以後，他便始終未離開音樂，即使服喪，也未曾中斷過。他的游賞山水，詩酒音樂，清談，都是他所理想的那種「幽暢」生活的一部分，是一種精神上的滿足，而不是生活方式的追求。在與王胡之的這首詩裡，他說到這一點時說：

鮮冰玉凝，遇陽則消；素雪珠麗，潔不崇朝。膏以朗煎，蘭由芳凋，哲人悟之，和任不摽；外不寄傲，內潤瓊瑤；如彼潛鴻，拂羽青霄。（《全晉詩》卷十三）

外在的瀟灑風流是很快會消逝的，他追求的是內心，這拂羽青霄的潛鴻，這瓊瑤內潤，就是他的自我形象。

謝安的瀟灑風流，在當時成為士林仰慕的對象。他的一些行為，常常影響一時士林風尚以至影響到社會風氣。檀道鸞《續晉陽秋》記載了一則故事，說謝安的一位同鄉從嶺南的一個偏遠小縣做縣官回來，謝安問他有什麼資財，答說有五萬把蒲葵扇，因為時令不合，賣不出去。謝安聽後，便取一把用起來，一時名士竟相仿效，於是蒲葵扇的價格一漲再漲，以致於脫銷。檀道鸞還記了另一件事，說裴啟寫了《語林》，因為謝安說他寫得不好，於是士林便都認為這是一本寫得不好的書。你看謝安在當時的影響有多大！檀道鸞為此感概道：「謝相一言，挫成美於千載；及其所與，崇虛價於百金。」謝安的如此大的影響，顯然不是因為他的身居相位的權勢，而是因為他的名士風流的聲譽。這種影響，一直繼續到後代。南齊的王儉，為相之後，處處模仿謝安，自比謝安。《南齊書》王儉傳說：

（永明）四年，以本官領吏部。……十日一還學，監試諸生，巾卷在庭，劍衛令吏儀容甚盛。作解散髻，斜插幘簪，朝野慕之，相與依效。儉常謂人曰：「江左風流宰相，唯有謝安。」蓋自比也。

唐人李白，也是謝安的崇拜者，他處處以謝安作為自己理想人生的最高境界。⑧從既榮華富貴，又瀟灑風流這一點說，謝安的人格形象，可以作為東晉名士風流的代表。

王羲之亦屬謝安類型，雖然他沒有謝安的功業，但是他是屬於一個可與謝安的家族的地位媲美的著名家族。東晉王、謝，幾乎可以說是著名家族的代稱。不僅如此，由於他比謝安年長，得及與過江名士接觸，他又是銜接過江名士與江左出生的一代名士的人物。他是王敦、王導的從子，又是郗鑒的女婿，那個坦腹東床的故事，千古膾炙人口。可見他從小就有名士的氣質。不過他與西晉以來崇尚老莊的名士不同的地方，是他在思想上對老莊有所非議。他信道教，服食養生，但以為莊子的齊物論不可信，「固知一死生為虛誕，齊彭殤為妄作。」（《蘭亭集序》）他的政治見解，也近於儒家。不過他的生活情趣，實質上是老莊的任自然的思想的表現。在與謝萬書中，這一點有非常明確的表述：

頃東游還，修植桑果，今盛敷榮，率諸子，抱弱孫，遊觀其間，有一味之甘，割而分之，以娛目前。雖植德無殊邈，猶欲教養子孫以敦厚退讓。……比當與安石東遊山海，並行田視地利，頤養閒暇。衣食之餘，欲與親知時共歡宴。雖不能興言高咏，銜杯引滿，語田里所行，故以為撫掌之資，其為得意，可勝言邪！（《晉書．王羲之傳》）

這與嵇康的生活理想是很相近的，同樣追求優游容與。但也有不同，嵇康在優游容與中帶著與世無涉，小國寡民的樸素理想，而羲之卻是富裕生活中的風流瀟灑。羲之的這個理想人生，不僅為時所容，且亦為同時士人所仰慕。他不像嵇康那樣非議名敎，非議周、孔，他思想的基本傾向與儒家是一致的，這「敦厚退讓」，與嵇康的激烈的反名敎的思想傾向，便截然不同。羲之的一切行為，是朝野都可以完全接受的。因之人生之理想境界雖有與嵇康相同的一面，而生命之歸宿卻與嵇康大異。他留下的是許多瀟灑風流的動人故事，而不是嵇康那樣的人生悲劇。例如，他愛鵝，聽說山陰一老婦養一鵝鳴聲美妙，便帶著親友前往觀賞，不料老婦聽說他要來，便把鵝烹煮了，以表示對他的熱烈歡迎。這個故事中有頗可注意的文化含蘊。羲之之愛鵝，純粹是一種審美需要，帶著士文化的顯著特點，屬於士人的雅興僻好，是脫俗；老婦殺鵝，是世俗的一種感情。她的行為不唯未得到羲之的感謝，且使羲之大為掃興。從這個故事裡，我們可以感受到東晉社會裡隨著門閥士族的發展，士文化也在各個方面表現出了它與俗文化的差異來。又有一個故事，說山陰有一個道士養了一群鵝，羲之想得到這群鵝，道士便以索取羲之的書法為條件，於是羲之為之抄寫《道德經》。這位道士實在是非常了解羲之的風雅情趣的。東晉名僧、道士與士人的交往，在很大程度上迎合著士文化的這種風雅情趣。這一點以後發展為中國文化傳統裡的一種特有現象。

羲之的兒子徽之，更是一位瀟灑風流的人物。關於他。也有許多後來反覆傳誦的故事。他喜歡竹，便讓人去院子裡種竹。別人問他為什麼要種竹，他便回答說：「何可一日無此君！」種竹純然是一種僻好，一種充滿雅趣的僻好。東晉士人這種僻好是很多的，具備一種風雅僻好，也是名士成名的一個條件。裴啟《語林》說：「張湛好於齋前種松柏，養鴝鵒；袁山松出遊，好令左右作挽歌。」支道林好養馬，人問他養馬幹什麽，他說不是為騎射，而是愛其神情駿逸。徽之之好竹，正是其時名士僻好之一種。他每遇優雅竹林，輒留連忘返。吳中有一士大夫家，有很美的竹林，他便聞名前往。主人聽說這位大名士要來，便灑掃等待，而他到來之後，完全沉浸在純粹的審美感受中，置主人於不顧。名士的這種瀟灑風度，完全是以自己的適情為依歸，情之所至，即是目的。《世說新語·任誕》記了一則雪夜訪戴的故事：

王子猷居山陰，夜大雪，眠覺，開室，命酌酒。四望皎然，因起彷徨，咏左思《招隱詩》。忽憶戴安道，時戴在剡，即便夜乘小船就之。經宿方至，造門不前而返。人問其故，王曰：「吾本乘興而行，興盡而返，何必見戴？」

這是一則極美的文字，其中傳達著一種千古士人為之神往的感情。後來的很多士人，都為這個故事所感動。它不僅表達一種真摯的友情，更重要的是傳達士人的傳統性格裡那種忘情的趣味。這趣味蘊含高雅脫俗的情調，而且是純情的，情來即興，情盡即止。這是後來文人畫傳統的內在精神的一表現。也應該是屬於士文化的一種成分的。

徽之也很喜歡音樂，傳說有一次他泊舟青溪側，正巧當時吹笛很有名的另一位名士桓伊從岸上經過，子猷便說：「聞君善吹笛，為我一奏。」桓伊當時已經顯貴，但是素聞子猷的聲名，便下車為他吹奏，奏畢，不交一言，便離去了。在徽之來說，他純然是一種感情的要求，像他欣賞別人的竹園一樣，情之所至，便請一位並不相識的名士吹笛。於常識，這是沒有禮貌的。但對名士來說，卻不失為一種高雅情趣的流露。而在桓伊來說，已處貴顯地位，本可以拒絕一位並不相識的人的過分要求。但是他也是一位重情的人，情之所至，便也忽略了地位與禮節，為之吹奏。這同樣也不失為一種名士的風度。關於桓伊，同樣流傳有許多瀟灑風流的故事。他是一位很重感情的人，《世說新語‧任誕》說：「子野每聞清歌，輒喚『奈何』！謝公聞之曰：『子野可謂一往有深情。』」所謂「奈何」，就是感情不可已已。

戴逵是另一類型的瀟灑風流的人物。他是隱士，數徵辟不就，但是名聲非常之大。細細想來，他之所以獲得名聲，也是因為他的高情遠韻。他能書、善畫、能清言、善屬文。東晉名士所崇尚的，他幾乎樣樣精通，而又不求仕祿，這當然就得到名士群體的認可。《世說新語‧雅量》劉注引《晉安帝紀》說：「（安道）性甚快暢，泰於娛生。好鼓琴，善屬文，尤樂游宴，多與高門風流者遊，談者許其通隱。」所謂「高門風流者」指的是世族名士如王、謝子弟。安道以一處士而憑藉其高情遠韻進入世族名士的圈子，成了他們中的一員。支遁、許詢，和後來的慧遠，也都如此。可見，瀟灑風流，高情遠韻，在東晉士人間有何等重要的價值！它在實質上是世族士人的一種心態，但是只要具備這種精神境界，非世族出身者同樣可以進入名士群體之中。戴逵在當時名士群體中的地位是很高的，當時很有地位的郗超，曾費百萬之資，為他營造宅舍。那宅舍建築的精整，使他大為驚異，在給他人的信裡，他提到這新建的宅舍時說：「近至剡，如官舍。」從這件事，也可看出來其時崇尚高情遠韻的風尚。

這時士人的雅趣，與前此士人的裸袒箕踞，與對弄婢妾，在心態上確實是起了極大的變化了。

這種追求瀟灑風流、高情遠韻、尋找一個寧靜精神天地的心態，千古以來一直被看作是一種高雅情趣，是一種無可比擬的精神的美。但是，如果考慮到其時的半壁江山，考慮到中國士人的憂國憂民的固有傳統的話，那麼這種高雅情趣所反映的精神天地，便實在是一種狹小的心地的產物，是偏安政局中的一種自慰。大概這樣的評價是回避不了的吧！

二、追求優雅從容的風度

東晉士人偏安心態的又一表現，是追求風度上的優雅從容。

人生愛好從物質享受轉向精神滿足，世族的士人從崇尚自然任心而縱欲，轉向既崇尚自然，又講究自然而有節，在莊子思想中加進了儒、佛思想之後，感情的滿足和感情的節制，便統一在一起了。純情、重感情，如桓伊的感情之來，不可已已，如王子猷之玩賞竹園而旁若無人，但是在行為上，在風度上，卻總是表現出溫文爾雅，不粗俗，不過於外露。感情濃烈，甚至強烈，但是表現出來卻較爲含蓄深厚，不是放縱淺薄。這也就是中國士文化初期造就的士人的感情狀態。中國士文化裡雅的一面，恐怕就是這樣發展起來的。

中朝與江左，種種表現出名士的雅量的行為都是士林中的佳話。但是，南渡前後關於名士們的雅量的佳話在含蘊上卻是頗為不同的。中朝名士的雅量，較為單純的講寬容，講無可無不可，被打了不反抗，受辱了不生氣。而江左名士的優雅從容，似為一種氣質，一種風度，有著江左士文化發展起來之後的內涵。

許詢是以高逸著稱的。釋道宣《三寶感通錄》一書引《地志》說：「許詢詣建業，見者傾都。」其時劉惔為丹陽尹，於郡中立齋以處之，日數往訪，幾至荒廢政務。詢走後，惔過其齋，感慨說：「清風朗月，輒思玄度。」何以清風朗月輒思玄度？蓋非唯言與詢相處每於清風朗月之時，故別後每逢此種境界輒憶念之，亦言詢之風度有清風朗月之神韻，有一種使人聯想到清風朗月之境界。清風朗月之境界，就是明淨高潔閒雅之境界，這實際上是指一種有高度素養的閒雅風度。

表現出優雅從容的風度的代表人物，恐怕要數謝安。關於他，有許多這方面的故事。有一次，他同孫綽、王家子弟一同乘船出海遊樂，時風起浪涌，衆人都說要返帆，他卻興致極高，吟嘯自若。舟人看到他從容閒雅，興致飄逸，便更往前帆。而越往前去越風急浪猛，同遊諸人，都緊張不安。這時，他才從容說，要是這樣，那便回去吧！其實，從出遊起，他在風浪中也是不安的，但是一種要表現出從容鎮定的願望超過了恐懼，使得他顯出來鎮定自若、優遊容與。又有一次，桓溫伏下殺手，卻擺了酒筵，廣請朝士，打算在筵席上殺謝安和王坦之。這事發生在寧康元年（三七三年）。桓溫入朝，當時謝安是吏部尚書，坦之是侍中，兩人奉詔在新亭迎接桓溫。在此兩年前，桓溫廢帝，另立會稽王司馬昱，是為簡文帝。簡文帝即位才兩年，便死了。桓溫本來希望簡文帝臨終的時候，禪位給自己，不料簡文遺詔卻是讓他行周公居攝故事，使他甚為失望而且憤慨，他以為這是謝安與王坦之的陰謀造成的。本來，安與坦之，都是他提攜起來的，是他的屬下，而到了朝廷任職之後，卻處處生出辦法法來阻礙桓溫的篡奪。這當然就使桓溫更加憤恨。所以他這次入朝的時，京城裡便有傳聞說：溫入朝是要除掉安與坦之，行篡位之事。聽了這傳聞，坦之在見溫之前，便已經驚懼不安，待到了筵席上，便慌張失色起來。而安卻意態坦然，望階趨席，旁若無人，竟然作洛生咏，咏的又是嵆康的詩：「浩浩洪流」。關於「洛生咏」，也是一件顯示謝安的名士風度影響至巨的事。洛生咏本是指洛下書生咏詩之聲調，南渡士人，懷念故土，常常以故土咏詩之方式咏詩，本不足為奇。而謝安由於有鼻疾，咏詩時語音濁，士人們卻把他這因鼻疾而造成的語音當作一種瀟灑風流標誌，競相模仿，至有以手掩鼻而故作濁音者。安這時到了那樣氣氛緊張的筵席上，竟然作起了洛生咏來，而且咏的是稽康的詩，應該說，這與筵席的緊張氣氛是極不相稱的。嵆康的詩，原文是：

浩浩洪流，帶我邦畿，萋萋綠林，奮榮揚暉，魚龍涓涓，山鳥群飛。駕言出游，日夕亡歸。思我良朋，如渴如飢。願言不獲，愴矣其悲。（《嵆康集校注》卷一）

這是嵆康送兄從軍詩中的一首，原意蓋抒發其思兄之情，而其中表現的那種思得志趣相投之人以相與游娛的情思，卻帶著求友的普遍的意味。安石分明知道這宴會上充滿殺機，他也十分了解桓溫的為人。他誦這詩的用意，大概是要以一種懷舊的情緒，緩解一下溫的殺機。他曾經是溫的部屬，而且又是溫所十分看重的人，雖然因為阻礙了溫的篡位引起了仇恨，而驟然之間，以一種從容風雅的意趣臨殺機隱伏之地，當然使溫大出意外。史稱於是溫命左右撤去埋伏，與安等笑語移日。史臣曾把這件事看得十分重要，以為安與坦之由是而安晉室。這雖然有些言過其實，但安的從容風度與氣量，緩解了一個十分危險的局面，卻是事實。⑨

還有就是淝水之戰他聽到捷報之後從容自若的事。這事曾引起史家的批評，以為他「矯情鎮物」。因為他內心其實是狂喜的，只是不願在他人面前流露，待到獨自一人的時候，那狂喜便十倍地爆發出來，以致過門限時不覺把屐齒也折斷了。史臣的批評其實是不公的。在關鍵的場合，能夠從容鎮定，不是矯飾者所能做到的。這實在是一種文化心態的產物。其時的士人，既然把優雅從容看作是一種名士風度的標誌，處處表現出從容優雅便成為修身之一內容，看似風度，其實是一種精神境界。王、謝家族，許多人都有這種境界，不過程度不同罷了。例如王劭，他是王導的第五子。導是從容優雅的風範。孫綽《王導碑》稱其「玄性合乎道旨，衝一體之自然，柔暢協乎春風，溫而侔於冬日。」（《藝文類聚》卷四十五）王劭大有父風，史稱其在桓溫收斬庾希時異常的鎮靜。王羲之的兒子獻之，在屋裡失火、他人慌張外逃時，神色怡然，徐喚左右扶出。王恂也是一位從容鎮定的人物，史稱其以此而為時人所重，以為是「公輔之器」。

從容優雅似成了士族文化之一標誌，在江左著名的家族的傳統裡存在下去。家族文化傳統在南朝文化中是一個值得研究的問題，許多著名家族的文化素質特點常常在好幾代裡遺存，這可能與家族文化環境的教育熏陶有關。例如，王氏家族自王導、王羲之起，能書而擅名於世者便歷代不斷。直到武則天時期，則天向王方慶詢問王羲之之遺跡，方慶奏稱：

臣十代從祖伯羲之書，先有四十餘紙，貞觀十二年，太宗購求，先臣並已進之。唯有一卷見今在。又進臣十一代祖導、十代祖洽、九代祖珣、八代祖曇首、七代祖僧綽、六代祖仲寶、五代祖騫、高祖規、曾祖褒，並九代三從伯祖晉中書令獻之已下二十八人書，共十卷。

（《舊唐書・王方慶傳》）

王方慶提到的上述各人，只是王氏家族中能書者的一部分。王覽一門，自晉迄陳，著名書法家數量極大。庾肩吾《書譜》列著名書法家一百二十七人，王覽一門就有羲之、獻之、珉、僧虔、洽、導、廙、薈、籍九人。唐人李嗣真的《書後品》，又加上王褒；張懷瓘《書斷》，又增加王恬；《宣和書譜》又增加王筠、王曇首。自庾肩吾《書品》至《宣和書譜》，王覽一門入選者十二，這在書法史上是少有的。而謝氏一門，則屢出詩人，在晉則謝混，宋則謝靈運，惠連，齊則謝脁，此為佼佼者，史稱其善屬文者則數量更夥。此兩例已足說明，家族文化傳統的意義。

從容優雅作為士族文化在風度上的表現，在東晉的發展是值得注意的。如果我們回顧歷史，那便可以發現，這種風度成為一種被普遍崇尚與仿效的風尚，前此是從未有過的。它的出現，乃是一種精神境界的產物。東晉士人既追求寧靜高逸的精神境界，則在舉止上追求瀟灑風流，而且表現出從容優雅，便也就是很自然的事。從精神到容止，都充分表現出他們已完全不同於或慷慨赴義，或悲憤滿懷、或蒼涼梗概、或傲誕不羈的前輩。他們是全新的一代。他們追求的是在一個寧靜的環境裡表現自己高度的文化素養。這種從容優雅的風度，後來成為士文化傳統中的一個特點，具有更廣泛的意義。但是在東晉，它的產生卻是偏安局面、偏安心境中的一種特殊現象。

表現出來。

三、山水怡情與山水審美意識的發展

東晉中期以後，士人生活的一個重要內容，便是山水怡情。山水審美作為文化的一個重要組成部分，到此時可以說已經奠定不可移易的基礎。以後，它便在中國士文化的傳統裡，不斷地在各個方面表現出來。

西晉士人已經把山水遊樂作為他們的生活點綴，我們在上一章裡提到石崇的金谷宴集，那是山水進入士人生活的開始。西晉士人在金谷澗的歌鐘留連中，把詩、酒、伎樂與山水遊觀，第一次那樣大規模的結合，成了東晉士人的先導。但石崇和他同時的名士們，他們所理解的人生的歡樂，主要是金碧輝煌，是錦綉歌鐘，是豪華的物質享受。音樂與詩與山水的美，只是這種生活的點綴，使這種本來過於世俗（其至是庸俗）的生活得到雅化，帶些詩意。或者可以說，這是世族豪門對他們的身份的一種體認。他們似乎覺察到他們的優越感裡，除了榮華富貴之外，還應該增加一點什麼，還應該在文化上有一種優於寒素的地方。因之，他們除了鬥富之外，便有了詩、樂和山水審美。但是，他們的主要追求，還更多的是物質的。他們的平庸的情趣還沒有因這最初的雅化而從世俗裡擺脫出來。就是說，山水審美還沒有成為他們內心不可或缺的一種精神需要，而只是他們生活中的一種點綴而已。

把點綴變成不可或缺的精神需要的，是東晉士人。

他們從粗獷的風沙的北國，來到了山水明瑟的江南，面對的是四時蒼郁的景色，或杏花春雨，或鶯飛草長，或淡煙疏柳，或漁歌晚唱，如何能不動心！何況，南渡的名族，大多定居江南最富庶、也最秀麗的會稽一帶，在那裡經營他們的莊園，在那裡享受一種安定的、自足的生活。他們之與江南山水迅速融為一體，便是很自然的事了。

晉時的會稽，轄縣十：山陰、上虞、餘姚，句章、鄞、鄮、始寧、剡、永興、諸暨，許多著名的人物都住在這一帶。境內會稽山東連宛委、秦望、天柱諸山，為山水絕美之地。謝安出仕之前，居會稽之東山，與許詢、王羲之、支遁、孫綽等遊。宋人王經《東山記》描述東山之環境，謂：

東山巋然特立於衆峰間，拱揖蔽虧，如鸞鶴飛舞；林谷深蔚，望不可見。逮至山下，於千峰掩抱間得微徑，循石路而上，今為國慶禪院，乃太傅故宅。絕頂有謝公調馬路，白云、明月二堂遺址，至此山川始軒豁呈露，萬峰林立，下視煙海渺然，天水相接，蓋萬里雲景也。（引自乾隆五十七年刊本《紹興府志》卷五）

山陰縣西南二十七裡處的蘭渚山，是蘭亭修禊處。山陰境內的千山，是許詢的住處。會稽轄下的剡縣，更是一個山水秀色令人心醉的地方。剡縣南有沃洲山，也是當時名士遊處之地。唐人白居易《沃洲山禪院記》敍述晉時此地名士遊處的情形，說：

厥初有羅漢僧西天竺人白道猷居焉；次有高僧竺法潛、支道林居焉；次又有乾、興、淵、支、遁、開、威、蘊、崇、實、光、熾、裴、藏、濟、度、逞、印凡十八僧居焉。高士名人有戴逵、王洽、劉恢、許元度、殷融、郗超、孫綽、桓彥表、王敬仁、何次道、王文度、謝長霞、袁彥伯、王蒙、衛玠、謝萬石、蔡叔子、王羲之凡十八人，或遊焉，或止焉。

（《白居易集箋校》卷六八）

他在《記》裡還引了白道猷和謝靈運描寫此地山水的詩，白道猷詩謂：

連峰數千里，修林帶平津，茅茨隱不見，鷄鳴知有人。

謝靈運詩謂：

冥投剡中宿，明登天姥岑，高高入雲霓，還期安可尋。

白道猷詩原附《高僧傳・道一傳》，香山所引非全詩。謝靈運詩題作《登臨海嶠與從弟惠連》，香山所引為詩之第四章。香山引二詩之後，發為議論，云：「蓋人與山相得於一時也。」此一議論說出了一個十分重要的問題，即人與山水在感情上的交通。剡中風景，以其秀美，使人一見不得不動心。在以後的歲月裡，它還要感動許許多多的文人。凡到過剡中者，無不留連其間而情思綿綿。唐人崔顥有《舟行入剡詩》：

鳴棹下東陽，回舟入剡鄉。青山行不盡，綠水去何長。地氣秋仍濕，江風晚漸涼。山梅猶作雨，溪橘未知霜。謝客文逾盛，林公未可忘，多慚越中好，流恨閱時芳。

李白寫剡中的詩就更多，而且寫得很美。在他的詩裡，剡中是一個明秀寧靜的人間仙境。《別儲邕之剡中》：

借問剡中道，東南指越鄉。舟從廣陵去，水入會稽長。竹色溪下綠，荷花鏡裡香。辭君向天姥，拂石臥秋霜。

《經亂後將避地剡中，留贈崔宣城》：

忽思剡溪去，水石遠清妙。……猿近天上啼，人移月邊棹。

《送王屋山人魏萬還王屋》，也描述過剡中之美：

遙聞會稽美，一弄耶溪水。萬壑與千岩，崢嶸鏡湖裡。秀色不可名，清輝滿江城，人游月邊去，舟在空中行。

宋人高似孫著《剡錄》，極寫剡中之山光水色：「東有四明山，千崗萬崖，巍與天敵，陽岩陰嶂，怪跡可稽。」「又東為丹池山，積翠飄渺，雲霞所興。」「其北有謝岩山，康樂所遊也，山隩深峭，被以荊箭，有巨澗奔激，清湍崩石，映帶左右，入於溪下，為三墜嶺，下視深川，紺碧一色。」「又北曰岷山，……傾澗懷煙，泉溪引霧。」又引《會稽郡記》云：

會稽境特多名山水，潭壑鏡澈，清流灌注，惟剡溪有之。……是溪也，朱放謂之剡江，詩曰：「月上沃洲山上，人歸剡縣江邊。」李端謂之戴家溪，詩曰：「戴家溪北住，雪後去相尋。」方幹謂之戴灣，詩曰：「戴灣衝瀨片帆風，高枕微吟到剡中。」……齊唐謂之戴逵灘，詩曰：「春樹深藏嶁浦笛，夜猿孤響戴逵灘。」

引了後代這麼多描寫會稽山水、特別是描寫剡中秀色的詩作，是想說明，永嘉南渡之後，冥冥之中，不知是何種力量，何種因緣，將名士們置於如此秀美的山光水色之中。這裡的山水的美，不是巨海怒濤，不是蜀山蕭森，不是廣漠無垠之北地風沙，也不是南荒瘴癘之窮山惡水。這裡的山水，是溫潤明秀，山是蒼翠深蔚，雲遮霧繞；水是澄碧明淨，紆徐潺緩，「竹色溪下綠，荷花鏡裡香」一聯，寫盡剡溪之美。這種寧靜秀美的山水景色，正好給了偏安一隅、正需要安頓一片安寧心境的名士們以再合適不過的環境。於是他們的心靈便與會稽的山水一拍即合。他們所需要的，就是這樣一個天地。他們已經沒有劉琨與祖逖的壯懷激烈，也沒有過江初期的感慨凄傷，他們已經完全進入了一個寧靜的精神天地，需要的就是這一片明山淨水。

山水的美，只有移入欣賞者的感情時，才能成為欣賞者眼中的美。山水審美在很大的程度上是一種感情的流注。明人劉炎，把這一點說得非常清楚，他說：

夫觀錢塘江潮，如猛士之肝膽決裂，義士之怒髮衝冠。觀仙觀天柱，猶直臣之氣，不撓不折，社稷之佐，拓地擎天，為是而來遊，來遊而慨慕者幾何人！至於西湖之上，有所謂水樂園中閣作之也。有朋命駕偕之，泉激溜如岑蹄，石累拳如飯砂，遊者並肩接跡，觀者嘖嘖咏嘆，至有遊而忘歸，歸而覆遊者，何也？務小智者忘大巧，樂人偽者昧天成也。（《邇言》，叢書集成初編本）

有人以壯偉為美，蓋彼具壯偉之心境；有人以明秀為美，蓋彼具明秀之心境。會稽山川之美，之所以很快為東晉名士所感知，所接受，蓋彼等追求一種寧靜之心境所致。東晉士人之重感情、重精神滿足，感情性格之趨向細膩瀟灑，正適合於在明秀的環境裡生活，於是見越中之山川，而情不可已已。

此時之士人，遊覽山水成為一種名士風流的標誌，與清談、服藥、書畫同屬一種表現出脫俗的、獨有的文化素養的方式。差不多重要的名士都有山水鑒賞的嗜好與經歷。謝安前後有兩個時期以遊樂山川為其主要之生活內容，一次在出仕前，在寓居會稽上虞縣之東山時；一次是晚年，於上元縣之土山營別墅。葛立方《韵語陽秋》卷五引《建康事跡》云：「安石於此擬會稽之東山。」《世說新語・棲逸》說：「許掾好游山水，而體便登陟。時人云：『許非徒有勝情，實有濟勝之具』」何法盛《晉中興書》說，孫統「少任誕不羈，性好山水，及求鄞縣，遺心細務，縱意遊肆，名阜勝川，靡不歷覽。」（黃奭輯《何法盛晉中興書》，黃氏逸書考本）許嵩《建康實錄》說孫綽居會稽，遊放山水，十有餘年，仍作《遂初賦》。此賦已佚，而《序》僅存。《序》稱：

余少慕老、莊之道，仰其風流久矣，卻感於陵賢妻之言，悵然悟之，乃經始東山，建五畝之宅，帶長阜，倚茂林，孰與坐華幕、擊鍾鼓者同年而語其樂哉！（《孫廷尉集》，漢魏百三名家集本）

從這《序》裡，我們可以知道他在會稽之東山營有莊園。在《遊天台山賦》中，也談到了他對於山水之美的體悟。《世說新語・言語篇》還記載了另外幾個山水遊賞的故事：

王司州至吳興印渚中看，嘆曰：「非唯使人情開滌，亦覺日月清朗。」

顧長康從會稽還，人問山川之美，顧云：「千岩競秀，萬壑爭流，草木蒙籠其上，若云興霞蔚。」

袁彥伯為謝安南司馬，都下諸人送至瀨鄉。將別，既自淒惘，嘆曰：「江山遼落，居然有萬里之勢。」

簡文入華林園，顧謂左右曰：「會心處，不必在遠。翳然林水，便自有濠濮間想也，覺鳥獸禽魚，自來親人。」

此時之名僧，亦多有濃烈之山水審美情趣。他們與名士交往，討論玄理，也同遊賞名山勝水，同賦詩，對於山水的美的贊賞，在他們的言行中時時流露出來。《世說新語•言語》說：

道一道人好整飾音辭，從都下還東山，經吳中。已而會雪下，未甚寒。諸道人問在道所經，一公曰：「風霜固所不論，乃先集其慘澹。郊邑正自飄瞥，林岫便已皓然。」

《棲逸篇》說：

康僧淵在豫章，去郊數十里，立精舍。旁連嶺，帶長川，芳林列於軒庭，清流激於堂宇。

從這些記載裡，我們可以看出來，山川的自然的美對於東晉士人來說，已經成了他們的生活的一個重要部分，和他們的偏安心態是那樣融合無間。或者可以說，他們終於找到了一片安頓他們的靈心的福地。

我們必得承認一個最基本的事實，這就是：寄情山水，只有在身閑心閑的情況下才有可能。戎馬倥傯，不可能怡情山水；積案盈几，不可能怡情山水；於謀生勞碌之時，不可能怡情山水；只有在具備生活的最基本物質條件時，才有可能優遊山林，坐賞美景。這一點，宋人羅大經有一段相當精彩的論述。他說：

唐子西云：「山靜似太古，日長如小年「余家深山之中，每春夏之交，蒼蘚盈階，落花滿徑，門無剝啄，松影參差，禽聲上下。午睡初足，旋汲山泉、拾松枝，煮苦茗啜之。隨意讀《周易》、《國風》、《左氏傳》、《離騷》、《太史公書》及陶、杜詩、韓、蘇文數篇。從容步山徑，撫松竹，與麛犢共偃息於長林豐草間。坐弄流泉，漱齒濯足。既歸竹窗下，則山妻稚子，作筍蕨，供麥飯，欣然一飽。弄筆窗間，隨大小作數十字，展所藏法帖、墨跡、畫卷縱觀之。興到則吟小詩，或草《玉露》一兩段。再烹苦茗一杯，出步溪邊，邂逅園翁溪友，問桑麻，說粳稻，量晴校雨，探節數時，相與劇談一餉。歸而倚杖柴門之下，則夕陽在山，紫綠萬狀，變幻頃刻，恍可人目。牛背笛聲，兩兩來歸，而月印前溪矣。味子西此句，可謂絕妙。然此句妙矣，識其妙者蓋少。彼牵黄臂蒼者，馳獵於聲利之場者，但見滾滾馬頭塵，匆匆駒隙影耳，烏知此句之妙哉！（《鶴林玉露》卷四丙編，中華書局一九八三年排印本）

羅大經這裡所描述的類於隱者的生活，當然是生活較富裕的隱者生活。東晉名士如王、謝子弟，他們的生活條件當然比羅大經這裡所描寫的要優越得多，而身閑心閑則是相同的。因此我們可以說，在中國的士文化裡，山水審美意識的產生，最初是和東晉士人的閑適生活、偏安心態聯繫在一起的。

學者們常常說，魏晉士人向內發現了獨立的人格，發現了自我，而向外則發現了山水自然的美。

山水審美意識的產生，當然與個性的覺醒有關，但又不能完全歸結於這一點。在中國，山水審美意識的形成，不僅是個性覺醒、提倡任自然的玄學思潮的產物，而且是江南秀麗山水和這片秀麗山水中偏安一隅、經營莊園的士人生活的產物。是偏安心態、閑適情趣、閑適生活促進了山水的美的發現。

自然的美一旦被發現，它又反過來造就了審美的人。從史料裡，我們可以發現，東晉士人的審美能力較之他們的前輩是更為敏銳更為細膩了。《世說新語・言語》：

司馬太傅齋中夜坐，於時天月明淨，都無纖翳。太傅嘆以為佳。謝景重在坐，答曰：「意謂乃不如微雲點綴。」太傅因戲謝曰：「卿居心不淨，乃復強欲滓穢太清邪？」

司馬太傅指會稽王司馬道子，他於安帝即位時（三九六年九月）為太傅攝政，是一位弄權亂政，委任奸人，賣官鬻爵而又酣飲縱樂的小人。他修建豪華府第，在府第內修築山水景色，史稱其「築山穿池，列樹竹木，功用鉅萬。」（《建康實錄》卷十）他所重用的佞人趙牙、茹千秋等人，為了供他遊賞，用人工築起山丘。謝景重指謝重，他是謝朗的兒子。司馬道子和謝重眼中的月夜的美，都是各自的審美體驗。道子以明淨月色為美，而謝重卻以為微雲點綴更美。對於這條材料，我們當然不能離開具體的人來作純抽象的判斷，事實上東晉士人對於山水的審美體驗都存在著這個問題，例如，孫綽對於山水的美有很敏銳的感受力，但是，他的人品卻頗可非議；許詢是一位忘情山水的高逸之人，而其實他世俗之心也極重。有一次他就丹楊尹劉惔宿，看到惔的宅館裡床帷新麗，飲食豐甘，便不勝羨慕地說：「若此保全，殊勝東山。」（《晉書・王羲之傳》）可見他對於榮華富貴，是很為向往的。在了解了這些之後，我們便不至於在論及東晉人之美時，把他們都想象為冰清玉潔、唯美是求的人物。他們的審美感受，他們的心態，遠比這要複雜得多。他們的山水審美意識，是在偏安的環境中，在偏安的心態中滋長起來的，如此而已。但是，無論如何，他們的審美能力是大大地提高了。謝重終於體認到微雲點綴較之澄碧萬里的月色更美。這在自然審美判斷上無疑是一種進展。它起碼說明，在自然美的審美判斷中已經注意到了含蘊、朦朧的美。澄碧萬里當然是美的，是明淨的美；但是如果在萬里澄碧中綴以如紗之白雲，則無疑在明淨的美之上，增添一層想象。這和欣賞霧中的山，霧中的水一樣，更有一種餘味無窮的感覺。

東晉士人的山水審美意識，有著一個顯著的特點，便是移情山水，對於山水的美的欣賞，帶著強烈的主觀色彩，把強烈的生命意識移植於山山水水之中。《世說新語·言語》：

王子敬云：「從山陰道上行，山川自相映發，使人應接不暇。若秋冬之際，尤難為懷。」

所謂「尤難為懷」，便是一種感情的流注與交通，見山川景色而感情不可已已。何以秋冬之際此種不可已已之感情愈加強烈，蓋秋冬之際容易使人想起時光流逝，想起人生之短促。物之變遷與生之匆匆，便在審美過程中完全融為一體了。

這一特點的最集中的表現，是蘭亭之會。蘭亭之會在晉穆帝永和九年（三五三年）三月上旬。古代習俗，於三月上旬巳日，官民並潔之於東流水上，祓除不祥。後來這一儀式發展為暮春之初的河邊宴飲嬉遊，祓除不祥倒退居為一種意味。西晉成公綏《洛禊賦》：「考吉日，簡良辰，祓除解禊，會同洛濱。妖童媛女，嬉遊河曲，或振纖手，或濯素足，臨清流，坐河埸，列罍樽，飛羽觴。」（《藝文類聚》卷四）描寫的正是以嬉遊為主的場面，而不是祓除不祥的儀式。蘭亭之會的中心，也在於名士會聚，宴飲賦詩。會聚的地點在山陰之蘭亭。《水經注》卷四十漸水江注：「浙江又東與蘭溪合，湖南有天柱山，湖口有亭，號曰蘭亭，亦曰蘭上里，太守王羲之、謝安兄弟數往造焉。吳郡太守謝勗，封蘭亭侯，蓋取此亭以為封號也。太守王廙之移亭在水中。晉司空何無忌之臨郡也，起亭於山椒，極高盡眺矣。」《紹興府誌》謂蘭亭之會在蘭渚山，山「在山陰西南二十七里處，即《越絕書》勾踐種蘭渚田，及晉王羲之修禊處。……蘭渚之水出焉。」從這次聚會留下的詩看，其時之蘭亭，當依山面水，水為經山之曲澗，流入湖者。謝萬《蘭亭詩》：

肆眺崇阿，寓目高林。青蘿翳岫，修竹冠岑。谷流清響，條鼓鳴音。玄崿吐潤，霏霧成蔭。

孫統《蘭亭詩》：

時禽鳴長澗，萬籟吹連峰。

參預此會者四十二人⑩。列坐於曲水之旁、流觴賦詩。流觴的方式，似有多種。庾闡《三月三日臨曲水詩》：「輕舟沉飛觴，鼓枻觀魚躍。」則流觴是用船，從在船上觀魚躍的描寫看，祓禊者似也在船上，非僅是置杯人而已。而蘭亭之會，似是列坐水邊，上流置觴，順流而下，觴飄流至誰跟前誰即取飲賦詩一首。不能賦詩者，則罰酒三斗。罰酒的辦法，似仿自金谷宴集。此會賦詩者二十六人，其中十一人成四言五言各一首，十五人各成一首，十六人詩不成。在詩不成的人中，有王獻之。獻之有集十卷，已佚，從留下來的四首詩看，他還是能寫詩的，何以蘭亭會中詩不成而被罰？這可能與曲水流觴，取飲而隨即賦詩有關。這種賦詩方式，要求脫口而出，非熟練於作詩者往往不能做到。且此種作詩方式，也使所成之詩往往較為粗糙。從留下來的蘭亭詩中可以感受到這一點。但是，詩的粗糙並不是我們這裡要考慮的因素。我們的著眼點在於這次宴集的詩所反映的山水審美意識的特點上。

在留下來的詩和敍裡，可以看出如下特點：

一是山水審美與怡情。如上所說，蘭亭之會名為祓除不祥，而其目的已經完全放在怡情上，於暮春江南的明山秀水中，得到寧靜的心境，以便暫時忘掉世俗的紛爭。在許多詩中都明確的表述了這一點：

時來誰不懷，寄散山林間。尚想方外賓，迢迢有餘閑。（曹茂之）

松竹挺岩崖，幽澗激清流。消散肆情志，酣暢豁滯憂。（王玄之）

散懷山水，蕭然忘羈，秀薄粲穎，疏松籠崖；遊羽扇霄，鱗躍清池。歸目寄歡，心冥二奇。（王徽之）

神散宇宙內，形浪濠梁津。寄暢須臾歡，尚想味古人。（虞說）

散豁情志暢，塵纓忽已捐，仰咏挹余芳，怡情味重淵。（王蘊之）

願與達人遊，解結遨濠梁。狂吟任所適，浪流無何鄉。（曹華）

寄散、散懷、神散，都是指在山水的美中，松弛精神，得到愉悅。在其中的一些詩裡，還包括著與自然泯一的含意，「神散宇宙內」，「泯流無何鄉」，都是說忘情於自然之中而不知所之。

二是山水審美與玄理契合。在蘭亭詩中，常常反映著於山水遊賞中體認玄理：

相與欣佳節，率爾同褰裳。薄云羅陽景，微風翼輕航。醇醪陶丹府，兀若遊羲唐。萬殊混一理，安復覺彭殤。（謝安）

彼蓋謂萬物本自混一，故無須分為彭為殤。

茫茫大造，萬化齊軌。罔悟玄同，競異標旨。平、勃運謀，黃、綺隱几。凡我仰希，期山期水。（孫統）

彼蓋謂宇宙萬物，本自齊一，成敗盈虧，均無意義，而未悟玄旨者忙於爭競；己則志在山水，於山水遊樂中忘卻人間之一切。

三是山水審美與生命意識的體認相契合，這從王羲之的《蘭亭集序》和孫綽的《蘭亭後序》中有充分的表現。《蘭亭集序》寫山水之美與寫生命之體認，都是非常成功的，茲錄序文如下：

永和九年，歲在癸丑，暮春之初，會於會稽山陰之蘭亭，修禊事也。群賢畢至，少長咸集。此地有崇山峻嶺，茂林修竹，又有清流激湍，映帶左右，引以為流觴曲水，列坐其次。雖無絲竹管弦之盛，一觴一咏，亦足以暢敘幽情。

是日也，天朗氣清，惠風和暢，仰觀宇宙之大，俯察品類之盛，所以遊目騁懷，足以極是聽之娛，信可樂也。

夫人之相與，俯仰一世，或取諸懷抱，悟言一室之內，或因寄所托，放浪形骸之外。雖趣舍萬殊，靜躁不同，當其欣於所遇，暫得於己，快然自足，不知老之將至。及其所之既倦，情隨事遷，感慨系之矣。向之所欣，俯仰之間，已成陳跡，猶不能不以之興懷，況修短隨化，終期於盡。古人云：死生亦大矣，豈不痛哉！

每覽世人興感之由，若合一契，未嘗不臨文嗟悼，不能喻之於懷。固知一死生為虛誕，齊彭殤為妄作。後之視今，亦猶今之視昔，悲夫！故列敍時人，錄其所述。雖世殊事異，所以興懷，其致一也。後之覽者，亦將有感於斯文。（《晉書·王羲之傳》）

王羲之對於山水之美，有一種明快而又極富情韻的感受力。他眼中的山水，充滿情思韻味，充滿生機，有無窮的自然趣味。他輕輕寫來，毫無人間痕跡，崇山峻嶺，茂林修竹，清流激湍，加上明淨的天空，輕輕的春風，把暮春三月會稽山水的神韻全點染出來了，使人想起他的名句：「群籟雖參差，適我無非新。」（《蘭亭詩》，《晉詩》卷十三）宇宙萬物是那樣生生不息，色彩紛呈，只要你用生命去感受它，你便會有一種親和感，你的生命便與宇宙萬物相通，便會從中體認到生的訊息，生的歡樂。「適我無非新」的含意就在這裡。正在這種充滿對於自然的無窮生命的敏銳感受力，流注在這篇《序》裡，才使他筆下的山水是那樣的生機勃發。這又使人想起我們前面引到的當時人對於山水的描寫來：「山川自相映發」、「千岩競秀，萬壑爭流」。這些描寫裡，最動人的地方，就正是那蘊含於山川中的生生不息的生命。正是從這種感受出發，才從山水審美通向了生命的體認，宇宙萬物是那樣生生不息，無窮無盡，而人生卻是那樣匆匆而過。這就是這《序》後半部分對於人生的感喟的內在脈絡。一切都將過去，一切都將成為陳跡，從而導引出「一死生為虛誕，齊彭殤為妄作」的結論。

關於「一死生為虛誕，齊彭殤為妄作」，有學者以為此種思想非羲之之所有，並由是而證《蘭亭集序》之為偽作。此種看法，起自宋人，而宋人已有論其非者⑪。今人郭沫若又重提舊說以證《蘭亭集序》之為偽作。郭說之一重要論據，便是證羲之具老莊思想，而「一死生為虛誕，齊彭殤為妄作」與其思想不符。郭說一出，附和紛紛⑫。關於《蘭亭集序》之非偽作，從書法史上論證，已有商承祚先生的甚為有說服力的文章⑬。而證「一死生為虛誕，齊彭殤為妄作」確為羲之之思想，則似尚需略加說明。認此二語非羲之之思想者，實對於東晉玄風與羲之思想之實質均無深入之了解。玄學思潮自中朝以來，已與名教合一，崇尚玄風之名士群體，大多已入世甚深，此點本書上章已有所論。其時純粹以莊子之齊物論為人生取向者，已甚為少見；大抵標榜自然而實入世。東晉此種傾向並未改變。王導、謝安、王羲之諸人均如是。羲之猶為突出。這從他《遺殷浩》、《與謝安》、《與桓溫》諸箋中都可以得到有力的證明，他並非不問世事者。而對於個人出處去就，他內心實有甚深之矛盾。在《與謝萬書》中，他向往一種與世無爭之田園安寧生活，而當他官場失意時，他又斤斤計較，甚為失意所苦。《晉書》本傳說他少與王述齊名，而後來位遇在王述之下，他便深以為恥，以至於在父母墓前發誓不再做官。誓辭說：「自今以後，敢渝此心，貪冒苟進，是有無尊之心而不子也。子而不子，名教所不得容。信誓之誠，有如皎日！」這種心理，顯然與齊一萬物的思想相去甚遠。在羲之的整個思想裡，融合著儒、釋、道諸家，而其最根本之旨趣，實於人生有甚深之眷戀。東晉士人，無論是崇道教而重養生，服藥求仙，還是重自然而放逸山水，都同具此一特色。羲之遊蘭亭之時，見萬類群品之繁盛生殖，見山川風日之美麗怡人，愈覺生之可眷戀，而嘆歲月之不居，不禁悲從中來，於是有「一死生為虛誕，齊彭殤為妄作」之議論。這實在是順理成章的事。無論從其時玄風之特色說，還是從羲之之思想說，此一議論都足以證明《蘭亭集序》真而非偽，而不是相反。

《蘭亭集序》的這一思想，與孫綽《蘭亭後序》的思想是一致的。《後序》云：

古人以水喻性，有旨哉斯談。非以停之則清，混之則濁耶！情因所習而遷移，物觸所遇而興感，故振轡於朝市，則充屈之心生；閑步於林野，則寥落之志興。仰瞻羲唐，邈然遠矣；近咏台閣，顧探增懷。聊於曖昧之中，思縈拂之道，屢借山水，以化其郁結。永日之一足，當百年之溢，以暮春之始，禊於南澗之濱。高嶺千尋，長湖萬頃，隆屈澄汪之勢，可謂壯矣。乃藉芳草，鏡清流，覽卉物，觀魚鳥，具物同榮，資生咸暢。於是和以醇醪，齊以達觀，決然兀矣，焉復覺鵬鷃之二物哉！耀靈縱轡，急景西邁，樂與時會，悲亦繫之，往復推移，新故相換，今日之跡，明復陳矣。原詩人之致興，諒歌咏之有由。（參見《藝文類聚》卷四，《孫廷尉集》）

在基本思想上，孫綽《後序》與羲之《序》並無區別，都是描述山川之美，於此美之山川中感人生之匆匆。然《後序》有齊一萬物的議論，有等鵬鵬的達觀思想，與《蘭亭詩》中的一些議論相同。然此種思想，並非與「一死生為虛誕，齊彭殤為妄作」相對立。如前所述，自中朝迄於東晉，士人既倡自然，而又入世，需要排解鬱結時，有齊死生、等貴賤的議論；而感受實人生的變易時，又每每未能忘情，於是發為人生短促之感慨。蘭亭之會中，與會者同為山水宴樂而來，同為山水之美所吸引，同於山水之美中得到感情的怡悅，由是而體認哲理，體認人生，則角度有差異與層次有淺深，原都是自然的事。而山水審美與生命意識之體認相契合，則同為與會者的基本傾向。

蘭亭之會只是山水審美之一例。要而言之，山水審美情趣的發展，確為此時士人心態之一重要表現。從此以後，山水意識發展為山水文化，在詩、文、繪畫和園林藝術諸方面得到充分發展。應該說，山水描寫在東晉還是很粗糙的。蘭亭詩、庾闡的一些詩（《觀石鼓詩》、《三月三日詩》）李顒《涉湖詩》等等，嚴格說，都還不是山水詩，只是山水詩的雛形。但是，此時山水審美意識卻已經有了相當的發展。應該說，有了東晉士人山水審美意識的發展，才有後來謝靈運等人的山水詩，才有宗炳、王微的山水畫論的出現。如果追溯中國山水文化的源頭，東晉士人山水審美意識的確立應該算作一個非常重要的階段。以後山水文化的發展，在內含的豐富與成熟上，當然遠遠超過東晉，但就其在士人生活中的地位而言，則基本構架並未有大的變動。例如，山水怡情，山水進入士人的精神生活，成一不可或缺之部分。山水畫的基本精神，便是借山水以怡情，借山水以寄托情思。有時，山水畫成了遊山樂水的一種補充。歷代都有眷戀所遊歷之名山大川而圖畫其形狀以臥遊者，也有借山水詩、山水遊記以臥遊者，更有借園林建築以求在方塊的庭院之內獲得山水情趣之怡悅者。這都說明山水怡情成為士人精神生活重要內容這一事實。這種情形的極端的發展，至有以山水畫治病者。宋人秦觀《書輞川圖後》云：

元祐丁卯，余為汝南郡學官，夏得腸癖之疾，臥直舍中，所善高符仲攜摩詰《輞川圖》視余，曰：「閱此可以愈疾」。余本江海人，得圖喜甚，即使二兒從旁引之，閱於枕上，恍然若與摩詰入輞川，度華子岡，經孟城坳，憩輞川莊，泊文杏館，上斤竹嶺並木蘭砦，絕茱萸沜，躡槐陌，窺鹿柴砦，返於南北垞，航欹湖，戲柳浪，濯欒家瀨，酌金屑泉，過白石灘，停竹里館，轉辛夷塢，抵漆園，幅巾杖屨，棋奕茗飲，或賦詩自娛，忘其身之匏繫於汝南也。數日，疾良愈，而符仲亦為夏侯太冲來取圖，遂題其末而歸諸高氏。（《淮海題跋》）

從這個角度說，山水審美意識在東晉奠定其基本品格，在中國的士文化的發展中，意義實甚為深遠。

四、仙的境界和佛的境界

東晉士人在偏安一隅中創造自己的人生境界。他們走向的人生境界，實在有異於他們的前輩。他們當然不像兩漢士人那樣壯偉而方正，不像建安士人那樣慷慨悲涼，也不像西晉士人那樣世俗，他們瀟灑風流地追求一個寧靜的精神天地，風度翩翩地處世。他們留連山水，在山光水色中享受自然的美的賜予。他們又是一些很有藝術氣質的人，其中不少人精通音樂，書法造詣極高；不少人擅長繪畫，而且對書畫理論深有研究。他們的這些特點，描繪了一幅什麼樣的人生圖畫呢？這就是寧靜、高雅、飄逸，一種洋溢著這樣的意趣的人生境界。在這樣的人生境界裡，他們從容地生活著。雖然他們中的一些人，周旋於多變的東晉政局中，在那樣一個無所作為的政權裡肩負重任，甚至戎馬倥傯，但是他們仍然那樣瀟灑從容（謝安的淝水之戰可以說是一個典型的例子）。他們擺脫壓迫感、緊張感，也擺脫雄心壯志。在他們身上，似乎尋找不到對於國家民族的歷史責任感。像後來杜甫那種「國破山河在」，像陸游那種「王師北定中原日，家祭無忘告乃翁」；像文天祥那種「留取丹心照汗青」的心境，他們是沒有的。在中國的士文化裡，在中國的士人的傳統裡，他們屬於另一支，另一類型。他們屬於風流文雅的一群。他們來到人世，不是來承擔責任而是來享受人生的。如果要對他們作出評價的話，我們千萬不能忘記這一點。

他們的前輩和他們後來的士人，有的活得很認真，很嚴謹，很艱難，很累，甚至他們之所以來到人世，是為了完成一場人生的悲劇。但是東晉士人不是這樣。他們雖時有失意，但總的說，他們活得輕鬆、從容。他們何以在那樣一個衰弱的、變亂不斷的、被外族侵凌的政權裡，在那樣一個並非盛世的時代裡，居然可以那樣的生活，原因當然很多，值得很好研究，但是偏安的環境，士族的優俗的物質條件，偏安的心境，應該說是最主要的。

我們還不應該忘記在他們的心態裡還有一種人生追求，或者說人生信仰，那便是他們中的一些人，向往於仙的境界與佛的境界。

建安以來，服食以求長生在士人群落裡是一種常見的現象，西晉士人信奉道教以祈長生者也大有人在。但是，神仙道教在士人中有較大的影響，是在東晉。東晉出了許多著名的道教學者，如鮑靚、葛洪。特別是葛洪，他創立了自成體系的神仙道教理論。而這套理論，以其豐富的文化內含容易得到士階層的賞識，為士階層所接受。葛洪實在是一位把道教雅化的關鍵人物。他使道教從民間進入上層社會，成為士人的人生信仰。

東晉著名士人信仰道教的不少，如王、謝家族中人。《晉書・王羲之傳》說羲之「又與道士許邁共修服食，採藥石不遠千里，偏遊東中諸郡，窮諸名山，泛滄海，嘆曰：『我卒當以樂死。』」《真誥》注謂：「逸少即王廙兄，曠之子⑭，有風氣，善書。後為會稽太守，永和十一年去郡，告靈不復仕。先與許先生周旋，頗亦慕道。」（陶弘景《真誥》卷十六，《道藏要籍選刊》）在王羲之的書信裡，多處說到他服藥求長生的事：

吾服食久，猶為劣劣，大都比之年時為可耳。足下保愛為上，臨書但有惆悵。（《王右軍集》卷一）

鄉裡人擇藥，有發簡而得此藥者，足下豈識之不？乃云服之令人仙，不知誰能試者。（《王右軍集》卷二）

《晉書·王羲之傳》又說：「王氏世事張氏五斗米道，凝之彌篤。」凝之是羲之的次子，歷仕江州刺史、左將軍、會稽內史。孫恩起義的時候，攻打會稽，凝之的部屬勸凝之作好作戰準備，凝之卻入靖室禱告，說要請鬼兵相佐，結果兵敗，他也被孫恩所殺。羲之的另一兒子獻之，也篤信五斗米道。《世說新語·德行》說：「王子敬病篤，道家上章應首過，問子敬：『由來有何異同得失？』子敬云：『不覺有餘事，惟憶與郗家離婚。』」獻之病重按道家消災度厄之法請禱，王氏家族似均行此法。米芾《畫史》云：「海州劉先生收王獻之畫符及神咒一卷，小字，五斗米道也。」可知獻之實是一位甚為虔誠的道教信徒。羲之一家，與道士交往甚多。羲之與許邁交往的事，甚有影響。許邁也是士族（見《晉書·許邁傳》）。他是當時著名的道教學者鮑靚的學生。鮑靚為南海太守時，邁曾往受業。鮑靚曾傳授給葛洪《三皇經》，他也授給邁中部法及《三皇經》。邁後來改名玄。本傳說玄「初採藥於桐廬縣之桓山，餌術涉三年，初欲斷谷。……永和三年，移入臨安西山，登岩茹芝，眇爾自得，有終焉之志。……羲之造之，未嘗不彌日忘歸，相與為世外之交。玄遺羲之書云：『自山陰南至臨安，多有金堂玉室，仙人芝草，左元放之徒，漢末諸得道者皆在焉。』」羲之還為許玄寫有傳記，記述他的種種靈異行跡。《真誥》卷二十《真胄世譜》謂玄生於永康元年（三〇〇年），卒於永和四年（三四八年），則他比羲之年長二十一歲，而比獻之長四十四歲。《真胄世譜》說獻之也與之交，則是不確的。羲之于永和三年爲會稽內史，而玄于永和四年去世，是則羲之與玄採藥名山，時間當甚短暫，且只可能在羲之為會稽內史期間，或以前，而絕非《晉書·王羲之傳》所言在羲之去官之後。羲之之去官，在永和十一年，時玄已死七年矣。

殷仲堪也信奉道教。《晉書》本傳說他「少奉天師道，又精心事神，不吝財賄，而怠行仁義，嗇於周急。及玄來攻，猶勤請禱。」他是王臨之的女婿，臨之的父親彪之是羲之的從兄弟。於此又可見，琅琊王氏的道教信仰帶著家族傳統的性質。

另一位信奉神仙道教的著名士人是庾闡。關於庾闡，史無關於他信奉道教的記載，因之也為向來治道教史者所忽略。從他留下來的詩看，他實是服藥以求長生的。《採藥詩》云：

採藥靈山標，結駕登九嶷。懸岩溜石髓，芳谷挺丹芝。冷冷云珠落，淺淺石蜜滋。鮮景染冰顏，妙氣翼冥期。霞光煥藿靡，虹景照參差。椿壽自有極，槿花用何疑。

他的《遊仙詩》，也提到採藥與煉丹：

邛疏鍊石髓，赤松漱水玉。

朝漱雲英玉蕊，夕挹玉膏石髓。瑤台藻構霞綺，鱗裳羽蓋級纚。

朝採石英澗左，夕翳瓊葩岩下。

遊仙詩寫的不一定是實行了的，但是《採藥詩》卻沒有理由排除實行的可能性。他又有失題詩，也提到煉氣：

崢嶸激清崖，蒙籠陰岩岫。咀嚼延六氣，俯仰以九州。

庾闡有《列仙論》，從殘篇看，似為否認神仙之存在者，然從「若夫稟分有方」一句窺測，則已佚之部分，似為論述能否成仙，取決於稟分如何。

郗暗也信奉神仙道教。《晉書．郗暗傳》云：「與姊夫王羲之，高士許詢並有邁世之風，俱棲心絕谷，修黃老之術。」

東晉士人服藥行氣修神仙之術的，史沒有更多的記載，但是從他們的崇尚與他們的交遊看，他們中的不少人，與神仙道教的關係顯然是很密切的。

相當一部分士人，既信奉道教，又信奉佛教，而且在他們的眼裡，常常把佛與道混在一起。例如湛方生的詩《廬山神仙》，《序》云：

尋陽有廬山者，盤基彭蠡之西。其崇標峻極，辰光隔輝，幽澗澄深，積清百仞。若乃絕阻重險，非人跡之所遊；窈窕冲深，常含霞而貯氣，真可謂神明之區域，列真之苑囿矣。太元十一年，有樵采其陽者，於時鮮霞褰林，傾輝映岫，見一沙門，披法服獨在岩中，俄頃振裳揮錫，凌崖直上，排丹霄而輕舉，起九折而一指，既白云之可乘，何帝鄉之足遠哉！窮目蒼蒼，翳然滅跡。

《詩》云：

吸風玄圃，飲露丹霄，室宅五岳，賓友松喬。

他顯然是把高僧當作神仙來描寫了。事實上，東晉談玄的名士與名僧過從甚密，不僅在一起談論義理，而且在趣味上也十分相投。他們中的不少人，既是神仙道教的信徒，又是佛門弟子，如王氏子弟。王導之子王洽曾就支遁問「即色遊玄論」。道安的弟子竺法汰初到江左，未知名，王洽「供養之。每與周旋，行來往名勝許，輒與俱。不得汰，使停車不行。因此名遂重。」（《世說新語・賞譽》）洽之子珣還曾請外國沙門提婆講《毗曇經》⑮。珣從弟謐，亦奉佛。琅琊王氏，歷代信奉道教與信奉佛教者一直不斷。

東晉大名士殷浩晚年精研佛理。《世說新語・文學》說，殷浩被廢，「徙東陽，大讀佛經，皆精解。唯至『事數』處不解。遇見一道人，問所簽，便釋然。」浩是一位談玄的大家，而且有甚大之聲望，為一時談玄者所宗。當時的另兩位談玄名士王濛和謝安，對浩都甚為崇敬，視浩之出處以卜江左之興亡。浩後來出來做了官，與桓溫不協，便在朝廷中展開了一場爭鬥。他自視甚高，以恢復中原為己任，上疏北伐，結果大敗而歸。溫便乘機上疏，請治他的罪，於是浩被廢為庶人，徙於東陽之信安縣。他被徙東陽，是很悲傷的。他的外甥韓伯隨同他到徙所，一年後離開他回了建康。浩送行時寫詩說：「富貴他人合，貧賤親戚離。」從這兩句詩，可看出他被廢棄之後的心境。他就是從這種心境走向研治佛經的。他是一位精於玄理的人，對於才性論題尤為精通。但是他在讀到佛經之後，卻說：「理亦應阿堵上。」就是說佛理更勝於玄理。《世說新語》中有許多關於他研讀佛經的記載，如：

殷中軍被廢東陽，始看佛經。初視《維摩詰》，疑《般若波羅蜜》太多，後見《小品》，恨此語少。（《文學》）

殷中軍讀《小品》，下二百簽，皆是精微，世之幽滯。嘗欲與支道林辯之，竟不得。（《文

學》

劉孝標注此「竟不得」，引《高逸沙門傳》曰：「殷浩能言名理，自以有所不達，欲訪之於遁。遂邂逅不遇，深以為恨。」而引裴啟《語林》則謂：「浩於佛經有所不了，故遣人迎林公，林公乃虛懷欲往。王右軍駐之曰：『淵源思致淵富，既未易為敵，且己所不解，上人未必能通。縱復服從，亦名不益高。若佻脫不合，便喪十年所保。可不須往。』林公亦以為然，遂止。」「邂逅不遇」之說無證。殷浩徙信安（今浙江衢縣東），其時遁在剡之沃洲山，兩地相距遙遠，史無浩離開徙所之記載。而謂浩遣人迎林公，似亦未有充足之證據，以其庶人之地位，以其孤獨冷落之處境，似不具備迎支遁至信安之條件。然浩之接觸佛理，據《世說》所記，似應在被廢之前，如：

康僧淵初過江，未有知者，恆周旋市肆，乞索以自營。忽往殷淵源許，值盛有賓客，殷使坐，粗與寒溫，遂及義理，語言辭旨，曾無愧色；領略粗舉，一往參詣。由是知之。

殷、謝諸人共集。謝因問殷：「眼往屬萬形，萬形來入眼不？」（均見《文學》）

此兩事均在浩被廢前。劉注謂殷、謝即指殷浩與謝安。安之問浩，即為佛經中之論題。劉注引《成實論》：「眼識不待到而知虛塵，假空與明，故得見色。若眼到識到，色間即無空明。如眼觸目，則不能見彼。當知眼識不到而知。」《世說》的這條材料，不僅可證浩在被廢前已研習佛典，且可證謝安亦研習佛典。謝安與支遁有甚深之交往，或與此有關。

另一位研習佛典的是戴逵。他也是名士。《世說新語・傷逝》記其經過支遁墓，說：「德音未遠，而拱木已積。冀神理綿綿，不與氣韻俱盡耳。」從這裡可窺知他對於佛理甚為崇仰。他還曾費三年時間，雕刻丈六無量壽佛木像。

王恭亦篤信佛教。《晉書》本傳稱其「調役百姓，修營佛寺，務在壯麗，士庶怨嗟。」他後來是被司馬道子殺了的，史稱其臨刑猶誦佛經。何充兄弟崇佛與王恭相似。至於與名僧交往密切的，就更多，如王導、庾亮對竺道潛甚為崇敬，與之為友。（《高僧傳・竺道潛傳》）王濛、王洽、劉惔、謝安、許詢、郗超、孫綽、王脩、王坦之、謝朗、袁宏諸人均與支遁過往甚密。（見《支遁傳》）王導、庾亮、周顗、謝鯤、桓彝均與帛尸梨蜜交往。（見《帛尸梨蜜傳》）而阮瞻、庾敳與支孝龍皆為至交。（見《支孝龍傳》）等等。

名士之信奉神仙道教與信奉佛教、原因頗為複雜，各人情形亦不甚相同。但從心態上看，卻有一些相似之處，那便是擺脫世俗繫累，追求一種抱一以逍遙的人生境界。這是他們心目中的仙的境界與佛的境界。

名士與名僧的交往，完全表現出其時士文化的特點，方內方外，同樣沉浸在瀟灑裡，山水、清談、詩，是這種交往的手段或方式。清人知歸子提到名僧與名士的交往時，說：

> 東晉之初，風教漸廣，王導、庾亮、周顗、謝鯤、桓彝之屬，皆曾與梵僧尸梨蜜多羅遊；謝安居東山，降心支遁，……至如王羲之、坦之、珣、珉、許詢、習鑿齒，各與緇流相接，大率名言相永，自標遠致而已。（《居士傳》卷一）

《高僧傳・竺道潛傳》說，道潛隱跡剡山之後，「優遊講席三十餘載，或暢《方等》，或釋老莊，投身北面者，內外兼治。」（卷四）對於高僧來說，他們意在借名士之地位以傳教，使東晉佛教帶著士族文化的色彩。他們中的一些人，本來就是士族出身。一些著名道士，也是如此，如許邁。這些都使得東晉神仙道教和佛教與士文化很容易融合，很容易成為士文化的一部分，正是因為這一點，名士與名僧、名道士之間，在情趣上相近，在感情上容易交流。在這樣的感情交流中，道的境界（無論是仙還是佛）很自然地便變成超凡脫俗的人間境界。無論是寫仙境還是寫佛境，其實都是這樣一個超凡脫俗的人間境界。庾闡《遊仙詩》：

赤松遊霞乘煙，封子煉骨凌仙，晨漱水玉心閑，故能靈化自然。

這個想像中的仙境其實是一個擺脫塵囂的寧靜的人間境界，在這個境界裡可以優遊自得，冥合自然。湛方生《後齋詩》，就直接寫這樣一個境界：

解纓復褐，辭朝歸藪，門不容軒，宅不盈畝。茂草籠庭，滋蘭拂牖。撫我子侄，攜我親友；茹彼園蔬，飲此春酒。開櫺攸瞻，坐對川阜。心焉孰托，托心非有。素構易抱，玄根難朽。即之匪遠，可以長久。

《秋夜詩》：

凡有生而必凋，情何感而不傷！苟靈符之未虛，孰茲戀之可忘。何天懸之難釋，思假暢之冥方。拂塵衿於玄風，散近滯於老莊。攬逍遙之宏維，總齊物之大綱；同天地於一指，等太山於毫芒。萬慮一時頓渫，情累豁焉都忘。物我混然而同體，豈復壽夭於彭殤！

孫綽《答許詢詩》：

遺榮榮在，外身身全。卓哉先師，修德就閑。散以玄風，滌以清川，或步崇基，或恬蒙園，道足胸懷，神棲浩然。

支遁《咏懷詩》：

重玄在何許，採真遊理間，苟簡為我養，逍遙使我閑。寥亮心神瑩，含虛映自然，亹亹沉情去，彩彩沖懷鮮。

晞陽熙春圃，悠緬嘆時往，感物思所托，蕭條逸韻上。尚想天台峻，彷彿岩階仰。泠風灑蘭林，管籟奏清響，霄崖育靈靄，神疏含潤長。丹砂映翠瀨，芳芝曜五爽。茗茗重岫深，寥寥石室朗。中有尋化士，外身解世網。抱樸鎮有心，揮玄拂無想。隗隗形崖頹，冏冏神宇敞。宛轉元造化，縹瞥鄰大象。願投若人蹤，高步振策杖。（《廣弘明集》卷三十九）

這些詩所向往的境界，就是棄除塵累，心如明鏡，與物同化的境界。這同東晉士人的忘情山水，都是同一心態的不同側面。仙的境界和佛的境界，在東晉士人那裡，是人間寧靜境界的另一種形式。

第四節　玄釋合流與玄學理論發展的終結

南渡之後，清談的中心論題，一部分是承接中朝的原有論題，如聲無哀樂論、養生論、言盡意論（如王導）、才性論（如殷浩、支遁、殷仲堪）、聖人有情無情論（如王脩僧意），殷浩與孫盛論「易象妙於見形論」，殷與慧遠討論易體，支遁論《逍遙》義，支遁、許詢、謝安、王濛諸人論《漁父》，羊孚、殷仲堪論《齊物》，謝安談「白馬論」等等，凡中朝玄言所涉及之論題，江左幾乎全都涉及。從這個意義上說，江左談風，實沿中朝之舊。從現存史料看，除「逍遙」一義，更出新意之外，其他論題並未見新意。從這個意義上說，江左清談，在玄學理論上較之於正始與中朝，並未見有何發展。但是，除了這一部分沿襲中朝玄談的論題之外，江左清談也出現了一部分新論題，這便是佛理。佛理進入清談的領域，取一種與談論玄理完全一樣的方式。《世說新語》有大量這方面的記載，如：

殷、謝諸人共集。謝因問殷：「眼往屬萬形，萬形來入眼不？」

支道林、許掾諸人共在會稽王齋頭，支為法師，許為都講。支通一義，四座莫不厭心。許送一難，衆人莫不抃舞。但共嗟咏二家之美，不辯其理之所在。

支道林造《即色論》，論成，示王中郎。中郎都無言。支曰：「默而識之乎？」王曰：「既無文殊，誰能見賞！」

有北來道人好才理，與林公相遇於瓦官寺，講《小品》。於時竺法深、孫興公悉共聽。此道人語，屢設疑難，林公辯答清析，辭氣俱爽。此道人每輒摧屈。孫問深公：「上人當是逆風家，向來何以都不言？」深公笑而不答。林公曰：「白旃檀非不馥，焉能逆風？」深公得此義，夷然不屑。

在有一些地方，記清談名士與名僧共談，雖沒有明確記述所談論之內容，但大抵兼及玄釋。如：

許掾年少時，人以比王苟子，許大不平。時諸人士及林法師並在會稽西寺講，王亦在焉。許意甚忿，便往西寺與王論理，共決優劣。苦相折挫，王遂大屈。許復執王理，王執許理，更相復疏，王復屈。謂支法師曰：「弟子向語何似？」支從容曰：「君語佳則佳矣，何至相苦邪？豈是求理中之談哉！」

謝車騎在安西艱中，林道人往就語，將夕乃退。有人道上見者，問云：「公何處來？」答云：「今日與謝孝劇談一出來。」

從清談的角度說，原有之論題已失去理論探討之興味，而轉向論辯技巧。然而佛理進入清談領域，卻極大地吸引著談者，使清談重新煥發出理論之光彩。佛理進入清談，給清談帶來了新的生機，但同時也宣告著玄學理論發展的結束。

除清談之外，此時玄學的理論著作甚為寥寥。能夠代表此時玄學的理論成就的，只有張湛的《列子注》。

有關張湛生平的史料極少。從留下來的極少的史料中，知他字處度，高平人，父曠，曾為鎮軍司馬。湛於孝武帝時仕至中書侍郎。他除注《列子》外，還曾注《莊子》、《文子》，但都沒有傳下來。梁陶弘景《養性延命錄》引《莊子•達生篇》有一段張湛注，也引有張湛的《養生集敍》和有關養生的一些論述；湛又撰有《養生要集》十卷，已佚，然從陶弘景所引《敍》和養生的片斷論述看，湛之養生觀點屬道敎養生術一類。現在來了解張湛的玄學觀，主要是他的《列子注》。

《列子》一書之真僞，向有不同看法。多數學者證其為僞作，且以為僞作於魏晉時期，僞作者或者就是張湛。然亦有不盡同意其為僞作者，嚴靈峰先生即持此說。嚴先生謂：「（《列子》）今所存本，實乃劉向所校新書之雜亂者。其書原非列御寇著，為其門人與私淑弟子所記述；非全為後人的僞托，殆可信也。」（《無求備齋列子集成》序）我以為嚴先生的論斷是有說服力的。《列子》非全為僞作，更非係張湛僞作，其主要部分，為列子之言論，當然也有後代摻入之作。因之，在論東晉玄學思想的發展時，我們不把《列子》作為思想資料，而以《注》作為思想資料。

張湛的觀點，大量來自郭象。他不僅在注中大量引用郭象的莊注，而且自己的注文也與郭象的自生、自爾、獨化的觀點一致，如：

生者非能生而生，化者非能化而化也，直不得不生，不得不化者也。（《天瑞篇》注）

皆自爾耳，豈有尸而為之者哉？（同上）

有之為有，恃無以生；言生必由無，而無不生有。（同上）

皆在自爾中來，非知而為之也。（同上）

天尚不能自生，豈能生物？人尚不能自有，豈能有物？此乃明其自生自有也。（同上）

造物者豈能有心哉？自然似妙耳。（《周穆王篇》注）

智者不知而自知者也。（《仲尼篇》注）

萬品萬形，萬性萬情，各安所適，任無不執，則均於全足，不顧相易也。豈智所能辯哉？（《湯問篇》注）

這些觀點，都完全是從郭象那裡來的。有之為有，必自無而生，由無到有，但是「無」不能生「有」，是「有」自生的。萬物皆自生自有，亦皆自是自足，「各安所適」，「不顧相易」。這些基本觀點，郭象在注《莊》中反復論證過。張湛注《列子》，只是照搬過來罷了。但是，張湛注《列子》，在理論上的意義不在這裡，而在於他在沿用郭象的基本觀點的同時，偷偷地給了改造，把它引離郭象的立腳點。這就是學術界常說的張湛哲學的矛盾問題。

郭象自生自爾獨化說的要旨，在於論證一切存在的都是合理的，名教與自然，都自有其存在之理由，適性適情，就無不可。而張湛正是在這一點上不同於郭象，他在自生獨化說之後，往往加上一個尾巴，歸之於虛無。郭象是歸之於「有」，言「有」自生、自爾、自化，而張湛則最終還是「無」。

《湯問篇》注：

謂物外事先，廓然都無，故無所指言也。

既謂之無，何處有外？既謂之盡，何得有中？所謂無無極無無盡，乃真極真盡矣。

《周穆王篇》注：

夫稟生受有謂之形，俯仰變異謂之化。神之所交謂之夢，形之所覺謂之覺。原其極也，同歸虛偽。何者？生質根滯，百年乃終；化情枝淺，視瞬而滅。神道恍惚，若存若亡；形理顯著，若誠若實。故洞監知生滅之理均，覺夢之途一；雖萬變交陳，未關神慮。愚惑者以顯昧為成驗遲速而致疑，故窮然而自私，以形骸為真宅。孰識生化之本歸之於無物哉？

他是說，萬物萬形，雖忽爾自生，忽爾自化，但是其實都歸之於虛無，「有」只是一種假象，而生化之本是無物。《天瑞篇》注有一段話，注列子「夫有形生於無形」一句，先說：

謂之無者，則不無，無者，則不生。故有無之不相生，理既然矣，則有何由而生？忽爾而自生，而不知其所以生。

列子的這句話，與老子思想相同，原是可以作各種解釋的。張湛用郭象的獨化說加以解釋，說是生於無形就是忽爾而自生，而不知其所以生。但是他接著又一轉換，說：

不知所以生，生則本同於無。

本同於「無」，就是雖生猶同於「虛寂」。雖然他下面接著說：「本同於無，而非無也。此明有形之自形，無形以相形者也。」但是他仍然無法解釋這「本同於無」的基本觀點，既然本同於無，則就不可能「自形」，不可能是「非無」。可見，在張湛的思想裡，已經加進了歸於虛寂的思想。歸於虛寂，故物我兩忘。《天瑞篇》注云：

夫盡者，無所不盡，亦無所盡，然後盡理都全耳。

這完全是莊子的萬物齊一的思想。《列子》的原文是說，孔子到衛國去，在路上看到一位老者林類行歌拾穗，便讓子貢去問他「老無妻子，死期將至」，為什麼還這樣快樂？林類便回答說：「死之與生，一往一反，故死於是者，安知不生於彼？」有什麼可以不快樂呢？這是一死生的思想。子貢把這回答告訴了孔子。孔子說：「吾知其可與言，果然；然彼得之而不盡者也。」所謂得之而不盡，就是說林類懂得了事物本無窮無盡的道理。孔子的話只是說明事物變化無窮無盡，張湛注此，則加以發揮，說盡也是不盡，不盡也是盡，這才是「盡」的道理。湛的注便引向了萬物無差別，於是這注下面便接著說：

方今對無於有，去彼取此，則不得不覺內外之異。然所不盡者，亦少許處耳。若夫萬變玄一，彼我兩忘，即理自夷，而實無所遺。夫冥內遊外，豈有盡與不盡者乎！

這是說，從「有」的方面著眼，則生死有異；但如果從萬物齊一的觀點著眼，則物我兩忘，本無所謂生死。

在《列子序》中，張湛解釋列子的觀點，認為他的理論的最終歸著點，是「虛」。他說：

其書大略明群有以至虛為宗，萬品以終滅為驗；神惠以凝寂常全，想念以著物自喪；生覺與化夢等情，巨細不限一域；窮達無假智力，治身貴於肆任；順性則所之皆適，水火可蹈；忘懷則無幽不照。此其旨也。然所明往往與佛經相參，大歸同於老莊。屬辭引類，則與莊子相似。

這其實是莊子自己的思想。張湛哲學雖承繼郭象，而其實則返歸莊子，而且，正是在這一點上，與佛經相通，接受了佛理的影響。

般若學盛行於兩晉。由於名僧相繼渡江，與名士交往日加親密，佛理進入談座，與玄學結合，因之般若學之流行，東晉尤盛。支道林精於《道行般若》，於法開、於道邃精於《放光般若》，竺法汰為簡文帝講《放光般若》，等等。般若學的中心思想，便是空寂，從一切方面說空。《大智度論》所釋十八空是：內空、外空、內外空、空空、大空、第一義空、有為空、無為空、畢竟空、無始空、散空、性空、自相空、諸法空、不可得空、無法空、有法空、無法有法空。（《十八空義》，大正藏第二十五卷）般若空義，與玄學之本無義有相似之處，因之玄佛互釋在清談中便成為一種普遍現象。玄學滲入佛理，前人論之已詳。湯用彤先生論玄學與佛理之契合，謂：「於是六家七宗，爰延十二，其所立論樞紐，均不出本末有無之辯，而且亦即真俗二諦之論也。六家者，均在談無說空。……貴無賤有，返本歸真，則晉代佛學與玄學之根本義，殊無區別。」（《漢魏兩晉南朝佛教史》頁一九二）六家七宗之說，與受到玄學思想影響的名僧對於般若空義的不同理解有關，湯用彤先生早已指出這一點，說：「窃思性空本無義之發達，蓋與當時玄學清談有關。」玄學之影響般若學在東晉之流播，固為學術思想史研究界所共識。般若學在東晉的盛行，把受玄學思潮影響的士人的理論興趣從玄學逐漸轉向佛學，這是一可注意之現象。如東晉末年的孫綽、郗超等人，理論興趣可以說完全轉向了佛理。此一現象實具十分重要之意義。自正始玄學風盛，中國士人的理論興趣幾乎都轉向玄學，真是如醉如痴。至此開始轉向佛學。理論興趣的轉移本身就意味著玄學的衰落。換句話說，它在理論上已失去發展勢頭，缺乏新鮮感；它的吸引力，正在逐漸地讓位於佛學了。雖劉宋玄學尚獨立成科，然就其理論而言，已毫無建樹。

玄學滲入佛學，推動著般若學的傳播，這當然反映了東晉理論領域的新趨向。但是，這不是我們要著重探討的問題。我們要著重探討的問題是玄學自身，玄學接受佛學之影響及其意義之所在。

如前所述，張湛《列子注》異於郭象之處，是他在承認「有」和「有」之變化之後，又歸著到「虛」，是「群有以至虛為宗」。這一思想無疑受著般若思想之影響。般若思想不否定因空所顯的一切緣起幻有，性空不礙緣起。緣起的有雖「如幻，如焰，如水中月，如虛空，如響，如犍闥婆城，如夢，如影，如鏡中像，如化」，（《大智度論·十喻釋論》引《摩訶般若波羅蜜經》，大正藏第二十五卷）然究呈有相。《大智度論》解釋說：「諸法相雖空，亦有分別可見不可見，譬如幻化象馬及種種諸物，雖知無實，然色可見，聲可聞，與六情相對不相錯亂。諸法亦如是，雖空而可見可聞不相錯亂。」（卷六《十喻釋論》，大正藏第二十五卷）從緣起幻有說，萬物有差別，有生滅變動，所以說「有因緣故言異。」（《大智度論·十八空義》）但是這緣起幻有的生滅變動是不住的，諸法一切分別因與果，都處於相對之中，從這一點說，它又是無差別的，「有因緣故言一」。（《十八空義》）。無差別也就是物無自性，這就必然導致一切法皆空的結論，「亦不見生亦不見滅，亦不見著亦不見斷，亦不見增亦不見減，亦不見過去當來今現在，亦無五陰亦無聲色香味細滑法，亦無眼鼻舌身意，亦無十二因緣，亦無四諦」等等。（《放光般若經·假號品》，大正藏第八卷）一切幻有皆歸之於空，連空也是空的。我們在張湛的思想裡，可以看到這種思想的明顯痕跡。他在《列子序》中所說的「群有以至虛為宗，萬品以終滅為驗，」就是這種思想的明確表述，「群有」、「萬品」，都是存在的，但它們又不存在，窮其究竟，同歸虛無，驗此實有，終歸寂滅。在上引他注《周穆王篇》的話中，也明白地表現了這種思想。他承認有秉生受有之形，有俯仰變異之化，但是原其終極，同歸「虛偽」。同歸「虛偽」，就是萬有本實虛寂，其幻有之形相，乃是假名而非實有。張湛就是這樣，講自生，講獨化，但又處處論一切歸之無有：

存亡變化，自然之符，夫唯寂然至虛凝一而不變者，非陰陽之所終始，四時之所遷革。（《天瑞篇》注）

知其無，則無所不知；不知其有，則乃是真知也。（《湯問篇》注）

故俯仰萬機，對接世務，皆形跡之事耳。冥絕而虛寂者，固泊然而不動矣。（《仲尼篇》注）

示現博學多識耳，實無所學，實無所識也。（同上）

在張湛的哲學裡，存在著不可解決的矛盾與混亂。物既自生、自爾、獨化，它便沒有一個在它之先的「無」，它便是有；若是一切終歸虛寂，它便不可能自生、自爾、獨化。它的「有」便只能是緣起幻有。郭象講的獨化，是講自因自律，而緣起幻有則是他因。因緣和合都是相對的無窮無盡的鏈條、展轉皆空。張湛把這些互異的思想雜湊在一起，呈現出這個時期玄學的雜亂面貌。

張湛哲學無疑地宣告了玄學理論發展的終結。玄學到了郭象，已經解決了自然與名教的關係問題，它的嚴密體系已經建立起來了。不管郭象哲學在實人生中的應用可能走向如何的背謬與荒誕（我們在討論西晉的一章裡已談及），但作為一個哲學體系，它似已沒有發展的餘地。再往前發展，便是改變它的性質，於是張湛引入般若思想。般若思想從它說空的根本點上看，與玄學之言「無」有相通之處，因之它與玄學迅速合流。但是玄學發展到郭象，所論已非老莊之本無義，它是講實有，與般若思想其實是異趣的。這就說明，玄學發展到張湛，實際上已經轉向，它已經逐漸地讓位於佛學了。雖然在其時的現實生活中，佛學正借著玄學清談來傳播，但實質上它在理論上正在取玄學而代之。

張湛哲學雖宣告了玄學理論發展的終結，但它卻仍然具有深刻的歷史意義。它其實是東晉士人心態的最好的理論表述。東晉士人既從西晉士人的縱欲轉向追求寧靜的精神境界，則般若說空實在是最好的理論引導。但是他們所追求的寧靜的精神境界，畢竟又不是非人間的境界。他們追求寧靜，但無法做到般若的空心。他們的寧靜是瀟灑風流的寧靜，是任性適情的寧靜，是人間。他們還承接著玄風所帶給他們的任自然的氣質。因之只有般若還不夠，還需要玄學。張湛應運而生，便也是很自然的事了。

張湛哲學在人生旨趣上要導向的，就是虛靜而逍遙。他在《湯問篇》注中說：

心夷體閑，即進止而有常數，遲疾而有常度。苟盡其妙，非但施之於身，乃可行之於物。

支遁解釋莊子「逍遙」義，也是這個意思。《世說新語・文學》說支遁在白馬寺與馮懷討論《逍遙遊》，遁對《逍遙游》作了全新的解釋。劉注引遁《逍遙游》云：

夫逍遙者，明至人之心也。莊生建言人道，而寄指鵬鴳。鵬以營生之路曠，故失適於體外；鴳以在近而笑遠，有矜伐於心內。至人乘天正而高興，遊無窮於放浪；物物而不物於物，則遙然不我得，玄感不為，不疾而速，則逍遙靡不適。此所以為逍遙也。若夫有欲當其所足；足於所足，快然有似天真。猶饑者一飽，渴者一盈，豈忘烝嘗於糗糧，絕觴爵於醪醴哉？苟非至足，豈所以逍遙乎！

他是認為，物欲的滿足是沒有終竟的，若是按郭象的解釋，以適性為逍遙，那麼真正的適性是無法做到的，欲心不得滿足，便永遠不可能逍遙。他不同於郭象的地方，是他認為只有至人才能逍遙。至人遊心玄冥，感通無窮，故無往而不適，無往而不逍遙。這正是張湛所說的「心夷體閑」，是般若空觀改造郭象逍遙義的產物。支遁對於逍遙義的解釋，為東晉士人追求寧靜的精神境界找到了最好的說明。所以他的逍遙義一出，便為士人所普遍接受。《世說》稱，他的逍遙義一出，向秀和郭象的逍遙義便廢棄不用了。

般若學進入玄學，玄學的理論發展確實是終結了。

第五節　陶淵明：玄學人生觀的一個句號

東普的玄釋結合標志著玄學理論發展的終結，但是東普士人，特別是會稽的名士群體，他們的人生情趣，人生態度，雖然已經滲入了崇尚虛寂的人生旨趣，追求寧靜的精神境界，但是，玄風的色彩還相當濃厚。他們追求自然適情，追求閑適，他們清談，等等。他們的人生目的，顯然還是玄學思潮的產物。

玄學思潮起來之後，並沒有提出一種明確的人生觀來。玄學發展的不同階段，玄學名士的人生取向也各各不同。但是，從玄學的基本品格而言，則它在人生態度、人生目的上還是有一個最基本的要求的，那便是以一種委運任化的人生態度，達到物我一體、心與道冥的人生境界。

這樣一種人生態度與人生目的，自從玄風起來之後，以迄東普名士，一直沒有能夠成為實踐的人生，他們事實上都沒有能做到委運任化，也未能達到物我一體、與冥一的人生境界。把這樣一種人生態度付之實踐，並且常常達到萬物一體與道冥一的人生境界的，是陶淵明。並非玄學名士的陶淵明實踐委運任化的人生態度，與達到物我一體，與道冥一的人生境界，依靠的不是玄學的理論力量，而是借助於儒學與佛學。

一

陶淵明常常達到物我一體、與道冥一的人生境界。

士人與大自然的關系，大體說來，是在自然中求得一席安身之地，安頓自己身境和心境。但是細究起來，卻頗為不同的。金谷宴集的名士們，他們是帶一種占有者的心態，讓自然在他們的宴樂生活中增添一點情趣，成為他們生活的點綴，使他們在歌舞宴樂之中，得一點賞心悅目，使他們的過於世俗化過於物質化的生活得一點雅趣。蘭亭修禊的名士們，他們是把山山水水看作生活中不可或缺的部分了。他們留連山水怡情山水。他們與自然的關係，比起金谷名士來，當煞要親近得多。但是，他們仍然是欣賞者，他們站在自然面前，賞心悅目，從中得到美的享受，得到感情滿足。大自然的美，在他們的生活中雖然占有重要位置，但是，他們與自然之間，究竟還有距離。山陰道上行，覺景色自來親人，應接不暇。我們從這裡可以感到他在大自然中的一種主客關係的心態。

陶淵明與他們不同的地方，便是他與大自然之間沒有距離。在中國文化史上，他是第一位心境與物境冥一的人。他成了自然間的一員，不是旁觀者，不是欣賞者，更不是占有者。自然是如此親近，他完全生活在大自然之中。他沒有專門去描寫山川的美，也沒有專門敍述他從山川的美中得到的感受。山川田園，就在他的生活之中，自然而然地存在於他的喜怒哀樂裡：

山中饒霜露，風氣亦先寒。田家豈不苦？弗獲辭此難。四體誠乃疲，庶無異患干。（《庚戌歲九月中於西田獲早稻》）

曖曖遠人村，依依墟里煙。狗吠深巷中，鷄鳴桑樹巔。户庭無塵雜，虛室有餘閑，久在樊籠裡，復得返自然。（《歸田園居》五首之一）

種豆南山下，草盛豆苗稀。晨興理荒穢，帶月荷鋤歸。道狹草木長，夕露沾我衣。衣沾不

足惜，但使願無違。（之三）

久去山澤游，浪莽林野娛。試攜子侄輩，披榛步荒墟。徘徊丘壠間，依依昔人居。井灶有遺處，桑竹殘朽株。（之四）

在會稽名士們的詩文言談裡，我們看到山川之美是草木蒙茸，是明秀之美的類型，那是充滿雅趣的士人眼裡的美。而陶淵明所寫的山川，卻全是田家景色，是淳朴的村民活動於其中的山川，或說，人與自然融為一個整體的環境。他並不對山川作純粹的審美鑒賞。他是寫山川在他的生活裡、在他心中的位置，而你卻可體味到他在其中的美的感受。《庚戌歲九月中於西田獲早稻》只是寫氣候，山中秋氣來得早，寫自然景色的部分，只此而已。但是，我們讀它的時候，卻是感同身受。最主要的原因，就是那是因為他寫的是心靈與自然的交通。山間景色，他心中的景色。他沒有說它美，也沒有說它不美，沒有說他是喜歡還是不喜歡，沒有像他的前輩會稽名士們那樣，在山川秀色面前不可已已，說一些情何以堪的話。但是其中卻含甚深的眷戀。那是他的山水，他的天地，和他同生命脈搏，和他的身心原是一體。《歸田園居》中的景色同樣如此，村落、炊煙、田野、月色、山澗、榛莽，都和他的心靈相通。他就在這安靜的山野間生活，一切是那樣自然，仿佛原本都是如此的存在著，是那樣的合理，那樣的真實，那樣的永恒。心靈與自然，全溶合在這永恆的真實之中。試想在那夕露沾衣的草野小徑上帶月荷鋤歸的情景，是怎樣的一種人和自然的和諧！在淵明的關於田園的詩裡，我們處處看到這種和諧。「平疇交遠風，良苗亦懷新。雖未量歲功，即事多所欣。耕種有時息，行者無問津。日入相與歸，壺漿勞近鄰。長吟掩柴門，聊為壠畝民。」（《癸卯歲始春懷古田舍》二首之一）這樣的心境，是只有在領悟到大自然不息生機乃是自己生命的最好安歸之所的時候，才是可能出現的。他實在是完全融入到自然中去了，一切都生生不息，都自樂自得地存在著：

孟夏草木長，繞屋樹扶疏。衆鳥欣有托，吾亦愛吾盧。既耕亦已種，時還讀我書。窮巷隔深轍，頗回故人車。歡然酌春酒，摘我園中蔬。微雨從東來，好風與之俱。泛覽周王傳，流觀山海圖。俯仰終宇宙，不樂復何如！（《讀山海經》十三首之一）

草木飛鳥，微雨好風，各得其所。我也在這和諧的大自然裡自得自足，成了這和諧的大自然的一部分。「平疇交遠風，良苗亦懷新」的詩句之所以令千古嘆美，就在這難以言說但卻確實存在的令人神往的和諧上。「結廬在人境，而無車馬喧。問君何能爾，心遠地自偏。采菊東籬下，悠然見南山。山氣日夕佳，飛鳥相與還。此中有真意，欲辨已忘言。」（《飲酒》二十首之五）這詩所表現的，也是這和諧。歷代說者論此詩，謂其不知從何處著筆，關鍵也就在這物我的泯一上，分不出心物的界限，一片心緒，不知著落在何處。人與菊、與山、與鳥，和諧地存在著，彷彿宇宙原本就如此安排，日日如是，年年如是。何以如是，不可言說也無須言說。這種物我的和諧，就是一種最美的境界。心物交融的美的境界，當然是一種不易描述不易圖畫的境界。多少人為「采菊東籬下，悠然見南山」心馳神往，為之圖畫，而從來沒有一位畫家，能夠畫出它的境界。因為它充盈著大美，是宇宙一體的大美。大美無形，是難以用言語和圖畫表達的。

物我一體，心與大自然泯一，這正是老莊的最高境界，也是玄學所追求的最高境界。但是這種境界，自玄風煽起以來，還沒有人達到過。陶淵明是第一位達到這一境界的人。

陶淵明之所以能夠達到這一人生境界，就在於他真正持一種委運任化的人生態度，並且真正做到了委運任化。

玄學思潮起來之後，士人以老莊哲學為依歸，追求任自然以適情。從理論上說，這應該是可以達到與道泯一的境界的，但是事實上他們沒有達到。嵇康、阮籍沒有達到，會稽名士沒有達到，更不用說中朝名士了，他們之所以沒有達到，最主要的一點，恐怕就在於他們做不到委運任化。人是生活在社會裡的，衣食住行，都有各種關係的制約，不可能獨來獨往為所欲為。出處去就，時運否泰，不可能事事如意，因之便會有失意，有困厄，有苦悶、有悲哀，有種種禍患的到來。當生老病死，禍患困厄到來時，不能以委運任化的態度去對待，便陷入煩苦怨憤之中。這樣，要返歸自然，達到物我泯一的境界，無論如何也是不可能的。，陶淵明超出於他的前輩之處，就在於他以委運任化的態度，去對待出處去就、時運否泰，去對待世網的種種羈縛與糾結。

他像魏晉以來的所有士人一樣，也為歲月匆匆，人生稍縱即逝的心緒所苦。這原本是一個永恆的主題，無論是戰亂年月還是太平時期，許多的士人都無法擺脫這一問題的困擾。但是陶淵明擺脫了這種困擾，而走向心境的寧靜。這在他的詩裡有大量的表現。在著名的《形・影・神》詩裡，形是對於現實人生無可避免的終須走向死亡的慨嘆：

天地長不沒，山川無改時。草木得常理，霜露榮悴之。謂人最靈智，獨復不如茲！適見在世中，奄去靡歸期。奚覺無一人，親極豈相思？但餘平生物，舉目情淒洏。我無騰化術，必爾不復疑。愿君取吾言，得酒莫苟辭。

在這個問題上，陶淵明並不比建安以來的其他士人前進一步，這個死之悲哀的主題，始終貫穿在玄風籠罩的兩晉士人心中，無論是石崇輩的宴樂，胡毋輔之輩的縱欲。還是王羲之輩的瀟灑風流，他們都同樣為人生之匆匆而感傷嘆息，從這感傷嘆息，或走向建立功業，留美名於身後；或走向及時行樂，享榮華於生前。陶淵明借影回答這問題，《影答形》：

身沒名亦盡，念之五情熱。立善有遺愛，胡可不自竭，酒云能銷憂，方此詎不劣！

這其實也是他的前輩早已想到的，借留名後世，以彌補生命之短促，使生命以另一種方式得以延長。但是，對於老莊思想來說，這並不是解決問題的最好方法。這只是用一種苦惱去取代另一種苦惱。人生如朝露，已引發無數士人的生之悲哀；而為名利奔波，復引發無數士人之煩怨苦痛。陶淵明比他的前輩朝老莊的人生哲學走得更遠的地方，是他在生之匆匆的苦惱悲傷中擺脫出來，走向無所為。他借神回答這個問題，《神釋》：

三皇大聖人，今復在何處？彭祖愛永年，欲留不得住。老少同一死，賢愚無復數。日醉或能忘，將非促齡具？立善常所欣，誰當為汝譽？甚念傷吾生，正宜委運去。縱浪大化中，不喜亦不懼。應盡便須盡，無復獨多慮。

這就是莊子所描述的人生境界，也是玄學家所讚美的人生境界。莊子是做到了的，玄學家沒有做到，陶淵明卻做到了。這在他的詩中有許多表現，如：

既來孰不去，人理固有終。居常待其盡，曲肱豈傷沖。遷化或夷險，肆志無窊隆。即事如已高，何必升華嵩！（《五月旦作和戴主簿》）

總發抱孤介，奄出四十年。形跡憑化往，靈府長獨閑。貞剛自有質，玉石乃非堅。仰想東户時，餘糧宿中田。鼓腹無所思，朝起暮歸眠。既已不遇茲，且遂灌我園。（《戊申六月中遇火》）

生命短促的悲哀，或者災禍降臨時的不幸，他都能處之泰然，一一任其自然。

做到這一點是不容易的。後來有兩位著名人物也常常能在一個短時期裡做到這一點，一位是蘇軾，一位便是晚年的白居易。大概也是因為這個根本點的相通，所以他們兩位都十分崇拜陶淵明，而且兩人都在晚年寫了和陶詩。

從委運任化走向與自然泯一，這就是玄學思潮在陶淵明身上留下的印記。

二

但是，這只是問題的一個方面。陶淵明做到委運任化，達到與自然泯一的人生境界，只是暫時的，存在於一段時間裡。為什麼他不能做到終生如此？最根本的一點，就是他心中糾結著一個未能免俗的情結。

不用說他青年時期明確無誤的入世思想（《雜詩》：「昔我少壯時，無樂自欣豫。猛志逸四海，騫翮思遠翥。」），即如他的幾次出仕，也並非都毫無入世的動機。《始作鎮軍參軍經曲阿》：「時來苟冥會，腕轡憩通衢。」這裡明白地說出自己有著應時而出的思想。這當然是傳統的風雲際會思想的痕跡。這種思想在陶淵明身上的表現當然不算強烈，但卻可以解釋他何以多次出仕，而且入桓玄、劉裕⑯、劉敬宣幕下。這幾位在當時都是聲威喧赫的人物。我們可以不討論此數人之是非，因為這需要涉及一個評價的基本準則的問題，例如，從正統的觀念說，桓玄與劉裕，都是篡位的逆臣，劉敬宣亦行為反復，無甚可取。然而事情往往比預料的要復雜得多，其時朝政，實已一塌糊塗，桓玄尚是一位略有作為的人物；而且論其人品，確實低劣，而論其才能，在東晉末世卻實屬翹楚。至於劉裕，如果從歷史的發展看，實是一位頗有能力的開國之君，雖猜忌殘忍，然亦雄才大略。何況，他們又為什麼要守著一位痴呆皇帝呢？這些都可以不論，因為不屬本書討論範圍。這裡要特別注意的是陶淵明出仕時可能想到什麼，他為什麼要跟他們？他留下的文字裡，提供給我們的只有兩點，除上面提到的與時冥會之外，便是為了生計。為生計而出仕比較簡單，不必論略是非；而與時冥會的問題，分析起來就頗為麻煩。他究竟有沒有附從一位有力的足以收拾政局的人物，在國家瀕臨崩潰之際，為國效力的打算？這個問題實在不易斷然回答。說他沒有吧，他一生中確有過慷慨情懷，他留下了一些表現慷慨情懷的文字，如《咏荊軻》、《讀山海經》中關於夸父與精衛的詩，如果沒有積極進取的意念，是很難有這種慷慨情懷的。他的這種慷慨情懷，與他那與宇宙泯一的心境，實在是格格不入的兩回事。但是如果說他有為國效力的抱負吧？卻又沒有具體的可供證明的材料。大概只好說，他入桓玄等人軍幕時，有了一個並不清晰的機會已經到來可以做一點事的意念。這些人是甚有力量的人物，給了他一個可以做點事業的希望。至於對當時政治格局的狀況，各種勢力的邪正是非，他似乎並無更清楚的認識。而且即使這「時來苟冥會」的意念，也並不十分堅定，因為事實上它不久也便消失了。從政治的角度過多過深地考察陶淵明，有可能為解釋他的復雜心態帶來困難。他並不是一位十分執著的人，不像屈原，不像賈誼，甚至不像嵇康。政治上的是非，他並未更多地操持以至於固守不屈。他沒有投江、沒有被殺就是證明。要而言之，他有過抱負，有過與時冥會的想法，並因此而入仕。這一點已足證明，他並不終始持委運任化的人生態度。他入仕的種種問題，都不在這裡加以考察。這裡要研究的，是何以他委運任化的人生態度只存在於他一生中某些短暫時期？何以即使他歸隱以後，也常常為世俗的意念所打斷。

我以為最關鍵的一點，便是他內心未能免俗的情結。

如果徹底的與自然泯一，徹底的委運任化，他的心境便應該是始終平靜的。但事實不是這樣。我們從他的詩文中，可以清楚地感受到有一種深藏的孤獨感，一種雖然不張揚但卻隱約然而執著存在的孤獨感。那是一種隱隱約約的流露：

寢跡衡門下，邈與世相絕。顧盼莫誰知，荊扉晝常閉。淒淒歲暮風，翳翳經日雪。傾耳無希聲，在目皓已潔。勁氣侵襟袖，簞瓢謝屢設。蕭索空宇中，了無一可悅。歷覽千載書，時時見遺烈。高操非所攀，謬得固窮節。平津苟不由，棲遲詎為拙？寄意一言外，茲契誰能別！

那自謂羲皇上人的心境那裡去了呢？一點也沒有了。一重冷落寂寞甚至有點暗淡的氛圍籠罩著全詩，「顧盼莫誰知」，他是被遺忘了！「淒淒」、「翳翳」的，不只是風與雪，也是心緒。「了無一可悅」，就是內心深處的孤獨感的流露。寂寞，孤獨、被人遺忘，因此這貧窮的生活看來實在是有些讓人受不了。雖然結尾是自我的排遣，自慰自勉，但是孤獨感卻是無法掩飾的。

《飲酒》的《序》說：「余閑居寡歡，兼比夜已長，偶有名酒，無夕不飲，顧影獨盡。」這就是寫《飲酒》詩的起因。這「寡歡」的心緒，就流露在《飲酒》詩裡：

行行向不惑，淹留遂無成。竟抱固窮節，饑寒飽所更。敝廬交悲風，荒草沒前庭。披褐守長夜，晨雞不肯鳴。孟公不在茲，終以翳吾情。

棲棲失群鳥，日暮猶獨飛。徘徊無定止，夜夜聲轉悲。厲響且清晨，遠去何所依？因值孤生松，斂翮遙來歸。

孤獨，而且愴然。他確實是心向田園的，在仕途也未嘗忘懷田園生活，一篇《舊去來辭》，全出自心底，無半點偽飾。他渴望回到田園過一種與自然泯一的生活，「聊乘化以歸盡，樂夫天命復奚疑！」但是他也確實在田園生活中感到孤獨與寂寞，感到被社會所遺忘，有如失群之孤鳥，感到他的固窮的操守未被人理解。

而且，更重要的，是他始終未能擺脫濃重的傷感，未能擺脫死亡陰影對於他的與宇宙泯一的心靈的遮蔽。本來宇宙一體是齊死生的，齊死生就不存在為生命之短促而悲傷的問題，因此莊子妻子死了鼓盆而歌。委運任化便應該做到這一點。但是陶淵明心中常常有一個「死」字糾結著。「日暮天無雲，春風扇微和。佳人美清夜，達曙酣且歌。」這是他的《擬古》詩之七的開篇，是一種何等舒暢的物境與心境！但是接著便寫「歌竟長嘆息，持此感人多。……豈無一時好，不久當如何？」《雜詩》之一：「得歡當作樂，斗酒聚比鄰。盛年不重來，一日難再晨；及時當勉勵，歲月不待人。」之三：「日月有環周，我去不再陽。眷眷往昔時，憶此斷人腸。」《游斜川》：「開歲倏五十，吾生行歸休。念之動中懷，及辰為茲游。」他甚至爲自己寫了《挽歌》。這《挽歌》作何解釋？何以要寫《挽歌》，何以要寫《自祭文》？前人有寫挽歌的，陶當不是出於對前人的模擬。它完全是在一種心緒的支配下寫的。如果真個委運任化，那是什麽都不用寫的，聽其自然就是；甚至連聽其自然都不去想，也聽其自然。但是寫《挽歌》與《自祭文》，卻分明心頭反復糾纏著一個死字，「人生實難，死如之何！」《自祭文》結尾的這兩句話，其實是條通向他內心深處的隱約小徑，循此以往，我們不惟可知他曠達、靜穆的心境背後有多麽濃重的苦惱與悲傷，而且可以窺知他寫《挽歌》與《自祭文》的更深層的動機。他是懷著對於人生的深深遺憾或者不滿甚至憤慨才起了自挽自祭的念頭的。

他一生始終為現實人生的不如意事所糾纏，他的超脫只是暫時的。

三

這就提出了一個問題，既然他心中始終糾纏著一個世俗的情結，他又何以能在一個短時期內實行委運任化的人生態度，達到與自然泯一的人生境界？

這個問題的答案是意味深長的。

他靠的主要是儒家的思想力量。陶的思想實質，屬儒家。他信守的是儒家的道德準則，最主要的是一片仁心與安於貧窮。

只要是生活在世間，便會有種種瓜葛，會有不合理、不公正的現象存在，人生不如意事常八九，這幾乎成為千古共識，問題只在於如何對待與處理這些不公平不合理。這樣一個十分顯淺的問題，它的結果卻涉及到不同的文化傳統、不同的文化素質與不同的指導思想。我們不擬去論述如何處理人間的不公正才更合理。我們只說陶淵明如何來處理不公正與不合理，如何去除不平之感而走向心境的寧靜。

陶對現實是有不平的，雖然他沒有直接抒泄出來，但是在《讀山海經》等詩中卻有明白的暗示，在《述酒》中也有隱約的表述。不過他的一生中，始終沒有把這不滿發為牢騷。他對人生，充滿著一種純真的仁民愛物的胸懷。存在著一種仁心相愛的幻想。這從他的《桃花源記》中可以得到一點訊息。他理想的是一個人人和睦相處，沒有不公與欺詐，安居樂業的社會。這個社會其實就是儒家先王至治的理想社會的另一種描述「俎豆猶古法，衣裳無新制。」但是給他最大的克制力量的，是他的「固窮」的思想。「固窮」，包含著不畏貧窮，在貧窮中能堅持操守，安於貧窮等等含意。君子憂道不憂貧，一直是儒家信奉的重要原則。《論語·衛靈公》：

子曰：「君子謀道不謀食。耕也，餒在其中矣；學也，祿在其中矣。君子憂道不憂貧。」

《憲問》：

子曰：「貧而無怨難，富而無驕易。」

孔子還說：「君子固窮」。（《衛靈公》）他還把貧而樂作為一種很高的道德修養。孟子也說：「士窮不失義」。道德的操守一直是中國士人自我修養的重要內容。為道德操守而甘於貧賤，一直被當作高尚的人格來讚美。而這一點，正是陶的重要的精神支柱。他反復地說著這一點：

先師有遺訓，憂道不憂貧。（《癸卯歲始春懷古田舍》二首之二）

高操非所攀，謬得固窮節。（《癸卯歲十二月中作與從弟敬遠》）

貧居依稼穡，戮力東林隈。不言春作苦，常恐負所懷，（《丙辰八月中於下潠田舍穫》）

不賴固窮節，百世當誰傳。（《飲酒》之二）

竟抱固窮節，饑寒飽所更。（《飲酒》之十六）

斯濫豈所志，固窮夙所歸。（《有會而作》）

孔子說：「小人窮斯濫矣。」貧窮而沒有操守，就是小人，陶明確地說這不是自己的志向，自己的志向是貧窮而能始終恃守節操。他還寫了《咏貧士》七首，反復表述這一思想。「安貧守賤者，自古有黔婁。……………朝與仁義生，夕死復何求？」「豈不實苦辛，所懼非饑寒。貧富常交戰，道勝無戚顏。」「誰云固窮難，邈哉此前修。」「量力守舊轍，豈不寒與饑。知音苟不存，已矣何所悲！」能在貧窮中堅持自己的操守，便感到滿足，雖辛苦也甘心。甘於貧窮的思想幫助他從世俗的情結中擺脫出來，走向心境的寧靜。

幫助他擺脫世俗情結的糾纏的。除了儒家守固窮的思想力量之外，還有佛家般若思想的影響。一念心寂萬境皆虛，一切世間種種相，既虛幻不實，則不如意事之煩惱便也自行消解。在陶詩文裡，我們當然找不到他援引佛典的文字，但卻可以找到他受般若思想影響的明顯痕跡。《歸田園居》五首之四：

人生似幻化，終當歸空無。

在支遁的《咏懷》詩裡，也有類似的說法：

廓矣千載事，消液歸空無。

陶的《飲酒》詩之八：

吾生夢幻間，何事絕塵羈。

《形・影・神》詩中的《神釋》：

縱浪大化中，不喜亦不懼。應盡便須盡，無復獨多慮。

這都是一切法畢竟空，世間一切皆如幻如夢如鏡中像水中月，原為幻像本非實有的般若思想的表現。於是我們看到了一個完整的陶淵明。他有世俗的種種糾結，但是他安於貧窮，他用儒家的固窮的思想，用般若萬有皆空的思想，擺脫了世俗的種種糾結，走向物我泯一的人生境界。

這就是說，他的玄學人生觀是有限定的。這限定，便是他並非始終有這樣的人生觀。只是當他擺脫世俗情結的糾纏之後，他才達到與自然泯一的人生境界。

而這無疑地證明了，純粹的玄學人生觀是不可能實行的。在中國的文化傳統裡，玄學人生觀沒有具備實踐性的品格。玄學人生觀最主要之委運任化人生態度與物我泯一的人生境界，不解決好個人與群體的關係就不能實現。只強調自我，強調性之自然，一到面對矛盾糾結的實人生，便寸步難行了。玄學思潮起來之後，從嵇康阮籍到西晉名士到東晉名士，他們都在尋找玄學人生觀的種種實現方式，但是他都失敗了。他們失敗的原因何在呢？最根本的一點，便是他們沒有能找到化解世俗情結的力量。陶淵明找到了，他找來的是儒家的道德力量和佛家的般若空觀。他之所以能做到這一點，可能有他個人的種種因素。但他至少已經證明，玄學人生觀不具備實踐性品格。從這個意義上說，他為玄學人生觀劃了一個句號。

【注　釋】

①《太平御覽》卷三二八引《抱朴子外篇》佚文：「昔太安二年，高邑始亂，三國舉兵攻長沙王乂。小民張昌反於荆州，

奉劉尼為漢主。乃遣石冰擊定揚州，屯於建業。宋道衡說冰求為丹陽太守。到郡，發兵攻冰。召余為將兵都尉，余年二十一。」按，張昌之亂，在《晉書・張昌傳》、《晉書・惠帝紀》中都有記載。平定張昌在太安二年（三〇三年）八月，其時洪二十一歲則當生於太康四年（二八三年）。

②《神仙傳》卷十《平仲節傳》記平仲卒於「晉穆帝永和元年（三四五年）五月一日。」按，永和元年洪已六十三歲，《神仙傳》之最後完成，當不早於是年。

③關於葛洪卒年，有三說。錢大昕《疑年錄》謂其卒於咸和中，不足信。《晉書》本傳謂其卒時年八十一，而《太平寰宇記》引袁宏《羅浮記》謂其死時年六十一。此兩說均有不可通處。兩說相距二十年，同時提到洪死前與廣州刺史鄧岳的事。本傳謂：「後忽與鄧岳疏云：『當遠行尋師，剋期便發。』岳得疏，狼狽往別。而洪坐至日中，兀然若睡而卒。岳至，遂不及見。」本傳這條材料，顯係采自《晉中興書》。《羅浮記》云：「（洪）於此山積年，忽與岱書云：『當遠行尋師藥，剋期當去。』岱疑其異，便狼狽往別。既至，而洪已死。」這就是說，洪必然死於鄧岳為廣州刺史時，鄧岳為廣州刺史，當在咸和五年以後，而康帝朝，岳避康帝諱，改名為岱，可知康帝時岳仍在廣州刺史任上，永和五年，廣州刺史是滕畯。《晉書》岳傳稱岳死後，由其弟鄧逸代廣州刺史。是則岳當卒於永和元年至四年之間。萬斯同《東晉方鎮年表》係岳為廣州刺史至康帝建元二年，是有據的。他據的是岳避康帝諱。穆帝永和年間，廣州刺史為誰，他無所係，是愼重的。吳廷燮《東晉方鎮年表》係康帝建元二年廣州刺史為鄧逸，所據僅為《晉書》岳傳所稱岳死後以逸監交廣州軍事，而其實岳傳並未稱岳卒於何年，吳表也推測而已。岳之卒與逸之代刺史，在建元二年（三四四年）至永和五年（三四九年）這五六年間均有可能。這就是說，洪享年八十一之說是不可能的，其時岳至少已死十五年以

上了。那麼，享年六十一呢？同樣不可能。洪撰之《神仙傳》既至早成書於永和元年五月之後，時洪年六十三，則卒於六十一歲自不可信。（卿希泰《中國道教史》第一卷三〇四頁已指出了這一點）較大的可能，是卒於永和元年至三年之間，享年六十三至六十五。「三」與「五」因殘蝕而為「一」。

④《世說新語・言語》注引《晉諸公讚》謂：「（玠）永嘉四年，南至江夏，與兄別於梁里澗，語曰：『在三之義，人之所重，今日忠臣致身之道，可不勉乎！』行至豫章，乃卒。」《世說新語・賞譽》注引《衛玠別傳》：「玠至武昌見王敦，敦與之談論，彌日信宿。敦顧謂僚屬曰：『昔王輔嗣吐金聲於中朝，此子復玉振於江表，微言之緒，絕而復續。不悟永嘉之末，復聞正始之音。阿平若在，當復絕倒。』」按，衛玠於永嘉六年（三一二年）卒於豫章（《晉書》本傳謂其卒於建業，是因為貌美而被看殺的。此說來自《世說新語》。《晉書》往往採小說家言而不辨真偽，此即一例。）《世說新語・容止》注引《永嘉流人名》謂，玠於永嘉六年五月六日至豫章，六月二十四日卒，王敦鎮豫章，可能在這一年，他殺王澄，也可能在這一年。

⑤史未言謝鯤死於何年。永昌二年（三二三年）正月，王敦以謝鯤爲長史。《晉書》鯤傳謂敦還武昌之後使鯤之郡，不久卒於官，敦死後，追贈鯤太常。按，敦還武昌在永昌二年（三二三年），而卒於太寧二年（三二四年）七月，是則鯤當卒於太寧二年七月之前。

⑥《晉書・殷浩傳》，浩為庾亮長史，在亮為征西將軍時。據《晉書・庾亮傳》亮為征西將軍在陶侃死後。侃死於咸和九年（三三四年）。咸康元年（三三五年），王導辟王濛為掾，故其時在座。

⑦李白《江上吟》：「木蘭之枻沙棠舟，玉簫金管坐兩頭。美酒樽中置千斛，載妓隨波任去留。」這一意象的源頭，顯然

來自畢卓的這段話。

⑧李白詩中以崇敬的感情提到謝安的地方甚多，如「攜妓東山去，悵然悲謝安。我妓今朝如花月，她妓古墳荒草寒。白雞夢後三百歲，洒酒澆君同所歡。」（《東山吟》）這是向往於謝安的瀟灑風流。「但用東山謝安石，為君談笑靜胡沙。」（《永王東巡歌》之二）這是崇敬謝安的功業，並以之自喻。「安石在東山，無心濟天下，一起振橫流，功成復瀟灑。」（《贈常侍御》）「小隱慕安石，遠遊學子平，天書訪江海，雲臥起咸京。」（《秋夜獨坐懷舊山》）「安石東山三十春，傲然攜妓出風塵」（《出妓金陵子呈盧六》四首之一）等等。李白之仰慕於謝安的，就是他的風流瀟灑與功業。

⑨關於這件事，參見《世說新語・雅量》注引《晉安帝紀》，宋文帝《文章志》，《資治通鑑》晉紀二十五的有關記載。

⑩預此會之人數，史有不同記載。《世說新語・企羨》注引《臨河敍》，謂賦詩二十六人，不能賦詩而罰酒者十五人，共四十一人。未言是否包括羲之自己。四十一人之說，遂相沿於唐宋的大量記述中。宋人張淏《雲谷雜記》則明確記載包括羲之為四十二人。張淏所列名字，似自宋人施宿等撰之《會稽志》。

《會稽志》卷十引《天章碑》謂：王羲之、謝安、謝萬、孫綽、徐豐之、孫統、王凝之、王肅之、王彬之、王徽之、袁嶠之十一人成四言五言各一首：郗曇、王豐之、華茂、庾友、虞說、魏滂、謝繹、庾蘊、孫嗣、曹茂之、曹華、桓偉、王玄之、王蘊之、王渙之十五人各成一篇；謝瑰、卞迪、丘髦、王獻之、羊模、孔熾、劉密、虞谷、勞夷、后綿、華耆、謝滕、任儗、呂系、呂本、曹禮十六人詩不成，罰酒三巨觥。參預者中無支遁，而唐人張彥遠《法書要錄》卷三所錄，則有支遁，未知何所據。《天章碑》所載，應該是較為可靠的。

⑪參見宋・桑世昌編《蘭亭考》，知不足齋叢書本。

⑫參見《蘭亭論辯》（上編）所收諸文，文物出版社，一九七三年。

⑬同上書（下編）。

⑭陶說誤，逸少為王廙之從子，非廙兄。

⑮《世說新語・文學》記此事，謂其時王珉也在座。《晉書》傳也引此，遂使有的論者信以為真，引此以證珉亦奉佛。其實《世說》此一記載是不確的，程炎震已指出，提婆來遊建康，在隆安之初，而珉卒於十年前之太元十三年，不及見提婆。

⑯此從袁行霈說，袁說力證陶入劉裕幕。見其《陶淵明與晉宋之際的政治風雲》，載《中國社會科學》一九九〇年第二期。

結束語

魏晉是一個在文化史上有特殊意義的時代。如果我們從建安算起，到劉宋的建立，這個時期共二二四年，這是充滿戰爭和饑饉，陰謀和殘忍，悲歌慷慨和背信棄義，尋歡作樂和瀟灑風流的二二四年；但是也是思想最活躍感情最豐富的二二四年。在這個環境裡，產生了玄學，文學獨立成科，書法和繪畫，都有了輝煌的發展。在這個環境裡，中國士人走過了一段漫長的心路歷程。這個時期，無論從玄學思潮的發展和士人心態變化來說，都提出了許多值得思索的問題。

一

從士人心態的發展來說，我們發現，每一個歷史階段，士人心態都有一種總的大體一致的趨向。盡管從各個人的具體考察中可以發現他們的心態千差萬別，但是在一些重要問題上，例如價值取向、生活情趣等方面，卻總是有一種與時代環境相稱的發展趨向。

兩漢定儒術於一尊。儒家的倫理道德規範成為士人終身奉行的人生準則。他們把自己的一生和大一統政權聯繫在一起。在他們的心中，君權是至高無尚的。他們把自己的一生，看作是為君為朝廷而存在的。忠於君忠於朝廷，被視為此時士人之理想品格。兩漢的循吏，就是這方面的典型的代表。他們受君之托，牧民愛民。在他們心中，君與民是一體的，「受君之重位，牧天之所甚愛」。他們願為此而鞠躬勞瘁。他們對於大一統政權，有一種親近感，同時也有一種依附感。

但是這種情形，東漢末年之後有了很大的變化。接受過儒家傳統思想熏陶的士人，面對的卻是一個由宦官和外戚專權的腐敗的政權。他們懷著怎樣的一種忠誠而又悲慨的情懷，一次次上疏反宦官反外戚又一次次失敗。他們慢慢地發現了，他們忠而見疑，忠而見棄，他們忠心耿耿為之憂思勞瘁的政權給予他們的報答，卻是殺戮與監獄。兩次黨人事件對士人心靈的震動，是難以用言語描述的。霎時之間，悲壯情懷席卷士林，從其時士人的慷慨赴義中，我們可以清楚地感受到這種心靈震撼的廣度與深度。以此為契機，士人的心態起了極大變化，最主要的一點，便是從與大一統政權一體中脫離出來，在感情上由親近而走向疏離。士人既失了他們的忠於君主忠於朝廷的信仰，他們的視野便回歸自我。既然忠而見棄，他們便渴望用另一種方式來表現自己的存在，於是名士風流，互相題拂，高自標置，走向了自我的感情天地。這個時候，我們看到，士人精神上傳統的儒家倫理觀念的種種束縛鬆動了，重感情、重個性、重才能、重自我成了一種普遍的心理趨向，或慷慨悲涼，走向追求功業；或任情縱欲，走向享樂的人生；或以高潔自恃，而歸隱山林。價值取向從大一統時期的一元化轉向了多元化；生活方式和生活情趣同樣如此。他們從定儒學於一尊時的那個理性的心靈世界，走到一個以自我為中心的感情世界中來了。

這個以自我為中心的感情世界應該向何處去，其實是現實生活中提出來的無可回避的問題，於是我們便看到正始士人對這個問題的各種回答。如果要說出正始士人的主要特點的話，那麼便是充滿著哲學的意味。他們以一種從未有過的理論熱情，在哲學的層次上思索著現實生活中提出來的各種問題。可以毫不誇張的說，這時的士林精英，幾乎都捲進到玄學思潮中來了。在玄學思潮的影響下，他們開始有意識地探討自己的理想人生。可以說，正始時期，是玄學人生觀的一個探索時期。士人的價值取向，生活情趣與生活方式，也仍然是多元的。這時最能代表玄學人生旨趣的是嵇康。嵇康追求一種雖處人間而超脫世俗之外，自由閒適、如詩如畫的生活。這種生活既有不受任何禮的約束的精神的自由，又有起碼的物質條件和必要的親情慰藉，雖返歸自然而實處人間。他實在是在中國文化史上第一位把莊子詩化的人，把莊子的純哲理的人生境界，變為人間的詩的境界。應該說，他這樣一個人生理想，他的價值取向和生活情趣，無疑有著玄學人生觀的基本品格。但是，由於他的這樣一個人生理想，是建立在越名教而任自然的思想之上的，傲視世俗，以己為高潔而以世俗為污濁，終因迕俗而為世俗所不容。嵇康的被殺，實在並非由於他捲入了曹魏與司馬氏的政爭，而是由於他這人生旨趣代表著當時激進的崇尚玄風的士人的情緒傾向，而這種情緒傾向的存在對於以名教為偽飾的司馬氏勢力有礙，是非殺不可的。嵇康的被殺，證明這種具有玄學品格的人生觀在現實裡無法存在下去。

於是，西晉名士便轉向任自然而縱欲。他們取一種與嵇康完全不同的人生態度；他們不反對名教，又追求任性適情，在名教與自然、出世與入世之間，找到了一條最省事、最安全，通向皆大歡喜的人生道路。這時名士群體的人生理想，用石崇的一句話來說，就是「士當身名俱泰」。他們的生活信條，便是求瀟灑風流以自適，依阿無心以自全，機心入世以為己。他們崇尚富貴奢靡，追求瀟灑風流的美名，醉心於俊美秀麗的風姿，把高雅與庸俗融於一身。他們口談玄虛，而實入世甚深。玄學的崇尚自然的旨趣，在西晉士人的生活裡，以縱欲、為己的方式得以實現。這樣一個人生理想，既可達到任性適情的目的，又不迕違世俗，因之也就為世俗所容。當然最後是付出了國家敗亡的沉重代價。

南渡之後，士人的心態又一變。他們從國破家亡的悲傷裡恢復過來之後，便走進了一個偏安的心境之中，追求寧靜的精神天地。他們從西晉士人的放蕩縱欲的趣味裡擺脫出來，尋求瀟灑飄逸的旨趣。他們風度翩翩地處世，留連於山水之間，愛好書法、繪畫和音樂，向往著仙的境界和佛的境界。一句話，他們追求著一個寧靜高雅瀟灑的人生。由於這樣一個人生也不迕俗，因此他們也是實現了的，雖然其時半壁山河，尚淪敵手。

從東漢末年到晉宋之交，二百二十餘年間士人心態四變，如果拿東晉士人的心態與漢代士人的心態相比，我們就可以明顯地感到，這變化有多大！二百二十餘年間，士人所走過的這一段漫長的心路歷程，有著極為深刻的社會歷史的原因。

二

促使士人心態變化的原因是很多的，就每一個個體來說，這種原因可能千差萬別；但是作為士人群體的一種普遍的心理趨向，它的變化往往是由於一些重大的社會歷史條件的變化引起的。

考察魏晉這二三〇餘年的士人心態史，可以發現，促使士人心態變化的一個重要因素，就是政局。中國士人在傳統上與政治有著極為密切的聯繫，他們往往以國之治亂為己任。兩漢之後這種傳統精神更有了發展。他們的整個人生，似都與一政局的變化息息相關。漢之末世，士人之心理趨向從與大一統政權的親近感轉變為與大一統政權疏離；他們從大一統政權的維護者變為批評者，關鍵的原因就是腐敗政治的推動力。宦官與外戚弄權的黑暗朝廷，一次次地對忠心於它的士人施加無情的打擊，把他門從繫心朝政中推開去，推向自我。這無疑對於士之個性覺醒起了十分重要的作用。而魏晉禪代之際的激烈政爭，對於形成西晉士人的自全心理，無疑也有著決定的意義。在禪代之際的激烈政爭中，如果我們統計一下不得善終的士人，那我們就可以發現，大抵是兩種類型的人，一種是直接參預政爭的，如何晏、鄧颺、李勝、丁謐、畢軌、桓範、夏侯玄、毌丘儉、諸葛誕等人。他們之被殺，是因為他們站在曹魏一邊，反對司馬氏，是非殺不可的。史稱，殺何晏等人，而天下名士去其半。可以想像此事對於當時士林影響面之廣。一類是雖不直接參預政爭，但反對名教，過於認真，過於執著，也是非殺不可的，如嵇康。這種局面，表現著一種什麽樣的意義呢？它清楚地，再一次地表明，在激烈的政爭中，過於認真是危險的。嵇康被殺，而向秀失圖，再清楚不過地說明殘酷的政爭在士人心中引起的震撼之深。作為向往任自然的人生境界的玄學名士來說，向秀原與政爭並無直接關係，他只是持一種超然事外的態度。這種超然事外的態度，在盛世原也無任何危險可言，但在禪代之際便不同了。晉氏受禪，作為有巨大影響的名士，超然事外就是不歸附，不歸附就是心存不滿，那結果是可想而知的。於是向秀舉郡計入洛。試看他那篇《思舊賦》，他到司馬氏那裡去做官，內心是忍受著何等的痛苦，依他的本心說，他是不願意入仕晉室的，他還深深眷念著鍛鐵洛邑、灌園山陽、於山林間了無繫念的生活，心中充滿著失去這種生活的悲哀，「嘆《黍離》之愍周兮，悲《麥秀》於殷墟」。他是在借著悼念故國，來悼惜他已經逝去的生活，是對一種人生境界的無可奈何的失去的深沉悲哀。但是嵇康的死，又如陰影一般籠罩在他的心頭，他擺脫不掉那死的恐懼。生與死的衡量，他終於選擇了低首臣服的道路，去向了司馬氏說出那句「巢許狷介之士，不足多慕」的充滿屈辱與辛酸的話。他是入仕晉室了，但始終不以職事為念。向秀的失圖，給出了一個十分明白的訊息：司馬氏政權所留給士人的政治天地是十分有限的，他們別無選擇，只有依附於這個政權。何晏等人和嵇康的悲劇結局，將永遠存留在他們的記憶裡。他們似乎再沒有勇氣如嵇康那樣「顧視日影，索琴而彈之」了；他們也沒有勇氣象阮籍那樣，忍受那心裡有話而不能說的終生的寂寞與苦悶。他們要尋找一個全新的人生天地。他們要活得安全些、適意些。這就是西晉名士普遍不嬰世務、依阿無心的最為重要的原因。史家們往往把西晉名士的不嬰世務，完全歸之於玄風的過錯，而不去想一想他們若果嬰世務了，會有什麼樣的結局。司馬氏政權所留給名士們的政治天地極為有限，但留給他們的生活天地卻是十分廣闊的。它已經用對待阮籍的態度明白示知了這一點，只要口不論時事，生活上盡可以放誕不羈，不必顧慮的。西晉名士無疑地接受了這個迅息。這恐怕就是西晉士人不嬰世務的更為深刻的原因。

而西晉士人的沒有特權，最重要的原因也在其時之政局中可以找到。司馬氏政權既然是以弒君的手段建立起來的，它在處理名教的最核心、也最敏感的問題：君臣關係上，便面臨一種兩難的境地：既不能毫不含糊的提倡忠，又不能提倡不忠。於是便出現了弑高貴鄉公之後既獎勵從名教的角度說是逆臣而對司馬氏來說是功臣的賈充、王沈、王業等人；也獎勵對於高貴鄉公的被殺表示悲哀的王祥、司馬孚等人，以慰藉他們作為「忠臣」的感情。忠與不忠，都受到了嘉獎。在司馬氏來說，是在兩難境地中的一種無可選擇的選擇，意在暗示，忠還是要的，但應該是忠於司馬氏。但從士人的角度說，則他們無疑地從這種處理間受到一種依違兩可的教育。這就是後來史家一再提到的司馬氏政權政失根本所帶來的禍害。這禍害後來當然便導致了八王之亂。八王之亂起來之後，士人的抉擇，大都便沒有操守可言了，今天依附於此，明日依附於彼，一切以實利為轉移，節操與廉恥了不在念中。而這一切，它的根源便在司馬氏的政失根本的政風裡。

至於南渡之後士人的偏安心態之形成，毫無疑問主要也來源於偏安的政局，無須贅為論述。政局的變化對於士人心態的變化趨勢影響至巨，遠不止上述例舉這些，例如劉琨的轉向慷慨悲壯，王衍的臨死悔恨，周顗輩的泣新亭等等，可以舉出一連串來，具體的心態表現盡管各有不同，而其同受政局影響則一。

三

影響士人心態變化的另一重要因素，便是哲學思潮。哲學思潮深刻影響著士人的心態，影響他們的人生理想、價值取向、生活方式和生活情趣。這已由儒學對於兩漢士人的人格塑造中得到有力的證明。玄學思潮對於士人的人格塑造，又一次證明了這一點。

學術界曾經有過一種意見，以為玄學是一種脫離現實的哲學。這種見解是不符合歷史真實的。學術界又有過一種意見，認為玄學的產生是一種政治需要，與曹魏改制有關。這種見解過於牽強，玄學的中心論題，任何一個都難以坐實到改制上。

玄學的出現，它的歷史原因比曹魏改制要深遠得多。儒學在兩漢發展到它的極盛階段，與強大的大一統政權緊緊地聯在一起。它成為官學、變成神學之後，在顯示它的無尚威力的同時，便也走向僵化與繁瑣，成為一種思想束縛，不可避免地要走向它的反面。於是從內部開始，逐漸地出現了自我改造的趨勢，删繁就簡，打破家法師法的界線，思想開始從僵化轉向活躍，思想方法逐漸從繁瑣趨向簡潔。從重章句趨向重義理，從實證慢慢地向著思辨發展。學術思想的這種演變本身，已經為一種新的哲學思想的出現準備了條件

漢末清議的權柄逐漸移入名士手中，演變為人物品評。人物品評從重道德判斷，逐漸轉向重才性風姿。重才性風姿很自然地便把談論的重心轉向重自我，與道家思想聯繫起來，由是人物品評便成了由清議向著清談發展的中間環節。清談的談義理，乃是一種自然的發展過程，而清談正是玄學理論探討的一種方式。

但是，這些都不是玄學思潮產生的根本原因。玄學思潮產生的根本原因，在於現實生活的需要。

漢末儒家思想禁錮鬆動，思想活躍起來，士人由理性的世界走向感情的天地之後，自我便十分地膨脹起來。重自我，重感情，任情放縱，很自然地便和傳統的觀念發生種種的矛盾，這就是史學家們所說的自然和名教的矛盾。這些矛盾需要從理論上給予解釋，給予回答。此其一。個性覺醒的初期，用老莊思想來解釋任自然的合理性。但是原始老莊思想本身，任自然是貴心賤身，超越欲念超越人生，不可能滿足此時士人之實際需要。個性覺醒的思潮既貴心，又貴身，既重心靈的自由又重物質的滿足。在新的條件下，老莊思想需要給以新的闡釋，給予改造。此其二。儒家思想權威的失落需要有一種新的理論來塡補它的位置，玄學就是士人尋找來用以代替儒家思想的新的理性依歸。此其三。玄學的出現，乃是個性覺醒的思潮的一種理性思索，它的差不多所有重要論題，都與這樣的社會需要有關。

任情縱欲成為一種風尚之後，感情問題便一直為社會所關注。應該如何看待情欲？如何引導、節制情欲等等，都需要從理論上加以說明，於是有聖人有情無情的討論。由情欲問題，很自然地聯繫到生命的價值，重自我便貴身，要不要養生，如何養生，同樣成了社會關注的問題，於是有養生問題的討論。本末有無問題的提出，重要的意義在於解決現實生活中已經提出來的自然與名教的矛盾。王弼提出的一切「有」皆推原於「無」，而「無」就存在於一切的「有」中。「無」就是「道」，就是「一」，就是自然。他講「因」、講「順」講「隨」，就是講順自然之性。而這些理論的現實意義，就在於它可以用來解釋名教的存在是合理的，但它應該順物之性，從而把名教引向自然。同樣，言意關係問題的討論，亦源於現實生活中有這種要求。現實生活中許多理論命題的解決，用漢學的實證的方法已經無能為力了，需要思辨的方法，言意命題實際要解決的是理論方法問題。這些都說明，玄學思潮的出現，乃是漢末以來士人心態轉向自我的產物，是對於個性覺醒和由這覺醒而引發的種種問題的理論闡釋。

而玄學思潮一旦形成之後，它又反過來推動士人心態的變化。這是只要看正始西晉、東晉各個時期士人的價值取向、生活情趣等等方面的變化就可以了然的。自正始之後，玄風成為一股巨大的不可阻擋的力量，席捲士林，滲透到士人生活的一切方面，迅速地改變著他們的價值取向、生活情趣以至改變他們的風度容止。嵇康的人生追求裡，從阮籍的近於虛幻的人生理想裡，我們可以找到正始玄學的印記；從西晉士人的任自然而縱欲、士當身名俱泰的心態裡，我們可以找到與郭象適性說的聯繫，而從東晉士人所追求的寧靜心境中，我們可以看到玄學與佛學合流的理論趨向。玄學發展的各個不同的階段，既反映了其時士人心態的變化，又推動著心態的進一步變化。整個玄學思潮自始至終都與士人心態的變化緊緊聯繫在一起，在中國古代思想史上，除了兩漢儒學、宋明理學之外，恐怕沒有一種哲學思潮象玄學這樣集中、這樣廣泛這樣深入、這樣長久地影響著士人的生活。

四

玄學思潮在魏晉二百二十餘年間有著那樣廣泛深入的影響，但是它並沒有發展成為中國思想史的主流。

這樣一種理論思維水平很高的哲學，何以在中國文化裡不久便消失了它的光彩，而背負起釀造禍亂的罪名？事實上它在理論上的成就，已不可阻擱地進入儒學的發展進程之中，直至宋明理學裡還隱藏它的理論的光輝，但是它卻沒有能成為後來中國士人立身處世的理論基礎，沒有為後來的社會所接受，這究竟是為什麼呢？

魏晉士人在玄學思潮的席捲之下，如醉如痴地走過了二百二十餘年的漫長的心路歷程，是什麼吸引著他們，使他們如醉如痴？為什麼他們又走不下去了？他們留給後代的是什麼呢？這些都是難以一時回答，需要認真研究的理論問題，本書只是力圖描述出玄學發展與士人心態的變化的歷史面貌，而無力對這些問題作理論上的回答。

不過有一點是清楚的，那便是玄學思想為個性的覺醒，為自我的肯定找到了理論上的根據，但是它卻沒有能夠為解決個體與群體、自我與社會的關係提出一套足以取代儒家倫理道德規範的規範。

因為它為任自然以適情性的合理性找到了理論根據，因此它受到剛剛從大一統思想的僵化、窒息的環境裡解脫出來的士人的如醉如痴的歡迎。在它的理論指引下，他們追求縱情自適、追求個人慾望的滿足，他們的個性，得到了極大的弘揚。這一點甚至為後來的學者們所讚美備至，視之如神仙。所謂晉人之美，美在心靈等等，都是後來學者對他們的虔誠贊辭。但是人究竟是社會的人，他既是自我，又是社會群體中的一員；既追求個性的自由，又不可能不受任何約束而獨立於社會群體之外；既要滿足個人的慾望，又要承擔社會的責任。這是兩個方面的問題。但是玄學思潮所給予關注的只是前面的一個問題，而把後面一個問題忽略了。人究竟不是神仙，不解決後面這個問題，便無法在社會上生活下去。這恐怕就是玄學未能成為後來中國士人立身處世的理論基礎、不能為後來的社會發展所接納的最根本的的原因。

不過它在中國士人的傳統性格的形成、在士文化的發展過程中卻留下了不易抹掉的痕跡。中國士人的超脫的一面，他們的雅趣的養成；中國士人的山水意識，山水詩，以至後來發展起來的山水畫；中國書法的抒情性，無疑都有著這個時期玄學思潮的印記。